월야환담

월야환담 광월야 · · 5

홍정훈 장편 소설

초판 1쇄 찍은 날 2017년 05월 08일
초판 1쇄 펴낸 날 2017년 06월 23일

지은이 홍정훈
펴낸이 서경석

편집책임 이창진 | **편집** 김경민 | **디자인** 신현아

펴낸곳 도서출판 청어람
등록번호 제387-1999-000006호 | **등록일자** 1999. 5. 31
어람번호 제8-0096호

주소 경기도 부천시 부일로 483번길 40 서경B/D 3F (우) 14640
전화 032-656-4452 | **팩스** 032-656-4453
http://www.chungeoram.com | **E-mail** chungeorambook@daum.net

ISBN 979-11-04-91299-3 04810
ISBN 979-11-04-91294-8 (SET)

광월야 · 5 ·

월야환담

홍정훈 장편 소설

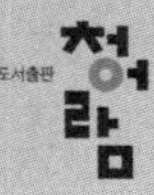

차례

第24夜

합종연횡

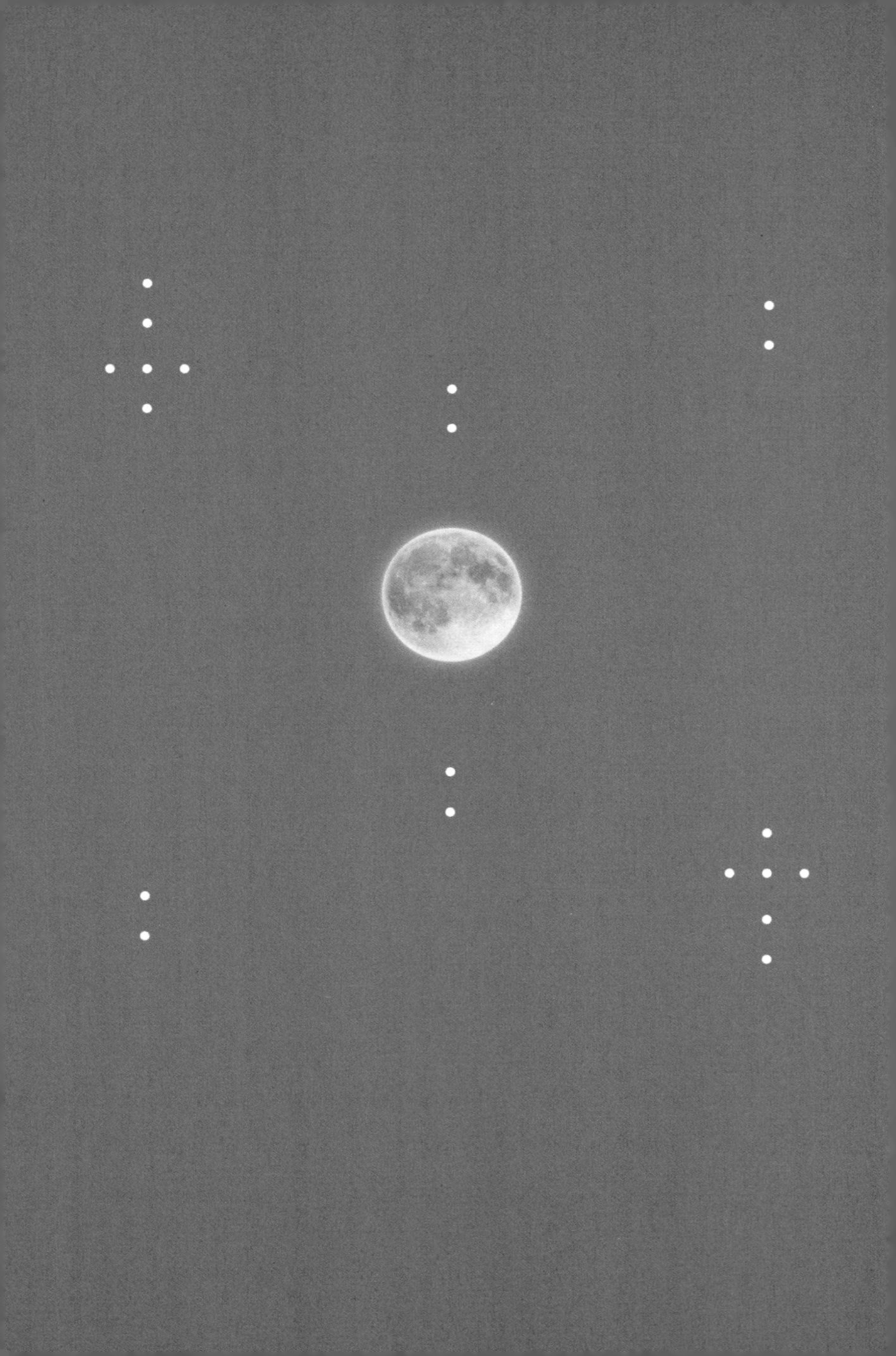

1

라이칸스로프 여단의 전투원들은 모든 화력을 볼코프의 곁에 있는 적성 인원에게 집중시켰다.

볼코프도 함께 있으니 오발을 주의해야 한다. 물론 볼코프가 이 정도 타격에 당할 리는 없겠지만 하나같이 만만치 않은 인물들을 상대하고 있으니 백번 주의하고 집중해도 부족하다.

그런데 바로 그 의식의 빈틈을 타고 한 인영이 날아들었다.

푸슉!

거인병의 정수리를 은색의 세이버가 꿰뚫었다. 검은 신부복의 남자, 실베스테르 신부가 거인병의 머리로 떨어지며 세이버를 꽂아 넣은 것이다. 게다가 그는 칼자루의 손잡이에 착지해 거인병을 아예 세로로 토막 내버렸다.

투확!

그는 마치 연습이라도 한 것처럼 착지와 동시에 앞으로 기울어지며 손을 들었다.

철컥!

허공에서 M82 라이플이 떨어져 그의 손으로 빨려 들었다. 착지 지점을 미리 예측하여 라이플을 먼저 던져놓고 세이버 공격을 감행한 것이었다. 이런 것은 단순히 신체 능력이 뛰어나다고 할 수 있는 게 아니다.

"뱀파이어 갈보들을 상대하는 것도, 이 탐욕스러운 짐승들의 엉덩이를 차주는 것도 목자 된 자의 사명이지. 아멘."

실베스테르는 나직이 기도하고 라이플의 방아쇠를 당겼다.

팍!

총탄에 맞은 라이칸스로프 병사들이 나가떨어진다.

"아니?!"

놀란 라이칸스로프 병사들이 몸을 돌렸지만 표적에 집중하고 있던 그들이 새로운 적에 대응하기까지 시간이 걸렸다. 그리고 그 정도면 실베스테르가 그들의 포진을 망쳐놓기에 충분한 시간이었다.

실베스테르의 바렛이 연거푸 불을 뿜었다. 실베스테르는 그렇게 탄창을 비우고 재장전하는 대신 총을 옆으로 던졌다. 반투명한 은색의 그림자가 나타나 실베스테르의 총을 받고 대신 재장전해 준다.

그사이 실베스테르는 자신이 검으로 꿰뚫은 거인병의 라이플을 잡았다. PTRD—41 대전차 라이플, 바렛 M82보다도 더 대구경인 라이플이다.

콰앙!

라이플이 불을 뿜자 또 다른 라이칸스로프가 분쇄되어 쓰러진다. 물론 재생력이 왕성한 라이칸스로프들은 총격을 당해도 곧 회복해 일어나지만 덕분에 볼코프를 지원할 방도가 없다.

실베스테르는 이걸로 볼코프를 쏠 생각은 없었다. 어차피 볼코프는 외력에 강한 신체 강화 능력을 가진 라이칸스로프라서 이 라이플로도 별 재미를 못 볼 것이다.

"자, 이 정도 틈을 벌어주면 충분하겠지?"

실베스테르는 자신을 향해 날아오는 수류탄과 유탄을 칼을 맞고 쓰러졌던 거인병의 몸으로 막았다.

놀란 거인병이 허우적거리지만 힘을 쓸 요소요소에 은사가 감겨 있어서 허우적거릴 뿐이었다.

"커서 막기도 좋군."

실베스테르의 빈정거림과 함께 폭발이 연거푸 일어났다.

"하아… 그야말로 용담호혈이군. 우리도 너희들의 의식이 집중될 때 기습했는데 또 기습이라니, 서로서로 꼬리를 무나?"

볼코프는 새로이 나타난 적의 존재에 혀를 찼다. 엄밀히 따지면 그런 게 아니지만 아무도 볼코프의 오해를 풀어줄 이유를 느끼지 못했다. 볼코프가 그 말을 끝내고 서린에게 뛰어들었기 때문이었다.

현재 남아 있는 적 중 가장 위험한 것은 테트라 아낙스. 앙리유이나 서현, 한세건은 우선순위가 떨어진다. 변신한 서현은 볼코프에게도 충분히 위협적인 존재지만 멍청하게도 이놈은 굶었다. 카타볼릭 상태에서 변신을 하다니 죽고 싶어서 환장했다고밖에는……. 그러니 여기서 테트라 아낙스를 제거한다면 끝이다.

볼코프는 그리 생각하고 주먹을 뻗었다. 하지만 그때 누군가가 서린의 목덜미를 잡고 휙 뽑아서 볼코프의 주먹을 빗나가게 하고 볼코프와 서린의 사이를 막아섰다.

진마 아르곤이었다.

"아르곤… 여전하군. 아직도 그런 히피 같은 삶을 추구하나? 자네는 나와 같아. 웅지를 펼치지 않으면 좀이 쑤시는 인물이지."

볼코프는 자신의 앞을 막아선 아르곤을 보며 쓴웃음을 지었다. 그가 직접 회유하고 있지만 별로 기대하지는 않았다. 아르곤이 이런 회유에 응할 놈이었다면 오히려 높이 평가하지 않았을 거다.

"웅지를 펼치기 위해서라고 말하고 있지만 당신은 결국 죽는 게 두려운 거지. 무의미하게 죽는 게 두려워서 차라리 이 세상에 거대한 상처를 남기려 하는 게 아니라고 가슴에 손을 얹고 말할 수 있나?"

"……."

"대부분의 라이칸스로프가 그렇게 하더군."

아마도 헥토르와의 대화에서 볼코프가 대부분의 뱀파이어를 라이칸스로프를 두려워하는 겁쟁이로 매도한 것에 대한 대답인 것 같았다.

분명히 한 시대를 풍미하는 강력한 라이칸스로프가 종종 태어나 뱀파이어와 마법사들, 헌터들의 세계를 위진시켰다. 하지만 그 강렬한 위업은 웅지라든가 패도에 의한 게 아니라 사실은 뱀파이어에 비해 짧은 수명 안에서 뭐든 이루고자 하는 강박관념 때문이 아닌가? 아르곤은 그렇게 물어보고 있는 것이었다.

"그럼 내 편이 될 생각은 없다고 해도 되겠군? 결국 또 내 앞을 막아서는가? 아까운 놈이라고 생각하고 있지만 두 번씩이나 살려서 보낼 생각은 없다!"

이미 과거 아르곤은 볼코프에게 패한 적이 있었다. 라이칸스로프 여단이 ICBM을 탈취하기 위해 쿠데타를 벌였을 때 아르곤은 볼코프와 맞섰고 패했다. 사실상 살해당해도 이상하지 않을 정도로 일방적으로 두들겨 맞았다. 그때 볼코프는 아르곤의 목숨과 재능, 재주를 아까워했었다.

그리고 그것은 지금도 마찬가지다. 일전의 격차를 생각해 보면 지금 이 순간 갑자기 아르곤이 강해졌을 리는 없다. 뱀파이어들은 오래 산 만큼… 그들 자신의 성장은 느리거나 없다. 아니, 퇴보하지 않으면 다행일 지경이다. 다시 붙어봐야 아르곤의 패배는 확정이나 다름없는데 이러다니 이해가 가지 않는다.

"간다!"

볼코프는 아르곤에게 뛰어들어 주먹을 날렸다.

그런데 그때였다.

—오라클 시스템 서포트! 보조연산 승인!

서린이 아르곤의 뒤에서 주문을 시전했다.

"무슨?!"

볼코프는 그 모습을 보고 정신 충격에 대비했다. 테트라 아낙스가 가진 정신 지배 능력은 그야말로 한번 걸리면 끝장인 것이다. 사법 결계가 사라졌으니 그것에 대비했어야 했지만… 이 자리에 있는 아담카드몬 아낙스가 약간만 생각이 있다면 테트라 아낙스가 능력을 쓰게 내버려 두지 않을 거라고 생각했었다.

부웅!

볼코프의 주먹이 폭풍을 불렀다. 하지만 아르곤은 피하지 않고 정면에서 볼코프의 주먹에 맞섰다. 아마도 팔을 뻗어서 주먹을 쳐내 흘려보내려는 것 같았다. 하지만 이 무지막지한 공격을 흘려보낸다고? 그런 망상을 품다가 볼코프의 주먹에 피떡이 된 놈이 하나둘이 아니다. 볼코프는 자신이 다시 아르곤에게 승리하고, 이것으로 승부는 끝날 것이라 믿어 의심치 않았다.

그러나…….

투확!

아르곤은 볼코프의 주먹을 중간에서부터 쳐냈다. 새하얀 서리꽃이 허공에 피어오르며 볼코프의 주먹이 빗나갔다.

"음?!"

볼코프는 절대적인 일격을 간단히 흘려보낸 아르곤을 보고 깜짝 놀랐다. 분명히 아르곤은 가장 적은 힘으로 강한 힘에 저항할 수 있는, 이상적인 방식으로 볼코프의 주먹을 쳐냈다. 그러나 지금까지 이런 식으로도 볼코프의 공격을 쳐내고 무사한 놈은 없었다. 살짝 스친 것만으로도 고속 열차에 스친 사람이 말려 들어가는 것처럼 말려 들어가 피떡이 되게 마련이었다.

"무슨 수를 쓴 거지?"

"아니, 조금……."

아르곤은 히죽 웃으며 풍선껌을 불었다.

"나도 성격이 안 좋아서… 아무리 쿨한 척하려고 애도 앙심이 남는 모양이야. 설욕전을 하고 싶거든?"

계승자, 석세서라고 불리는 뱀파이어들은 24계통의 VT인자가 현세에서 단절되는 걸 막기 위해 테트라 아낙스가 만들어낸 인공 진마였다. 이들의 특징은 보통 서로서로 덮어써서 수렴되는 VT인자 형질 간의 간섭을 최소화시켜 다중 능력을 사용할 수 있다는 것이다. 물론 그들의 다중 능력은 함부로 써서는 안 된다. VT인자는 정보를 담은 저주 인자. 혈인 능력으로 그 인자를 활성화시키면 다른 인자를 덮어쓰는 과정에서 충돌할 가능성이 있기 때문이었다. 결국 계승자들의 능력은 테트라 아낙스에 의해서 조정되어야 하며 이는 마법적으로 생사여탈권이나 다름없다.

그러나 최초의 계승자, 진마 아르곤은 좀 다르다. 최초의 계승자 진마 아르곤이 탄생할 때의 아낙스는 타락하기 이전이었으며… 그로 인해서 진마가 된 아르곤에게는 어떤 제어장치도 존재하지 않는다.

그렇다면 지금 아르곤이 펼치는 능력은 무엇인가?

아르곤은 간만에 몸에 도는 새로운 감각에 몸서리를 치며 씨익 웃었다.

"이런 걸로… 자존심을 세우면 유치한데… 역시 나도 염색체 XY인가."

아르곤은 풍선껌을 후욱 불었다. 그는 이걸 좋아한다. 항상 입안에 남아 있고 단맛이 떨어져도 장난감으로서 기능하며 그 결과 흡혈욕을 억제할 수 있다. 몇 푼짜리 기호품으로 끔찍한 흡혈 욕구를 억제할 수 있다면 이것보다 남는 장사가 없지. 하지만 강적을 상대할 때는 뱉어내야 하지 않을까?

그러나 아르곤은 검을 뱉어내지 않고 볼코프의 간격에 들어와서 한 손에는 항왜도를 들고 다른 한 손으로 간단히 볼코프의 공격을 흘려보내며 의연한 자세를 유지했다. 시건방짐이 묻어나오는 자세다.

아르곤 역시 남부럽지 않은 체격이지만 볼코프와의 체중 차이는 현격하다. 뱀파이어의 근력이 뛰어날수록, 라이칸스로프의 완력이 뛰어날수록 육탄전의 우세를 가르는 것은 체중이다. 아무리 뛰어난 뱀파이어라 해도 체중 차가 나는 볼코프의 공격을 막기 힘들 텐데?

"피해, 서린. 서현도."

아르곤은 자세를 잡고 그렇게 말했다.

"뭣?"

서현이 당혹스러워하자 아르곤이 씨익 웃었다.

"사람 안 먹고 더 이상 버티기 힘들 테지?"

아르곤은 서현이 카타볼릭 상태에서 무리하게 변신했다는 걸 꿰뚫어 보고 있었다. 확실히 지금의 서현은 도저히 싸움을 속행할 수 있는 상태가 아니다. 그렇게 된다면 아르곤은 혼자 후방에 남아서 볼코프라는 강적을 상대해야 하는 것이다.

"…뭔가 있긴 있나 보군."

볼코프는 아르곤이 단지 허세로 저러는 게 아니라는 걸 깨달았다. 방금 전까지와는 전혀 분위기가 다르다. 그러나 볼코프는 자신의 손에 닿는 것을 두려워하지 않았다. 주먹이 꽂히는 상대라면 그저 분쇄할 뿐이다.

볼코프는 우악스러운 움직임과 함께 보디 훅을 날렸다. 간단한 위빙(Weaving)에서 뿜어져 나오는 공격이지만 워낙 큰 체구에 무지막지한 주먹 크기, 무시무시한 속도와 위세는 그 앞에 대적하는 자에게 있어서 재앙이다.

"선행입력."

그러나 아르곤은 그 위세를 보면서 말했다.

갑자기 사방팔방에 서리꽃이 순차적으로 피기 시작했다. 혈인 능력을 미리 심어두는 것인가? 대체 격전 중에 어떻게 써먹으려고? 볼코프의 주먹 한 방이면 아무리 진마라도 육편이 될 텐데? 그런 의문이 들었지만 그다음 순간 아르곤은 가볍게 볼코프의 주먹을 피해내고 뒤로 물러나면서 하이킥으로 볼코프의 머리를 갈겼다.

물론 볼코프는 그 정도 타격으론 끄덕하지도 않았다. 아르곤도 파괴력보다는 속도 위주로 찬 것 같았다.

'무슨 생각이지? 너무 가볍잖아? 이런 게 내게 통하지 않는다는 건 알 텐데? 여전히 이런 생각의 함정의 빠지는 건가?'

볼코프는 그렇게 생각했다. 지금까지 그의 무지막지한 공격력을 보고 속도 위주로 바꿔서 싸우던 이들이 있었다. 그러나 볼코프가 그렇다고 느려 터진 것도 아니다. 아니, 느려 터질 수가 없다. 느려 터진 주먹이라면 아무리 완력이 강해도 위력 자체는 떨어지니까. 결국 빠르고 정교하고 위력적인 그의 주먹은 언젠가 적에게 박히고 적은 분쇄되는 게 지금까지 볼코프가 상대한 놈들의 말로였다.

"흐읍!"

볼코프는 타격을 무시하고 아르곤의 몸통을 쓸어갔다. 그러나 아르곤은 피하지 않고 살짝 미소를 지었다. 마치 산들바람 같은 상쾌한 웃음이다. 보기만 해도, 설령 적대하고 있는 이라고 해도 청량감이 느껴질 정도다.

'포커는 못 칠 놈이로군.'

볼코프는 그렇게 생각했다. 그 웃음과 동시에 갑자기 서리꽃이 피어나며 볼코프의 팔꿈치에 명중했다. 방금 전의 웃음은 그런 의미가 있었던 것인가?

'아까 전 심어둔 것인가? 흥, 이런 식이로군. 혈인 능력의 새로운 운용법을 터득했나? 그렇다 해도 별것 아니다.'

볼코프는 별로 대수롭지 않게 여겼다. 선행입력해서 명중시킨다면 일견 대단해 보이지만 그것도 유효타여야 의미가 있지 않겠는가? 강체화 능력을 사용하는 볼코프에게는 아프지도, 간

지럽지도 않다.

‘이 정도라면 강체화 능력을 쓸 필요도 없지.’

그렇게 생각했는데… 그 순간 서리꽃에 맞은 쪽 손이 느려졌다. 마치 뭔가가 뒤에서 잡아끌고 있는 것 같은 느낌이 잠깐 들었다. 그 틈을 놓치지 않고 아르곤의 공격이 뿌려졌다.

투칵!

방금 전과는 전혀 다른 성질의 묵직하고 위력적인 팔꿈치 공격이 볼코프의 관자놀이에 작렬했다. 강렬한 위력이다. 물론 강체술 때문에 타격은 없지만 그 대신 뼛속까지 아리게 만드는 한기가 침투한다.

“무슨…….”

당황한 볼코프가 휘청거리며 물러서는 순간 서리꽃이 연달아 피어난다. 태양을 산란시켜 하얗게 반짝이는 서리꽃이 연거푸 피어나는 모습은 아름답지만 그 서리꽃에 명중당하는 입장에선 돌아버릴 지경이었다. 서리꽃이 명중한 부위가 아주 약간 느려진다. 그러나 그 정도만 해도 이 공방전에서는 치명적이다.

‘뭐지? 단순히 냉기라면 내가 느려질 리가 없어!’

볼코프는 당혹스러워하면서 자신에게 날아오는 아르곤의 주먹을 보았다. 발목에 서리꽃이 피는 순간 아르곤의 주먹이 볼코프의 턱에 명중해서 목을 뽑아버릴 기세로 후려 버렸다. 물론 볼코프는 이것도 버틴다. 그러나…….

“으읍!”

몸이 뒤틀리는 듯한 느낌을 받는다. 보이지 않는 뭔가가 볼코프를 날아가지 못하게 붙잡는다. 분명히 맞고 날아갈 정도의 위력인데… 서리꽃에 맞은 부위가 딱 그 자리에 고정되는 것이다. 차라리 전신이 다 그러면 모르겠는데 한 부위만 잡아끄니 아주 악질적이다. 그 효과는 그야말로 찰나의 순간이지만 일단 명중하면 완전히 밸런스와 타이밍을 망쳐 버린다.

"제기랄."

볼코프는 욕설을 내뱉었다. 서리꽃 때문에 타이밍과 밸런스를 잃어 맞을 걸 빤히 알면서 속수무책으로 눈 부릅뜬 채 맞아야 한다!

투확!

과연 아르곤의 깔끔한 어퍼컷이 다시금 볼코프의 턱을 쳐올렸다.

더블 어퍼!

첫 번째 어퍼에서 하늘로 쳐올려졌다가 돌아오는 턱을 향해 다시금 쳐올린다. 돌아오는 힘에 더해서 쳐올리는 거니 위력도 절륜하다. 이미 첫 번째 공격을 방어하느라 힘을 써버린 근육에 다시 같은 방향으로 부하가 가해진다. 거기에 더해서 아르곤의 완력도 절대 가볍지 않다. 노르만계의 훤칠한 키에 순발력 높은 근육이 뿜어내는 순간 파괴력은 무시무시하다. 전신의 탄력을 이용해서 뿌려 올리는 주먹에 뱀파이어의 괴력을 감안하면 상상하는 것조차 끔찍하다.

"이거… 내가 너무 얕봤군. 내 강체화를 설마 육탄전으로 깨다니……."

아르곤의 어퍼컷을 정통으로 받아낸 볼코프는 처음으로 가드를 올려 방어 자세를 취했다. 전차포도 몸으로 버텨내는 볼코프의 턱에서 피가 흐르고 있었다. 아르곤의 어퍼컷이 그의 턱에 살짝 상처를 낸 것이다. 면도하다 턱 베인 사람처럼 피가 잠깐 나다가 곧 아물어 버렸다.

"계속 얕봐주셔도 되는데?"

아르곤은 쓴웃음을 지으며 풍선껌을 다시 불었다.

'망할… 방금 전 그렇게 잘 들어간 공격으로도 까진 상처가 고작이라니.'

아르곤도 단단한 볼코프에게 당혹스러워하고 있었다. 꽤 자신 있는 어퍼컷이었는데 잠깐 사이에 아물어 버렸다. 그 가벼운 상처와 교환해서 아르곤은 손뼈를 헌납해야 했다. 물론 아르곤도 뱀파이어니 상처야 재생되었지만 기껏 깔끔하게 때려서 오히려 이쪽이 손뼈 골절이라니?

서리꽃으로 보이는 저 능력의 정체는 거시동결이다. 평상시 아르곤이 쓰는 동결 능력은 미시동결, 즉 분자의 움직임을 멈춰 열에너지를 상쇄시켜 순간적으로 절대영도에 가깝게 냉각시키는 것이다. 그 미시동결을 확장해 거시적인 운동에너지 정지를 거는 능력이 바로 이 서리꽃의 정체다.

물론 같은 원리로 작동하는 능력이라고 해도 미시에서 거시로 그렇게 쉽게 확장할 수는 없다. 핀셋이나 파이프 렌치나 운동 원리는 같다고 한들 핀셋 수십 개를 모아서 파이프 렌치를 대신할 수는 없는 노릇 아닌가?

그래서 서린은 테트라 아낙스의 넘쳐나는 주문 연산 능력으로 아르곤의 혈인 능력을 보조해 확장해 주었다. 서린은 이미 오라클 시스템을 철폐했지만 아르곤을 보조하는 데는 서린 혼자서만 오라클 시스템을 작동시켜도 충분하다. 사실 아르곤이 마법을 배웠다면 뛰어난 주문 연산 능력으로 혼자서 해결할 수도 있을 테지만… 아르곤이 마법사가 되는 것보다 이쪽이 더 빠르다.

덕분에 아르곤은 볼코프의 무자비한 공격을 거시동결을 이용해 수월하게 걷어냈다. 그러나 그렇게 움직임을 묶더라도 치명상을 줄 수 없다니……. 게다가 이 녀석이 있어도 그 뒤에는 아담카드몬 아낙스가 버티고 있다. 차라리 볼코프는 서로 치고받을 수라도 있지, 아르곤으로서도 저놈에겐 손을 쓸 수가 없다.

상황은 한없이 절망적이다. 그러나 이 상황에서도 아르곤은 입가에 미소를 짓고 있었다. 아담카드몬 아낙스는 자신이 만들어진 자아 위에 있다는 걸 잘 알고 있다. 그리고 그 자아의 근본인 아낙스는 그야말로 현자, 성인이다. 즉 만들어진 자아라 해도 토대치고는 지나치게 단단하다.

이런 자가 이 상황에서 할 짓은 최대한 주변 사람들을 관찰하고 그들에게서 얻어지는 자신의 내면의 떨림을 관찰하는 것이다. 내가 누구인지 알기 위해서는 어떤 것에 흥분하고, 어떤 것에 증오하며, 어떤 것을 사랑하는지 느껴야 한다. 이제 막 만들어진 존재가 그렇게 하기 위해서는 관찰자 포지션으로 내려갈 수밖에 없을 터. 그렇다면 아르곤은 아담카드몬보다 우선 눈앞의 볼코프를 쓰러뜨리는 데 전력을 다해야 하는 것이다.

'그러면 이번엔… 이렇게 해볼까?'

아르곤은 현 상황을 냉정하게 파악하고 기뻐했다. 역시… 그는 뱀파이어가 되었음에도 불구하고 염색체 XY다. 이기고 지는 것에 구애받지 않으려 했는데 구애받고 만다. 뭐, 그것도 좋겠지. 아담카드몬 아낙스가 자신을 찾기 위해 자신이 무엇에 흥분하고 몰입하는지 찾아야 하듯……. 아르곤은 자신이 이것에 몰두하는 것이 곧 자신의 본질임을 안다. 그래, 이것이 바로 진마 아르곤이 그답게 사는 방법이다. 언제나 뱀파이어의 본질을 피해서 살려고 노력했었는데 이런 쪽으로는 본질대로 사는 게 유쾌할 것 같다.

아르곤은 항왜도를 볼코프에게 휘둘렀다.

두두두두!

총화기가 불을 뿜는 소리가 사방팔방에 울려 퍼진다.

라이칸스로프 여단은 건물과 건물 사이를 오가며 총격을 가하는 실베스테르에 완전히 정신이 팔려 있었다. 하지만 몇몇은 간간이, 아담카드몬 아낙스의 힘으로 재건된 쇼핑센터의 홀 앞에 있는 적들을 향해 총격을 퍼부어주었다. 볼코프와 아르곤의 싸움은 총격으로 어떻게 관여할 상태가 아니지만 이쪽에는 공격이 가능하다는 걸까?

"젠장."

앙리 유이는 자신에게 총격을 퍼붓는 저 저열한 라이칸스로프 용병들에게 치를 떨며 바닥의 포석을 들어 일단 벽을 세웠다. 탐욕스럽고 멍청한 놈들. 생각하는 대로 살아가는 게 아니라 살아가는 대로 생각하는, 말 그대로 짐승 같은 놈들이 그를 배신하고 그가 이룬 위업을 탈취하려 한다.

그러나 더욱더 짜증 나는 건 그 자신에 대해서였다. 앙리 유이의 계획이 엇나가기 시작했다. 앙리 유이의 예측보다 아담카드몬 아낙스의 능력이 너무나 뛰어났다. 물론 앙리 유이는 당연히 아담카드몬이 신에 가까운 존재라고 생각하고 온갖 혹독한 제어장치를 마련해 두었다. 그러나 그가 마법적인 면에서 신에 가까운 존재일 거라는 건 예측했어도 그 능력의 발동 방식이 이토록 현격히 이질적일 줄은 몰랐다. 결과적으로 앙리 유이가 어떤 수단을 가지고 있어도 아예 쓸 수가 없었다.

'여기서 물러나야 하나?'

하지만 생각해 보면 앙리 유이는 이미 목적을 거의 다 이루었다. 그는 아낙스를 능가하는 위대한 업적을 이루어 아낙스와 대등한 존재가 되고 싶었고, 원하는 대로 스승을 초월한 위대한 마법적 위업을 이루었다. 또한 가짜 아낙스, 서린의 파멸을 불러왔다. 비록 아담카드몬을 제어하는 데는 실패했지만 이 정도면 초기 목적의 상당수는 달성했다. 그런데… 어째서 기분이 좋지 않을까?

물론 앙리 유이는 그 이유를 알고 있었다. 그는 결국 아낙스에 대한 동경을 졸업하지 못했다. 아낙스보다 더 위대한 마법적 위업을 달성했지만 그 결과는 세상의 재앙이고 사실 위대한 업적이라고 할 것도 못 되었다. 아낙스도 그와 마찬가지로 사람을 희생시켰다면 아담카드몬을 만드는 것을 해냈을 것이기 때문이다.

결국 앙리 유이가 한 짓은 그 자신을 아낙스로부터 더욱더 멀어지게 만드는 일이었고 이 세계에 새로운 마왕을 탄생시켰을 뿐이다.

"…이제 속이 후련한가?"

그때 서현을 부축하고 접근해 온 서린이 앙리 유이에게 그렇게 물어보았다.

철골과 유리로 만들어진 아케이드 연결부, 저격수가 있기 힘든 곳으로 피하다 보니 서로 맞닥뜨리게 된 것 같다.

'그럴 리가…….'

비록 예지 능력을 봉인당했다 해도 고든의 기억과 지식을 가지고 있는 서린이 하는 일에 우연이란 없을 터……. 라이칸스로프 여단의 병사들이 실베스테르를 상대하느라 이쪽에 신경을 쓰진 못하고 있지만 유탄들이 신나게 휘날리고 있는 판이었다.

이 와중에 앙리 유이에게 말을 걸어오는 건 틀림없이 우연이 아니다. 뭔가 의도가 있다. 도망치는 것보다 우선 반역자를 처단하겠다는 심산인가?

앙리 유이는 날아드는 총탄과 앞으로 다가올 서린의 적의에 대비해 오래간만에 혈인 능력을 썼다. 앙리 유이의 몸이 무수한 벌레 떼로 쪼개져 날아드는 총탄들이 모조리 지나간다.

이것이 바로 앙리 유이의 혈인 능력, 벌레 다루기이다. 정확히 말하면 앙리 유이는 벌레들의 신경계나 조직을 자신의 영적인 백업으로 사용할 수 있었다. 즉 앙리 유이는 몸의 손실이 있으면 벌레들로 그것을 대신 채울 수 있고 필요하면 벌레 형상으로 분해할 수 있다. 이것은 어마어마한 생명력과 강력한 영적 백업 능력을 주어 그가 마법을 써도 반동을 최소화할 수 있게 해주었다. 게다가 자신의 몸을 비정형으로, 무수한 벌레로 분해시키고 재조립한다는 건 운용적인 면에서는 팬텀의 크림슨 글로우와 비슷하다.

하지만 이게 테트라 아낙스에게 통용되지 않는다는 건 앙리 유이가 더 잘 알고 있었다. 뭘로 변하든 간에 의식이 있다면 테트라 아낙스의 텔레파시에 사로잡혀 지배당한다.

자… 아담카드몬 아낙스가 텔레파시를 봉인하고 있는가? 쓸 수 있는가?

그 여부에 앙리 유이의 목숨이 달렸다.

앙리 유이는 물론 아담카드몬 아낙스가 테트라 아낙스의 텔레파시를 봉인하고 있다고 생각하고 있었다. 만약 그가 테트라 아낙스고 정신 지배와 텔레파시 능력을 쓸 수 있다면 우선 양손에 폭주 기관차를 달고 뿜어대고 있는 볼코프부터 제어했을 테니까.

그때 서린은 공격하는 대신 말했다.

"일단 피하지. 아담카드몬 아낙스가 우리를 보내준다면 말이지."

예상외의 말이다.

배신자를… 반역자를 책망하는 게 아니라 일단 자리를 피하자니?

역시 이 녀석은 아낙스가 아니다. 고든일 때 아낙스는 제왕으로서 그 손을 피로 물들이고 냉혹하고 무자비하며 무정한 철혈 통치를 견지해 왔다.

세이리오스스의 현자, 아낙스일 때?

'그때는…….'

문득 현기증이 느껴졌다. 그 시절의 아낙스를 떠올리면 앙리 유이는 항상 태양처럼 눈부시게 반짝이는 별들 아래, 밤이면서 낮처럼 느껴지는 유리알 위를 걷는 기분이 느껴졌다. 그의 용모는 저 아담카드몬 아낙스가 그대로 빼다 박았지.

하지만 세이리오스스의 현자 아낙스는 길을 잃고 방황하는 뱀파이어들을 불쌍히 여기고 있었고, 그 뱀파이어가 자신들의 본질 때문에 해치는 사람들을 가련히 여겼었다. 자애와 동정심으로 그 자신을 해칠 지경이 되어서야 겨우 고든이 되었으니까…….

이 녀석은 그 어느 것과도 다르다.

'웃기지 마… 네가 뭔데 날 용서하고 회유해? 넌 아무것도 아니야!'

앙리 유이가 그렇게 생각한 순간…….

"웃기지 마……."

서린의 말에 반박한 것은 다른 사람이었다.

쫘악!

서린의 목과 팔에 도폭선이 감겼다.

서린은 말없이 자신의 목에 감긴 도폭선을 보고 한숨을 내쉬었다. 그가 테트라 아낙스가 된 이상 한세건과 그의 관계에서 이런 살벌함은 감내해야 할 대가이지만 이런 상황에서도 이렇게 나오는 건 역시 그답다고 해야 할까?

“동경도와 자카르타에서 물경 천만에 가까운 사람이 죽었어. 이 녀석의 소행이다. 무고한 사람들의 핏값을 받아내야 해.”

“세건 형, 내가 정말 이런 이야기 해도 형은 받아들이기 힘들겠지만 진짜 지금은 이럴 때가 아니야.”

“아니. 너희들만 아는 진실, 너희들만 의미를 부여하는 가치를 놓고 다투느라 무고한 사람들의 피를 흘리게 해놓고 어째서 너희들의 상황은 남이 다 배려해 줘야 하지? 너희들 뱀파이어들은 언제 남의 사정을 배려해 준 적이 있나? 웃기지 마. 전 세계 모든 사람이 다 배려와 염려를 받고 나서라면 생각해 보지.”

물론 지금 이 순간에도 유니세프는 기아와 고통에 시달리는 아프리카 아이들을 모델로 광고하고 있고 무고한 어린아이들, 선택의 여지 없이 태어났기에 지옥에서 살아야 하는 사람들이 있다. 그들이 다 구원받고 난 뒤에야 뱀파이어의 상황을 이해해 주겠다는 건 영원히 적대하겠다는 적개심의 표현 이상도 이하도 아니다.

“…형, 감정적으로 행동하지 마.”

“나는 항상 몸부림치는 인간이었기에… 여기서는 감정적으로 행동하겠다. 고민이라면 네가 해라.”

한세건은 그렇게 말했지만 도폭선의 플러그는 뽑지 않았다. 역시 아무리 감정적으로 뒷생각 없이 저지르겠다 해도 아담카드몬 아낙스의 존재는 그에게 충격적이었을 것이다.
"하아… 이봐, 한세건."
그때 서현이 한세건의 어깨를 잡았다. 카타볼릭이 극심해 의식을 유지하기도 힘들 서현이 역시 계속되는 격전으로 소진된 한세건을 붙잡나 싶더니만…….
으득!
갑자기 뒤에서부터 어깨와 목을 연결하는 승모근 부위를 물었다.
"윽! 미친?!"
한세건이 저항하려 했지만 소용없었다.
푸슉!
피가 튀었다. 서현은 놀랍게도 한세건의 살점을 한 줌이나 물어뜯었다. 선혈이 튀어 오르고 놀란 한세건이 돌아서서 반격하려 했지만 서현이 그의 상처 부위를 손으로 덮고 힘을 주자 윽하고 한세건의 눈이 흔들렸다.
한세건은 서현의 갑작스러운 기습에 의해 기절했다.
"…무… 무슨."
"아… 이 녀석 겁날 정도로 맛있네. 내가 너무 굶주려서 그런가?"
서현은 퀭한 눈으로 한세건의 상처를 지혈시키는 한편 손에 묻은 피를 할짝할짝 핥았다.

아무리 극심한 카타볼릭 상태에 빠졌었다지만 방금 전까지 같은 편이었는데 습격해 버리다니?

역시 라이칸스로프의 야수성은 아무리 릴리쓰의 아들이라 해도 완전히 제어할 수 없었던 것일까?

"형! 미쳤어? 대체 지금 무슨 짓을 한 거야?"

"안심해. 미쳐 버린 건 아니니까. 이 정도로 해두는 게 그도 납득할 수 있을걸. 아… 젠장, 안 먹다 먹으니까 더 먹고 싶어지잖아."

서현은 그리 말하고 인근 마네킹의 옷을 쭉 찢어 한세건의 상처에 감아 지혈시킨 후 쓰러진 한세건을 등에 업었다.

그 순간 인근에 유탄이 떨어져 파편이 튀었지만… 서현은 판초우의를 펼쳐 파편들을 막아내었다. 마치 박쥐 날개처럼 펼쳐지는 판초우의가 유탄과 충격파를 받아낼 때마다 현악기나 북 같은 소리를 내며 파편들을 튕겨 보낸다.

"튀자."

"앙리 유이랑 헥토르는?"

"여기서 설득하는 건 바보짓이지!"

"아담카드몬이 우릴 보내줄까?"

"테트라 아낙스인 네가 바보라도 되었냐? 아담카드몬은 자신이 만들어진 존재라는 것도, 그 자아의 베이스가 아낙스라는 것도 잘 알고 있어. 차라리 널 생포해서 감금해 두고 구경하는 걸 즐기면 모를까 죽이진 않을걸. 보내주는 편이 반응을 더 다양하게 이끌어낼 수 있으니까 보내줄 거다."

아담카드몬 아낙스는 아낙스의 자아를 받고 태어났지만 주어진 자아와 그의 본질이 달라 혼란을 겪고 있었다. 아담카드몬 아낙스는 테트라 아낙스인 서린을 관측함으로써 자신을 확실히 정의할 수 있게 될 것이다. 그러니 지금 당장 죽이진 않는다. 그뿐만 아니라 한동안은 저항할 기회를 주면서 섬세하게 관측할 것이다. 서현은 그렇게 말하고 있는 것이다. 끔찍한 일이다.

그런데 그보다 더 끔찍한 것은…….

"아, 한 입 더 먹으면 안 될까?"

서현이 부들부들 몸을 떨면서 서린에게 물어보았다.

뭘 한 입 더 먹어? 설마 한세건을? 이게 무슨 냉장고에 쟁여둔 아이스크림도 아닌데?

그런데 이게 또 참 형제지간에 있을 법한 이야기다. 동생이 사둔 아이스크림이나 간식이 냉장고에 있는 걸 발견하고 먹어도 되냐고 물어보는 형…….

'그래, 이런 걸 동경하긴 했었지.'

서린은 서현과 형제간의 교감이, 정이 쌓일 시간이 너무 적었다는 걸, 서현이 너무나 가혹한 어린 시절을 보내야 했던 것에 늘 안타까워했었다. 어린 시절을 가족의 예능 사업에 혹사당해야 했던 마이클 잭슨은 그 상처로 평생 동안 키덜트로 살아야 했었다. 그만큼 어린 시절의 상처란 평생 한 사람을 지배하는 것이다. 그것을 생각하면 아이스크림 따위야 얼마든지 먹어도 된다. 그보다 더한 것이라고 해도 서현의 상처에 보상을 해주고 싶었다.

'하지만 이건 아니지.'

서린은 고개를 도리도리 저었다.

"하지 마. 나중에 깨어나면 무슨 소리를 들으려고……."

"다른 인간을 잡아먹는 것보다 자기 살 베어 먹는 게 덜 욕먹는 짓일 거야."

서현이 카타볼릭에서 회복하기 위해 다른 사람을, 설령 그가 끔찍한 악인이라도 잡아먹었다고 하면 한세건은 서현을 바로 인류의 적으로 여길 것이다. 역시 상종 못 할 라이칸스로프, 언젠가 배제해야 할 적, 그렇게 여기겠지.

반면 한세건은 자기 자신에겐 절대로 관대하지 않다. 관대하지 않은 정도가 아니라 그 어떤 악인보다 자신에게 엄격하다. 그렇기 때문에 한세건의 살을 베어 먹었다면 차라리 정상참작의 여지가 있다.

"뭐, 그건 나도 그렇게 생각하지만……."

서린은 그것엔 수긍하면서 서현이 한세건의 성격이나 사고방식에 대해서 상당히 이해가 깊다는 것에 놀랐다.

"그럼… 일단 물러나자."

서린은 앙리 유이의 설득을 포기하고 물러났다.

2

해가 서서히 넘어간다.

맑고 뜨겁던 열사의 하루였지만 그래서일까? 인근 바다에서 순식간에 피어오른 대량의 수증기가 구름이 되어 밀려오고 있었다. 해가 지기 전에, 혹은 지면서 스콜이 쏟아질 것이다.

그러나 지면에서는 아직도 열기가 피어오르고 있었고… 그 열기 위에서 두 사람이 춤춘다. 초로의 노인이지만 어마어마한 거구의 남자와 백발의 청년이 무시무시한 일격을 주고받았다.

라이칸스로프 여단의 수장, 볼코프 레보스키와 에스프리의 진마 아르곤이 격돌하고 있는 것이다. 과거의 격돌에서는 볼코프 레보스키가 승리했지만 지금의 대결 양상은 과거와는 전혀 달랐다.

퍽!

허공에서 서리꽃이 터지며 볼코프의 발을 잡는다. 그사이 아르곤은 항왜도를 휘둘렀다.

탱!

항왜도가 볼코프의 팔뚝에 충돌하는 순간 부러져 날아간다. 대신 볼코프의 몸 안에도 아르곤의 냉기가 파고든다. 이상한 일이다. 예전에는 추운 곳에서 싸웠기에 두꺼운 방한복을 입고 있던 상황이라 아르곤의 냉기를 버텨낼 수 있었다. 그런데 지금은 냉기가 파고드는 성질이 달라진 것 같다. 아무리 얇은 옷차림이라 해도 이렇게까지 냉기가 잘 파고들었던가? 볼코프가 그런 의문을 품는 순간 아르곤이 방금 전과는 전혀 달리, 이번엔 냉기를 몸 안에 전파시키기 위한 연타를 날렸다.

'굴욕적이네.'

아르곤 자신도 무투파 뱀파이어의 정점에 선 인물로서 자신의 무력에 자부심을 가지고 있었다. 그런데 육탄전으로 해결하는 걸 포기하고 혈인 능력에 의지해야 하다니 부끄럽다.

하지만 두들겨 맞는 볼코프 입장에서는 어림도 없는 소리다. 아르곤의 빠르지만 가벼운 공격이 수차례 볼코프를 두들기고 그때마다 냉기가 몸으로 파고든다. 이대로라면 맞아서 거대한 얼음기둥이 될 판이다.

'…이런… 이대로는 이길 수 없겠군.'

볼코프는 사방팔방에서 쏟아져 자신을 두들기는 아르곤의 공격에 패배를 예감했다. 공격 자체는 가볍지만 냉기는 뼛속까지 파고든다. 혹독한 추위에 익숙해져 있는 볼코프지만 이걸 계속 맞으면 버틸 수가 없다.

문득 웃음이 나왔다.

실 아르곤을 무시하고 재빠르게 앙리 유이를 처치한 후 아담 카드몬 아낙스와 함께 떠났어야 했다. 그런데 아르곤의 도전에 진지하게 응해 버렸다. 역시… 나이가 들어도 사내놈은 영원히 애새끼라더니만, 이런 식으로 일을 망칠 줄이야. 볼코프는 자신의 어리석음에 웃지 않을 수 없었다. 그런데도 전혀 기분이 불쾌하진 않다. 외려 상쾌한 기분이다.

볼코프의 몸이 냉기에 저항하지 못하고 얼어붙기 시작하면서 이제 완전히 얼음기둥으로 변했다.

'이제 결판을 지어야 할 때로군.'

아르곤은 그 모습을 보며 생각을 정리했다.

볼코프는 더 이상 움직이지도 못한다. 이런 상황에서 결정타를 꽂아 넣어서 그를 살해하는 건 아르곤의 의지에 반한다. 에스프리는 인간의 자유의지를 믿는다. 비록 그 결과가 악이든 선이든… 자유의지는 그 자체로 신성하다. 자유로운 사고와 상상력을 금하면 이 세상 모든 것이 무가치해지고 의미를 상실한다고 믿고 있었다. 볼코프라도 살려두면 자신의 의지로 살고 학습하고, 그러면서 그 나름대로 삶을 마무리하겠지. 수명도 얼마 남지 않은 볼코프다. 굳이 죽일 필요가 있는가?

'문제는 그 이유가 차고 넘친다는 거지.'

지금 이 상황은 결코 아르곤에게 유리한 상황이 아니다. 아직 라이칸스로프 여단은 건재하고 아담카드몬 아낙스도 있다. 이 상황을 타개하기 위해서는 일단 적을 좀 줄여두는 게 낫지 않을까? 회복해서 다시 덤벼들 여지 없이 아예 제거해 버리는 게 나을 텐데?

아르곤은 망설이면서 힘을 끌어 올렸다. 그의 양손에서 서리꽃이 피어나고 그 서리꽃이 서로 맞물려 반대 방향으로 돌기 시작한다. 내켜 하지 않으면서도 아르곤은 볼코프를 끝장내기로 결심한 것이다.

"뭔지 모르겠지만 죽이려 한다는 건 알겠군."

그때 아르곤의 귓가에 속삭이는 목소리가 들렸다. 깜짝 놀란 아르곤의 옆에 어느새 아담카드몬 아낙스가 접근해 있었다. 아르곤은 준비한 힘을 해방하려 했지만 그보다 먼저 아담카드몬 아낙스가 말했다.

"테트라 아낙스의 이름으로 명한다. 계승자 아르곤에의 주문 연산 지원 정지! 통상 모드로 이행하라!"

"뭣?!"

그 순간 아르곤의 양손에서 맴돌던 서리꽃이 터져 나갔다. 그뿐만 아니라 선행입력을 걸어두고 아직 터뜨리지 않은 서리꽃이 일제히 피어났다 사라졌다.

"……."

망연자실해진 아르곤은 싸울 생각도 못 하고 멈춰 섰다.

'이 녀석이 지금 무슨 짓을 한 거지?'

테트라 아낙스나 할 수 있는 힘과 권한으로 계승자, 석세서인 그에게 주어지던 주문 연산 능력 지원을 끊었다. 아니, 그 정도가 아니다. 지금 그는 자신이 테트라 아낙스라고 말하지 않았나?

"뭐라고?"

서현은 서린의 말에 자신의 귀를 의심했다.

한세건을 등에 업고 달려 나가는 그의 옆에서 서린이 말했다.

"이제 난 테트라 아낙스가 아니야."

'적에게 허망하게 당했으니 테트라 아낙스를 자처할 낯이 없다' 라는 자기 부정의 의미로 하는 말 같지는 않다.

"아니, 이게 무슨 헛소리야? 농담하냐?"

서현은 너무나 큰 충격으로 서린이 미치지 않았나 진지하게 의심해 보았다.

"물론 고든의 기억과 지식, 그리고 그의 VT인자가 내게 있어. 이건 변하지 않았어. 그렇지만 여기서 말하는 건 네 마리 뱀의 일원이냐 하는 거지. 난 아담카드몬 아낙스와의 접촉으로 오라클 시스템에서 배제당했어. 아르곤을 지원하는 건 나 혼자의 힘으로 할 수 있지만… 저놈이 손을 대면 테트라 아낙스가 더 우선해 버린단 말이지."

"그렇다는 건……."

"그가 테트라 아낙스야. 내가 아니라. 이거 참 얄궂은 일이지."

서린은 그리 말하며 좀비와 구울들로 가득한 자카르타 시내를 빠져나갔다.

"근데 너희들만 쓰는 용어라 내가 이해하기 힘들어. 일단 테트라 아낙스는 너희 클랜이고 그 클랜에는 오라클 시스템을 관장하기 위한 4명의 수장이 있지? 용어 좀 분할하면 안 되냐? 전부 다 테트라 아낙스니까 이건 뭐 한국어로 따지면 '거시기' 같아. '거시기가 거시기해서 거시기혀 불지~ 거식혀~'"

"……."

서현의 말에 서린이 넋을 잃었다.

"형이 원래 이런 성격이었던가?"

"아, 미안. 방금 그건 잊어라. 아니면 네 두개골에서 뇌를 뽑아서 표백제를 부어버릴 테니까."

서현이 얼굴을 붉혔다.

차라리 욕하는 것보다 더 쪽팔리다.

"뭐, 거시기하다는 건 나도 동의해."

“야, 인마.”

서현이 짜증을 냈다.

“지금 말하는 건 테트라 아낙스 클랜의 네 리더, 오라클 시스템의 핵심 사인방을 말하는 거야. 넷이서 하나라는 동질감이 곧 테트라 아낙스를 테트라 아낙스이게 하는 것이거든. 그 동질감 연결 고리를 빼앗겼어.”

서린은 그렇게 말해주었다.

“레베카, 베이런, 마틴이라는 나머지 세 테트라 아낙스와의 동질감 연결 고리가 그에게 넘어가 버린 이상 오라클 시스템의 전권을 빼앗긴 셈이야. 내가 오라클 시스템을 안 쓰기 위해 해방시켜 두긴 했지만 테트라 아낙스가 마음만 먹으면 오라클을 얼마든지 만들어낼 수 있지.”

“나머지 세 명은 꼼짝 못 하나? 다수결 시스템이라면 3 대 1이니 별로 걱정할 필요가 없는 상황인데?”

“기본적으로 그들은 부인격이야. 고든이 이 자리를 차지하고 있을 때는 고든의 영향을 받아 냉혈한이 되고 내 영향을 받을 때는 따뜻하고 사랑이 넘치고 자애롭고 현명하고 아름다운…….”

“더 말하면 쳐버린다?”

서현은 이런 급박한 순간에도 실없는 소리를 하는 서린에게 몸서리를 쳤다.

“아르곤의 능력을 강화한 건 어떻게 한 건데, 그럼?”

“아르곤은 아낙스가 테트라 아낙스가 되기 전에 계승자가 된 거라 특별히 그를 강제할 수단 따윈 없어. 오라클 시스템으로 아르곤의 주문 연산 능력을 서포트해 줘서 그가 좀 더 능력을 심도 깊게, 유용하게 쓰게 해준 것뿐이야. 그렇지만… 오라클 시스템은 완전히 빼앗겨 버렸어. 어쩐지… 이런 예지가 느껴지더라니."

"응?"

"내가 세건 형에게 한 말을 기억해?"

"아니, 나야 모르지. 나에게 한 말도 아니라 한세건에게 한 말을 기억하라니 너 지금 사람을 무슨 블랙박스로 보냐?"

"…형이 사람이었던가? 라이칸스로프지."

…라고 뱀파이어와 라이칸스로프의 혼합 형태가 말했다.

아니, 이 녀석 뻔뻔하기가 이 정도면 얼굴 가죽으로 포탄도 막겠다.

"네가 테트라 아낙스라는 단어를 혼용하는 것에 비하면 훨씬 알아듣기 쉬운 단어 혼용이었다만? 어쨌거나 뭔데?"

서현은 투덜거리며 주차되어 있는 차량을 밀어서 치우고 길을 텄다. 한세건의 살점을 한 움큼 먹은 것만으로도 카타볼릭 상태가 상당히 개선되었지만 여전히 휴식이 필요했다. 아담카드몬 아낙스 같은 괴물과 싸울 처지는 아니다.

"음, 세건 형에게 이렇게 말했었어. '앙리 유이를 도와서 테트라 아낙스를 방해해 달라' 고."

"한세건이 워낙 뱀파이어 말을 안 들어주니까 반대로 움직이라고 한 소리 아냐?"

"아니. 그건 분명히 예지였어."
"그럼 앙리 유이가 향후 중요한 역할을 한단 말이야?"
"그럴지도? 어쨌거나 그래서 앙리 유이를 회유하려고 했었지만… 뭐 지금은 그냥 각자의 길을 가는 게 낫겠지. 지금은 앙리 유이보다 우선해야 할 일이 있거든."
그때 서현과 서린, 그리고 기절한 한세건의 앞에 예상치 못한 인물이 내려섰다. 아니, 서린은 예상하고 있었다.
"앙리 유이보다 더 우선해서 다른 사람을 포섭해야 할 때니까."
"…설마 그 다른 사람이 이건 아니겠지?"
서현은 자신들의 앞에 내려선 베오울프의 사장 한니발을 보고 반신반의하면서 물어보았다.

"으음……."
얼음기둥이 되었던 볼코프가 천천히 몸을 회복하고 아담카드몬 아낙스의 곁에 섰다.
"상당히 공명정대하군."
아르곤을 해치지 않고 물러서는 볼코프를 보며 아담카드몬 아낙스가 한마디 했다.
"이번엔 내가 졌다. 호가호위하면서 자신을 능가했던 강자를 꺾는 건 어리석고 한심한 짓이지."
볼코프는 아르곤을 바라보았다. 아르곤도 더 이상 싸울 생각은 없는지 멍한 표정으로 그들을 보고 있었다. 닭 쫓던 개 지붕 쳐다보는 격이다. 그만큼 아담카드몬 아낙스가 자신의 능력 서포트를 꺼버린 것이 놀라웠던가? 따지고 보면 아담카드몬 아낙스는 아낙스의 기억을 가지고 있다. 그의 지식이 있으니 당연히 계승자 시스템을 이해하고 있었고 관리할 수 있는 것이다.

"굴욕이군. 죽이지도 않는다니."

아르곤이 그렇게 말하자 아담카드몬 아낙스가 흥 하고 코웃음 쳤다.

"마음에도 없는 소리를 하는군, 아르곤. 설마 죽고 싶어서 그러는 건 아니실 텐데?"

"설마 그럴 리가. 그냥 투덜거린 것뿐이야. 그래서 어쩔 건가, 아담카드몬 아낙스? 앙리 유이가 원하던 대로 세상을 떡 주무르듯 주물러서 먹기 좋게 만들어 떠먹여 줄 것 같지는 않은데."

아르곤은 앙리 유이를 멀리하는 아담카드몬 아낙스를 보고 그렇게 말했다.

아담카드몬 아낙스는 여전히 앙리 유이를 감정적으로 의미 있게 대하고 있었다. 이 감정은 강아담이라는 소년의 것이므로 다른 자아를 받아들여서 희석시키면 된다. 아담카드몬도, 아니, 아르곤조차 알고 있는 사실이다.

"아낙스의 자아, 나쁘지 않아. 만약 아담카드몬의 본질을 조악한 자아에 강림시켰다면 틀림없이 미쳐 날뛰었을 것이다. 앙리 유이라는 마법사를 칭찬해 주고 싶을 정도군."

아담카드몬 아낙스는 그리 말하고 손을 들었다.

스콜을 예고하는 먹구름 사이로 무수한 드론들이 날아오고 있었다. 테트라 아낙스 소유의 드론이다. 하지만 아담카드몬 아낙스는 그 드론들을 바라보며 웃었다.

"테트라 아낙스라는 위치도 받아주지."

"그리고 테트라 아낙스의 자아를 받아들여 앙리 유이에게서 독립한다?"

"뭐든지. 칼자루가 나에게 있는데 굳이 서두를 필요는 없지. 충분히 정보를 수집하고 내 마음을 파악한 이후에 결정짓도록 하지. 진마 아르곤, 당신도 나쁘진 않아. 유쾌하고 또한 완성된 자아를 가지고 있지. 내 편이 되겠나?"

"아니… 나는 그렇게는 안 해."

아르곤은 절대 부자로서 살지 않는다. 부족함이 인격을 완성시킨다. 아르곤의 신념이 그렇기 때문에 그는 자신에게 막대한 부를 안겨줄 수 있는 여러 가지 정보, 테트라 아낙스가 퍼다 주는 각종 투자 정보나 지식들을 무시했다. 이제 와서 아담카드몬 아낙스 같은 절대 강자의 편에 설 수는 없다.

"만약 놓아준다면… 나는 다시 서린에게 돌아가지. 패배한 나이지만 그런 자비는 베풀어줄 수 있나?"

아르곤이 그렇게 물으며 아담카드몬 아낙스와 그의 곁에 선 볼코프를 바라보았다. 아담카드몬 아낙스는 볼코프를 바라보았고 볼코프는 말없이 고개를 끄덕였다.

"좋아. 보내주지. 진마 아르곤, 떠나라."

"그것 고맙군. 그럼."

아르곤이 모자를 벗으며 우아한 자태로 인사해 보이곤 물러났다. 그러자 볼코프가 박수를 쳤다.

“자, 라이칸스로프 여단! 철수한다. 들었지? 아르곤은 그냥 보내주도록! 실베스테르 신부도 그냥 보내 버려!”

그러자 라이칸스로프 여단들이 움직이기 시작했다. 자신들의 포진을 뚫고 훼방을 놓은 실베스테르를 잡기 위해 건물과 건물을 뛰어다니고 있던 라이칸스로프들이 그 추격을 단념하고 돌아온다.

“그래, 저들은 아직 나의 영성을 위한 재료이니 조금 더 날뛰게 하라!”

아담카드몬 아낙스는 그렇게 말했다.

“아르곤은 가치 있고 실베스테르 역시 그러하다. 그런데… 저건?”

볼코프는 재생을 완성한 헥토르를 가리켰다.

이미 마음이 꺾여 버린 헥토르는 아담카드몬 아낙스는 물론 볼코프에게도 대적할 생각이 없었다. 아담카드몬 아낙스의 은혜를 입어 흡혈욕을 잃고 수면에서도 해방된 그이니 알 수 있었다. 아담카드몬 아낙스는 뱀파이어들이 감히 넘볼 수 없는 격이 다른 존재라는 걸. 그리고 그가 테트라 아낙스의 지위까지 차지한다면 그걸로 이 세상은 아담카드몬 아낙스의 손바닥 위에 올라간 유리구슬이나 다름없게 된다.

언제나 스스로 귀족인 양 자부심을 과시하던 헥토르지만 그는 지금까지 자신의 패배가 확정된 상황에서 싸운 적이 없었다. 볼코프가 말한 대로 뱀파이어의 역사에선 수차례 ‘히로익 라이칸스로프', 영웅적인 힘을 가진 라이칸스로프의 위협이 있었고 그때마다 뱀파이어들은 뒷감당은 나 몰라라 하고 도망치기 바빴다. 헥토르는 수면 때문에 그런 상황에 가세할 수 없었다지만 결국 그 역시 그랬을 것이다. 패배할지도 모르는, 아니, 확실히 패배한다고 확신할 수 있는 상황에서 목숨을 걸고 싸울 이유가 없다.

헥토르의 귀족인 양하는 자부심의 도금이 지금 벗겨졌다.

"내버려 둬. 언젠가 다시 일어난다면 그때가 진짜 재미있을 것이다. 가자."

아담카드몬 아낙스가 손을 들어 올리자… 볼코프와 라이칸스로프 여단, 그리고 아담카드몬 아낙스의 허리에서 와이어에 연결된 알루미늄 풍선이 떠올랐다.

"…이런 건가. 사람 여럿 죽었을 텐데."

스카이후크, 이 풍선으로 띄워 올린 케이블을 수송기가 지나며 와이어로 견인해 병력을 이탈시켜 주는 장비다. 스파이 영화에서나 나올 법한 것으로 보통 인간이라면 아무리 많이 훈련해도 위험하다. 성공률도 낮고 비행기를 적성 지역으로 저공비행시켜야 하기 때문에 실용성도 낮은데 위험성만 높다고 비난받던 기술이다. 그러나 드론과 무인기 기술이 발달하면서 무인기를 날리면 적진 한복판에 있는 요원을 빼낼 수 있다는 점이 각광을 받고 있었다. 하지만 아직 미군에서도 연구 중인 기술일 텐데 테트라 아낙스는 이미 실전에 투입할 정도란 말인가?

"그대들은 사람이 아니지 않은가?"

아담카드몬 아낙스가 미소를 지었다. 그와 동시에 드론이 저공으로 비행하며 아담카드몬 아낙스의 스카이후크를 걸고 홱 날아올랐다.

"아, 제길……."

몇몇 라이칸스로프의 입에서 욕설이 터져 나왔다.

한니발은 코웃음 치고 있었다.

서현과 서린, 그리고 한세건이 낭패를 봤는지 처참한 몰골로 그의 앞에 있다. 그야말로 일패도지, 패배해서 꼬리 만 개에 불과하다. 그런 놈들이 지금 뭐? 협력? 협력을 요구한단 말인가?

"하… 웃기지 마. 협력이라고?"

"내가 말했지. 말이 안 통한다니까."

서현은 그럴 줄 알았다는 듯 서린에게 말했다.

"하지만 아담카드몬 아낙스가 그 본질대로 움직인다면 틀림없이 모두를 정화할 거예요."

"아담카드몬의 본질이 뭐길래?"

한니발이 물어보았다.

"카발라의 아인소프 오올… 입니다. 그는 최초의 인간, 즉 인간 지성의 시작이며 끝이에요."

서린이 그리 말했다. 그러자 한니발은 코웃음 쳤다.

"그런 이야기는 귀에 못이 박히게 들었는데 너무 추상적이야. 구체적으로 뭘 어떻게 한다는 거야? 본질대로 움직인다면?"

"그는 문명의 끝에 나타나서 모든 인간을 정보의 파동으로 바

꿉니다.”

“정보의 파동?”

“음… 혹시 컴퓨터 그래픽에 대해서 알고 있으세요?”

“저런 놈이 알 리가 있겠냐?”

서현이 중얼거렸지만 한니발이 고개를 끄덕였다.

“유니티 엔진에 맥스나 마야 정도라면…….”

“…아니, 왜 용병 회사 사장이 그런 걸 할 줄 아는데?”

서현이 어이가 없어서 물어보자 한니발이 헛기침을 했다.

“베오울프용 모바일 앱을 만드느라. 험험.”

“…그러니까 네가 왜?”

“평소엔 정신병원 안에 있어서 심심하단 말이야.”

한니발은 그렇게 말하며 주차되어 있는 차량을 뜯어서 시동을 걸고는 서린과 서현에게 타라고 손짓한다.

서린과 서현이 올라타자 그는 차를 몰면서 능숙한 솜씨로 빠져나간다.

“이쪽에 우리 베오울프에서 퇴로를 확보해 뒀으니 그쪽으로 차를 몰고 갈 수 있을 거야.”

서현은 한니발의 태도를 보고 의아해졌다.

‘어라? 이 자식 지금 무슨 짓을 하고 있는 거지?’

그래서 서현은 다시금 물어보았다.

“그런데 지금 정신병원에 있다고?”

“괜히 별명이 한니발인 줄 알아?”

“내가 네놈 별명을 어떻게 알고 있겠냐? 이번에 보기 전까지는 듣도 보도 못하던 놈이었는데."

"……."

한니발의 얼굴이 팍 구겨졌다. 무시도 이런 무시가 있을 수가? 하지만 화낼 틈도 없이 서현의 다음 질문이 그를 재촉했다.

"그래서 왜 한니발인데?"

화낼 타이밍을 완전히 빼앗는 질문이다. 한니발은 으휴 하고 말을 이어나갔다.

"평상시엔 정신병원에 있다가 일 있을 때마다 외출을 하니까 그렇지."

"보통 정신병원에 갇혀 있는 걸 자랑이라고 하나……? 그보다 너 같은 괴물을 가둬둘 수 있는 정신병원이 있냐? 알카트라즈나 시베리아 굴라그도 때려 부수고 나오겠구만."

"갇혀 있다기보다는 정신병원을 내 아지트로 삼고 있는 거지. 그럼 내 집이니 부술 이유가 있나?"

"그러고서 잘도 사장 업무를 수행하는군. 상장회사라며? CEO가 정신병원에 있으면 주가 안 떨어지냐?"

"동양인들이나 정신병원 가는 걸 부끄러워하지 서구인들에게 정신병원은 뭐 멘탈 케어를 위해서 자주 가는……."

"미친놈아, 아무리 그래도 강화유리 저편에 한니발 렉터처럼 쭈그려 앉아 있는 놈이 내 재산을 관리하게 내버려 둘 놈은 아무도 없을걸?"

서현이 강력하게 핀잔을 주자 한니발이 어깨를 으쓱해 보였다.

"베오울프는 재택근무 환경이 끝내주거든. 그리고 사실 정신병원에 서류상으로는 입원해 있지만 실제로 거주하는 시간은 일 년에 삼 주쯤 되나?"

한니발은 그리 말하며 7인승 차량을 몰아 복잡한 길거리를 요리조리 잘도 질주한다. 그 안에서 서린이 설명을 시작했다.

"어쨌거나 그럼 이해하기 쉬울 테니 설명해 드리죠. 혹시 노멀맵핑이라는 기술을 알고 계세요?"

"텍스처에 데이터를 넣어 폴리곤 수는 줄이면서 그럴싸하게 보이는 기술 말이지? 알고 있지."

"그것은 이 현실과 흡사하게 되어 있어요. 일반인들은 이 우주가 물질로 이뤄져 있다고 생각하지만 정확히 말하면 에너지와 정보로 이뤄져 있지요. 에너지는 폴리곤 모델이고 정보는 그 노멀맵 데이터가 들어 있는 텍스처라고 이해하시면 됩니다."

"…그렇게 말해서 사람들이 이해하겠냐?"

서현이 어이가 없어서 빈정거렸다.

"뭐 일반인이야 힘들겠지만 한니발이라면 이해하지 않겠어?"

서린이 그렇게 말하자 한니발이 고개를 끄덕였다.

"이해했다기보다는 그 정도는 원래 알고 있어. 인문학적으로 보자면 우리가 우리의 언어로 표현할 수 있는 것이 곧 우리에게 유의미한 세계이고… 이과학적으로 말해도 우리들은 에너지로 이뤄진 양자거품이고 그것에 어떤 정보가 담겨 있느냐가 우리의 현재를 규정하지."

이걸 단번에 이해하다니 한니발의 지성도 어째 비정상적으로 뛰어난 부분이 있다. 생긴 건 호러 슬래셔 무비의 악당같이 생겨서 '으워~' 라든가 '그에엑~' 하고 비이성적인 소리만 하며 사람 죽이게 생긴 놈이 사실은 두뇌파라니? 아무리 사람을 겉모습으로 보고 판단해선 안 된다고 하지만 이 정도면 너무 심하다.

"그래서 그 아담카드몬이 정보를 컨트롤한다 이건가? 원래 정보 능력은 테트라 아낙스의 특기 아니었나?"

"원래 정보처리는 테트라 아낙스의 특징이지만… 아담카드몬은 그야말로 인간의 알파에서 오메가입니다. 그가 하는 짓은 인간의 정보를 기록해서… 정보의 파동, '아인소프' 로 압축하는 것입니다."

"그게 무슨 의미가 있지?"

"우리가 외령이라든가 태초의 영이라고 부르는 존재가 그렇게 태어난 거니까요. 릴리쓰라든가 현생인류 그 자체도 말이지요."

"릴리쓰에 현생인류……?"

듣고 있던 서현이 혀를 찼다.

"뭐, 그… 그러니까 우리가 우주 저 멀리 다른 문명의 존재의 영향을 받아 태어났다는 SF 같은 이야기를 하고 싶은 거냐?"

"형, 어차피 우리 몸 안에 있는 칼슘이나 인 같은 원소는 우주에서 온 거 맞아. 아니, 그냥 모든 원소가 다 우주에서 온 거 맞고 지금 이 순간에도 우주에서 온갖 우주선, 방사선, 가시광선 등이 정보와 함께 쏟아지고 있다고. 뭐, 그렇게 새로울 것도, 새삼스러울 것도 없잖아?"

"아니, 그런 스케일로 따지면 끝이 없고 말이야. 내가 말하는 건 우리 존재의 근원 말이지."

"뭐, 그럴 수도 있지. 그런데 엄마 아빠가 섹스를 해서 태어났다고 충격받을 나이는 지났잖아. 지금 잘 살면 되지 근원은 알게 뭐람?"

"지금 네가 하는 이야기가 엉망이잖아. 그 아담카드몬이 아인소프인지 뭔지를 해서 아마 우리가 저 멀리 우주에서 태어났고 이게 문제라고 말하면서 신경 쓰지 말라니?"

서현이 따지고 들었다.

"아인소프를 만들고 방출하는 과정에서 현생인류가 아작이 나니까, 그건 신경 써야지. 생각해 봐. 진화를 특정 방향으로 유도하는 강력한 정보를 지구상에서 방출하면 무슨 일이 일어나겠어? 저 멀리 우주에서야 그냥 흔히 지나가는 우주 방사선 중 하나에 불과하니 그로 인해서 짚신벌레에 털 하나 더 나는 정도로 끝나겠지만 지상에서는… 끝장이라고."

"…으음, 확실히……."

서현도 이해는 된다. 그런데 왜 이렇게 심사가 뒤틀리지? 왠지 서린은 이것도 모르냐는 분위기로 말하는데, 따지고 보면 서린이 그걸 알고 있는 것도 테트라 아낙스가 되었기 때문이 아닌가? 테트라 아낙스가 되면서 얻은 정보를 마치 엄마 배 속에서부터 알고 있어야 하는 당연한 사실인 양 이야기하는 게 상당히 기분 나쁘다.

"…개구리 올챙이 적 몰라도 유분수지. 뭐, 처음부터 알고 있었던 사실처럼 말한다? 테트라 아낙스의 지식 아냐?"

"내가 올챙이일 때를 형이 기억하기나 해? 나라고 좋아서 이런 게 된 줄 아냐고!"

"그런 하소연은 난 하다가 질려서 최근 안 하고 있거든? 전 세계 제일의 부자가 되어서 참 가슴이 아프겠구나. 그때 나는 사람을 죽이고 먹고 살았거든?"

"아니, 세건 형을 맛있게도 냠냠해 놓고선… 너무 적성에 맞는 거 아냐?"

"그건 오해의 소지가 있잖아."

"하긴 물고기가 암컷이든 수컷이든 뭔 상관이겠어. 맛있으면 장땡이지."

"농담하지 마라. 웃을 기분 아니니까."

서린과 서현이 점점 언성을 높이며 다투기 시작한다.

그걸 본 한니발이 운전대를 잡고 한마디 했다.

"아, 진짜 너희 형제들끼리 싸울래? 형제간에는 서로 사이좋게 지내야지."

"……."

해가 떨어져서 그런가? 열사의 자카르타에서 싸늘한 공기가 감돈다. 아닌 게 아니라 곧 비가 쏟아지기 시작했다.

우르르릉 콰릉!

하늘에서 천둥이 구르고 빛이 번쩍이며.

쏴아아아…….

워터 커튼 같은 빗줄기가 사정없이 쏟아진다.

이 모든 게 한니발의 헛소리 때문인 것 같다. 그만큼 한니발의 말은 충격적이었다.

"그 말을 너 같은 미친놈에게 들으니까 깬다."

서현이 한숨을 내쉬었다.

3

쿠르산은 방글라데시 몽글라의 슬럼가에서 웨어타이거로 태어나 각성한 이래 범죄 조직의 히트맨으로 활동해 왔다. 어린 시절부터 폭력의 도구로서 큰 그는 제대로 된 대접을 받지 못했다. 사람을 죽이는 행위에 정당한 노동 대가를 요구할 수 있는 일인가 하는 문제는 제쳐두고서라도… 방글라데시의 범죄자들은 탐욕스럽다. 가난한 사람들이 좁은 작업대 앞에 앉아서 몇 시간을 쉴 새 없이 일해 겨우 몇 타카의 돈을 받아 가는 동안… 그들의 노동을 해외 유명 브랜드에 팔아치우는 이들은 막대한 돈을 벌어들인다.

그 심장에 사람의 피가 흐르는 자라면 가난에 고통받는 자들을 무시할 수는 없을 텐데!

굶어 죽어가는 사람들의 머리 위로 자가용 비행기를 타고 날아다니는 부자들을 보면 싫어도 그런 생각이 들었다.

그러나 쿠르산은 바로 그 자가용 비행기를 타고 다니는 이들의 도구였다.

아, 얼마나 싸구려 동정심인가. 사람들의 가난을 동정하지만 그 자신은 선천적인 재능, 웨어타이거라는 폭력의 재능을 이용해 바로 그들을 가난하게 만드는 이유에 동조하고 있다. 착취자의 칼날로서 살아가고 있었다.

그러던 어느 날… 쿠르산은 자신의 고용주를 살해했다. 왜 그랬는지는 기억에 나지 않는다. 고용주와 그의 경호원들을 죽이고서 시체의 산을 쌓고 호화스러운 저택의 풀장에 앉아 멍하니 하늘을 바라보고 있었다. 제대로 교육받지 못한 쿠르산은 자신의 감정을 형언할 수가 없었다. 그때 그 저택에 들어온 남자가 있었으니 그게 바로 한니발이었다.

쿠르산의 고용주는 베오울프에도 개인 경호를 의뢰하고 있었다. 라이칸스로프 대신 일반 요원들을 파견하고 있던 베오울프로서는 자신의 대원을 살해하고 고객 또한 죽인 쿠르산을 용서할 수 있을 리 없었다. 하지만 그렇다 해도 베오울프에는 전투요원이 많다. 굳이 사장이 나설 필요까지도 없던 일…….

그러나 한니발은 때마침 근처에 있었고, 그가 직접 나서 쿠르산의 운명을 바꾸었다.

"재미있는 놈이로군. 못 배워서 그러나?"

한니발은 쿠르산을 단 일격에 바닥에 꿇렸다. 날 때부터 재생력을 가지고 있던 쿠르산으로서는 아픔으로 쓰러져 있는데 회복되지 않고 그 고통이 계속해서 되돌아오는 파도처럼, 물결처럼 반복되는 것은 처음 경험해 보았다. 죽음의 공포에 쿠르산이 몸을 떨 때 한니발이 말했다.

"선천적인 힘을 지니고도 그 정도밖에 못 하나? 내가 네게 세상에게서 빼앗는 법을 가르쳐 주마."

그날 쿠르산은 한니발에게 충성을 맹세했다.

그 후로 쿠르산은 한니발을 따르며 빼앗는 자가 되었다. 그 전에도 사람들을 죽이고 푼돈을 벌었지만… 한니발의 곁에서 전쟁을 치르면 더 많은 돈을 벌 수 있었다. 심지어는 직접 사람을 죽일 필요도 없었다. 많은 전장을 누비다 보면 사람이란 놈들은 서로 죽이기 위해 태어난 것이 아닐까 의심스러울 정도였다. 그만큼 전장은 많았고 그들의 틈 사이를 누비며 살짝 양념을 뿌려주는 것만으로도 막대한 부와 권력을 얻을 수 있었다. 한니발은 쿠르산을 이끌고 이 세상의 법칙을 조롱하며 비웃었다. 가난한 자도, 부자도, 아름다운 자도, 추한 자도……. 공평하게 증오했다.

쿠르산은 그래서 한니발을 좋아했다. 그의 삶의 지평을 넓혀준 위대한 스승, 그리고 아마도 그의 인생에서 처음이었을, 크나큰 친절을 베풀어준 사람을 좋아하지 말라는 게 오히려 이상할 것이다.

그런데 그 한니발이 적들을 데려왔다.

"…월드 클래스 바보네?"

서현은 대뜸 쿠르산을 알아보았다.

"사장님… 이건 대체."

쿠르산만이 아니라 아타왈리도 당황스러운 표정을 지었다. 현재 베오울프 대원들은 약탈한 귀금속과 돈을 가지고 철수한 상태. 마지막 철퇴조인 아타왈리와 쿠르산만이 남아서 한니발을 기다리고 있었다. 그런데 그 한니발이 말도 안 되는 손님들을 끌고 나타나다니?

"아, 새로운 고객이다."

"네?!"

"뭘 그렇게 놀라는데. 용병이 어제의 적을 오늘의 고객으로 받는 게 신기한 일도 아니잖아?"

한니발이 그렇게 말하자 쿠르산이 노골적으로 싫은 표정을 지었다.

그는 서현이 싫었다. 그에게 한니발이 위대한 스승인 것처럼, 한니발은 서현을 사실상 자신의 스승으로 여기고 있었다. 그러나 저자는 한니발의 이름도 얼굴도 알아보지 못했다. 그런 녀석을 어째서…….

용병이라는 게 무도하고 잔악한 일이라 하나 그동안 쿠르산은 그 무도함, 잔악함을 마음껏 즐겨왔다. 하지만 오늘 처음으로 이 세상에 신뢰나 신의가 얼마나 중요한지 알 것 같았다. 이제 와서 적이었던 놈을 고객으로 맞이해야 하다니. 이래서 사람들이 신의와 신뢰를 중시하는구나.

그런 쿠르산의 복잡한 심정을 아는지 모르는지 서현은 되레 피식 웃었다.

"이봐, 커피나 좀 타 올래?"

4

한세건이 깨어나 보니 그곳은 수라도였다.

"……."

정확히 말하면 디젤엔진을 갖춘 중형급 어선이었다. 근해 조업용이긴 하지만 좀 무리하면 어디라도 갈 수 있는 어선으로 그물을 끌어 올리기 위한 크레인이 붙어 있었다. 베링 해에서 게라도 잡을 수 있겠다.

그 어선에는 익숙한 얼굴들이 모여 있었다. 한데 모여서는 안 될 성질의, 익숙한 얼굴들이다. 서린, 테트라 아낙스가 된 옛날 룸메이트… 와 그 녀석의 형 서현이 있는 건 뭐 쓰러지기 전에 봤으니까 그렇다 치자. 용병 회사 베오울프의 사장인 한니발과 그 라이칸스로프 부하들이 있다. 아타왈리라는 배불뚝이 인도 레슬러 같은 남자가 보트에 시동을 걸고 있었다. 왠지 발리우드산 뮤직비디오나 영화에 나올 것 같은 장면이라고 여겨졌다. 그러나 지금 이 상황은 웃을 일이 아니었다.

"윽……."

일어나려는 순간 목에 통증이 밀려온다. 뱀파이어의 피가 주사되어서 재생은 되고 있지만 몸의 상태가 온전하지 못하다.

"미안. 내가 한 입 먹었어."

서현이 그렇게 말한다. 남들이 들으면 뭐 푸딩이나 아이스크림 한 숟갈 퍼먹은 거 사과하는 줄 알겠지만… 서현이 말하고 있는 것은 엄연히 한세건의 피와 살점이다. 인간을 잡아먹는 괴물로서의 본성을 실토하는 것인가?

"이 미친……."

베니스의 상인에서 샤일록도 살점 1파운드를 결국 못 베어 갔는데… 살아 있는 사람의 살점과 피를 덥석 뺏어 가놓고 미안? 사과 몇 마디로 끝날 문제인가? 게다가 하는 사과도 별로 신실함이 느껴지지 않는다! 더구나 한세건은 뱀파이어 헌터. 인간을 잡아먹는 괴물을 용납할 수 없기에 어둠의 세계에 뛰어든 인물이다. 그의 살을 베어 먹고 고작 저런 태도인가? 그러나 그보다 더 화가 나는 건 이 녀석들의 무신경함이다.

"베오울프와 손잡을 셈이냐?"

"아담카드몬 아낙스가 활동하는 이상, 지옥의 악마와도 손을 잡아야지."

서현은 그렇게 말하고 한숨을 내쉬었다. 한세건이 이걸 용납할 수 없다는 것을 서현 자신도 알고 있었다. 과연 한세건의 눈밑에서 푸른 귀화가 타오르기 시작했다. 혼팅들이 한세건의 감정에, 분노에 동조해서 마치 검은 가시나무처럼 그를 중심으로 뻗어 나오고 있었다.

"지금 그걸 말이라고 하는 건가!"

베오울프는 합법적인 회사라 상장까지 했다 해도 그것이 저놈들이 하는 짓이 합법이라고, 정당하다고 보장해 주는 것은 아니다. 애초에 이놈들은 무고한 사람들이 죽든 말든 자신들의 잇속을 챙기기 위해 앙리 유이에 가담했던 놈들이다. 백지장도 맞들면 낫다지만 한세건으로서는 이런 천인공노할 녀석들과 맞드

느니 백지장이 찢어지는 쪽을 택하겠다.

“지금 무슨 생각하는지 알겠는데, 우선 자세한 이야기부터 들어보지그래? 기절한 뒤의 일을 알아야 할 거 아냐?”

서현이 그렇게 말하자 한세건은 대뜸 일어나 냅다 킥을 날렸다. 중상을 입고도 아랑곳하지 않고 킥을 차는 세건의 과격함에 놀랐지만 서현은 가볍게 그 공격을 막아냈다.

끼이이익!

어찌나 세게 찼는지 어선 전체가 삐걱거리며 크게 흔들린다.

“흡!”

한세건의 그림자에서 칼들이 튀어나온다.

‘그림자 수납의 마법… 비싼 마법이지.’

마법을 걸고 쓰는 데 들어가는 비용이 상당하다. 즉 동료끼리의 사소한 다툼에서 쓰기엔 아까운 기술. 바꿔 말하면 지금 한세건은 서현을 동료로 보고 있지 않다는 뜻이다. 그런 거야 뭐, 처음부터 알고 있었다.

‘그러나… 이 간격에서는…….’

서현은 쓴웃음을 지었다. 한세건이 도검을 빼 들었지만 서현의 판초우비가 한세건을 휘감았다.

자를 수도 없고 끊을 수도 없다. 그 어떤 파괴 수단조차 무력화시키는 슈퍼스트링의 힘 앞에 한세건이 치를 떨었다. 천 한 조각으로 총탄을 막아내는 서현의 능력은 근접전에서는 역으로 최강의 공격 수단이 되기도 한다.

“한세건, 네 방침은 잘 알고, 그 방향을 선택한 이유는 이해한다. 그러니 네 방침을 깨지 않고 일이 되게 하려는 나도… 이해해 주라.”

“할 수 없어!”

‘하지 않겠다’ 가 아니라 ‘할 수 없어’ 인가…….

서현은 한세건의 상처를 알 것 같았다. 그는 분명히 상처를 입었지만 이 상처가 치유되는 것을 원하지 않는다. 상처마저 지워 버리면 자신이 남지 않는다는 그 마음… 서현도 충분히 이해할 수 있었다. 너무나 급박한 환경 변화, 강력한 압력에 떠밀려 살아보면… 살아지는 대로 살아왔기 때문에 자신이랄 게 남아 있지 않다. 그런 상황에서 그가 자신임을 실감하기 위해서는 자신이 무엇에 분노하는가, 무엇에 상처받았는가에 집착하지 않으면 안 되겠지. 상처가 그의 본질을 규정해 주니 이 상처가 치유되는 것을 바라지 않는 것이리라.

하지만 언제까지 그럴 수는 없다. 스스로의 상처를 계속 핥다 결국 죽어버리는 승냥이가 될 수는 없지 않은가?

“아, 그래?”

서현은 흥 하고 코웃음 치고는 판초우의에 싸인 한세건의 팔을 잡더니…….

아작!

물어뜯었다.

산 채로 살점이 뜯기는 고통에 한세건이 소리 없는 비명을 질렀다.

상처를 감싸고 허우적거리는 한세건을 바라보며 서현이 다시 코웃음 쳤다.

"불가항력… 으로 만들어주면 설득할 필요도 없겠지? 어때? 이제 좀 진정이 되나?"

"……."

"넌 동조할 필요 없어. 내가 내 손을 더럽히고 기꺼이 개자식이 되어주지. 그러니까 넌 나를 미워해."

"으음……."

"나를 미워하는 것으로 넌 변하지 않아도 된다. 그 대가로 살점 약간은 싸지?"

서현은 그렇게 말하고 한세건의 상처에 붕대와 지혈대를 감았다.

第25夜

마왕

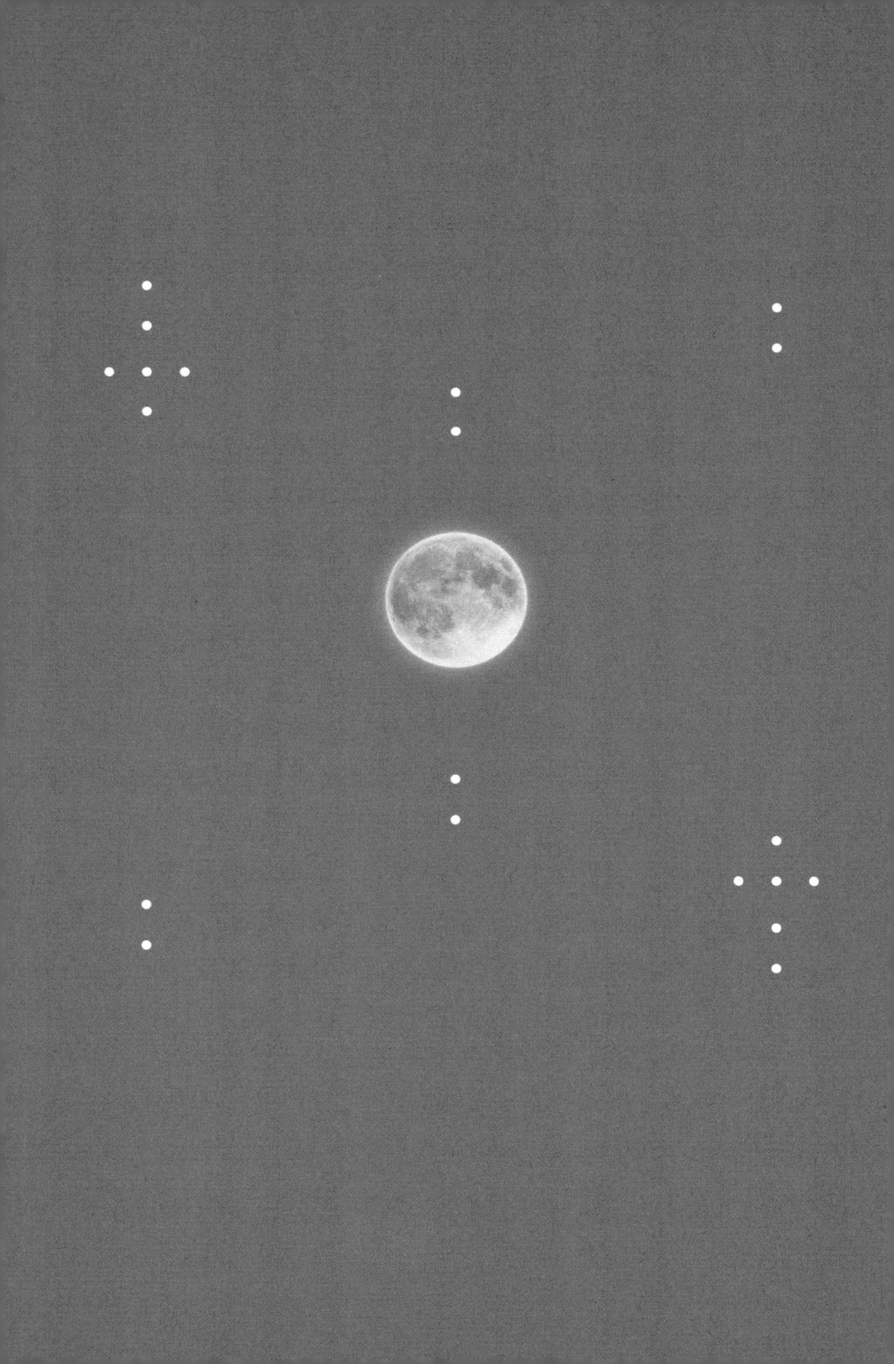

1

테트라 아낙스의 사설 드론 항모는 해운법상 컨테이너선으로 분류되어 있었고 실제로 한국의 조선소에서 만들어진 컨테이너선이었다. 그들은 자카르트타의 민중, 민간인 피해를 최소화하려는 육상 부대를 지원하고 필요한 요원들을 빼내기 위해 자카르트타 북부, 말라카 해협 출구 지역에서 정박해 있었다.

그런 드론 항모를 막기 위해 라이칸스로프 여단이 트롤 어선을 무장시켜 덤벼들어서 한때 업무가 마비되기까지 했지만 트롤 어선으로는 아무래도 한계가 명백했다.

테트라 아낙스의 드론 항모는 라이칸스로프 여단의 공격을 격퇴하고 계속 임무를 수행하고 있었을 것이다. 그랬었는데…….

"드론 스카이후크이라. 이론상 된다는 것도 알고 수행하는 것도 뱀파이어나 라이칸스로프라면 인명 피해는 일어나지 않겠지만… 괜찮을까?"

현재 드론 항모의 관제탑에는 테트라 아낙스 사인방의 일원인 마틴이 대기 중이었다. 본래 테트라 아낙스는 이런 곳에 적극적으로 개입하지 않았지만 서린이 테트라 아낙스가 된 이후 그들은 변화했다. 고든이 지배하던 시절보다 좀 더 적극적이고 인간적이 되었다고 할까? 서린의 밝고 낙천적인 성격과 오라클 시스템을 사용하지 않게 된 것이 그 변화의 원인일 것이다.

마틴은 그런 변화를 긍정적으로 받아들이고 있었다. 고든의 곁에서 그는 이 세상의 모든 것을 다 알고 있었지만 정작 즐거움을 알지 못했다. 즐거움이나 감동이란 것을 사전 속의 활자로서 이해하고 있었을 뿐이었다. 그것이 자신의 살갗에 닿았을 때 어떤 감촉인지, 어떤 감동을 주는지 체감해 본 적이 없었다. 아낙스가 자신을 타락시켜 세 명의 분신을 만들어내었을 때 이미 그의 마음은 죽어 있었기 때문이다. 아낙스의 마음이 죽은 후에 태어난 테트라 아낙스 사인방은 서린을 통해서 처음으로 감동을 체감한 것이었다.

그래서 그들은 서린을 사랑했다. 비록 서린의 존재가 릴리쓰의 함정이라고 해도 그 이면에는 릴리쓰가 아낙스를 구하고자 하는 마음이 있었다는 것을… 테트라 아낙스 사인방은 비로소 이해했다.

서린이 아낙스의 구원이었다. 그러니 서린이 직접 자카르타로 돌입하겠다고 했을 때 테트라 아낙스 사인방은 걱정하면서도 말릴 수가 없었다.

또한 서린은 뱀파이어면서 라이칸스로프이기도 하다. 신체 능력은 진마 아르곤에 맞먹고 각종 마법과 지식에 통달해 있다. 뱀파이어 헌터인 한세건의 영향을 받아서 그런지 각종 총기를 자유자재로 다루며 그 전투 능력은 진마들 사이에서도 수위를 다툰다. 아무리 자카르타가 지옥이라고 해도 서린은 무사를 장담했고 그런 서린의 건재함을 의심하는 게 오히려 이상할 지경이었다.

"어……."

그런데 그렇게 자카르타에 들어갔던 서린이 어째 이상하다. 분명히 서린의 리콜 사인에 따라서 드론을 보내주었는데 바다 위를 낮게 날며 돌아오는 드론에 매달려 있는 이들이 어째 많다? 게다가 그중에는 확연히 커다란 덩치, 무려 라이칸스로프 여단의 두령 볼코프가 있었다.

서린의 외조부이니 설마 설득한 것일까? 그런 낙관적인 전망만으로 적을 항모 위로 들여보낼 수는 없다. 그러나 서린이 있을지도 모르는데 드론을 회항시키거나 격추할 수는 없는 일!

"어, 어째야 합니까?"

"모, 모르겠군."

마틴은 착함관제사의 질문에 고개를 도리도리 저었다. 테트라 아낙스 사인방의 입에서 모르겠다는 소리가 나오다니? 10년

전만 해도 상상조차 못 할 일이다.

"착륙시켜."

마틴은 결국 그렇게 결정지었다. 드론 항모의 대공포화망이 거두어지고 드론들이 차례차례 착함하려 한다.

우선 스카이후크에 매달려 있던 이들이 갑판 위로 뛰어내려 착지했다.

갑판 위에는 충격을 흡수하기 위한 글라이드 네트가 설치되어 있어서 떨어지는 사람을 그물로 받아낸 뒤 그물 고정대 자체가 이동해 감속시킬 수 있긴 하다. 그렇다고 해도 보통 인간들이라면 감히 상상도 할 수 없는 일이다.

뭐, 저들은 다 라이칸스로프나 뱀파이어니까 괜찮겠지. 아니, 이 경우는 괜찮아서 문제인가?

'볼코프의 라이칸스로프 여단이라면 착륙 충격으로 몸이 좀 부서져서 걸레짝이 되어야 다루기 쉽지 않을까?'

마틴은 그리 생각하며 무장 병력들, 그리고 스팅레이와 함께 서린을 맞이하기 위해 관제탑을 나왔다.

"정말… 스카이후크이라는 건 바보 같은 기술이군."

군인 출신인 볼코프가 그렇게 투덜거리며 걸어 나왔다. 강건한 신체라면 누구에게도 뒤지지 않는 이 남자가 낭패한 모습으로 기어 나올 정도니 보통 인간들은 여기서 살아남지 못했을 것이다.

아담카드몬 아낙스는 그런 볼코프를 보고 미소를 지었다.

"저 드론은 터보제트 엔진이니까 저속 안정성이 떨어져. 드론으로 스카이후크을 하는 건 이런 문제가 있군."

"대형 프로펠러기도 무리일 것이야. 정말 내 부하들이 라이칸스로프라는 일종의 초인 병사니까 망정이지 인간들로는 무리가 아니겠는가?"

"이제 다시 쓸 일은 없을 거다. 그만 투덜거리지. 아, 마침 마틴이 오는군."

아담카드몬 아낙스는 자신에게 다가오는 마틴에게 손을 들어 보였다.

"이… 이게 대체!"

마틴의 다리가 후들후들 떨리고 있었다.

적의 승선을 허락해서? 아니다. 그보다는 지금 승선한 이의 얼굴이 그에게 너무나 익숙한 존재였기 때문이었다.

"오래간만이군, 마틴. 라이칸스로프 여단은 이제부터 우리 휘하에 들어온다. 방금 전까지는 적이었을지 모르나 이제 충실한 아군이지. 휘하에 전달하고 바다에 빠져서 헤엄치고 있는 라이칸스로프 여단의 대원들을 승선시켜 주도록."

아담카드몬 아낙스는 벌벌 떨고 있는 마틴의 어깨를 툭툭 치며 그의 공을 치하해 주었다. 마치 아주 오래전부터 알고 있었던 사이처럼 격식이 없고 허물이 없다.

그러나 마틴은 이자를 모른다. 아니, 알고 있지만… 알고 있지만 이자는 여기에 있어서는 안 되는 자다.

"자… 잠깐, 어째서 당신이 여기에 있지? 서린은?"

"서린은… 이제 더 이상 테트라 아낙스가 아니다."

"그럼 당신은 대체 뭐지?"

마틴이 그렇게 물어보자 아담카드몬 아낙스가 어깨를 으쓱해 보였다.

"몰라서 묻나? 모를 리가 없을 텐데?"

마틴은 그 말을 듣고 식은땀을 흘리고 있었다. 그의 본능이, 그의 지식이 이자의 정체를 강렬하게 호소하고 있었다. 하지만 마틴은 입을 열었다.

"직접 듣고 싶어. 육성으로 말하고 안 하고는 큰 차이가 있으니까. 아무리 구두계약을 해도 계약서를 쓰지 않으면 믿을 수 없는 것과 같다… 고 생각해 주면 안 될까?"

"그것도 그렇군."

아담카드몬 아낙스는 수긍했다.

"나는 아담카드몬 아낙스. 앙리 유이의 계략을 역이용해 돌아온 진짜 아낙스다."

"……."

"뭐… 그 정도는 그대들도 이미 알고 있었을 텐데?"

그 이전의 테트라 아낙스, 고든은 서린과의 융합을 100% 확신하지 않고 있었다.

당시 서린은 천둥벌거숭이, 아직 어린 애송이에 불과했었고 고든은 노회한 뱀파이어의 왕이었다. 결과가 서린의 승리로 끝나서 그렇지 당시에 물어본다면 백이면 백, 고든의 승리를 점쳤으리라.

그러나 신체 융합, 교환이라는 건 보통 큰일이 아닌 터, 어찌 100% 승리를 확신할 수 있겠는가? 그럼에도 불구하고 고든은 강행하면서 보험을 들었다.

앙리 유이가 아낙스에 대해서 가지는 감정은 복잡다난하다. 만약 서린이라는 천둥벌거숭이가 고든을 극복하고 융합의 주도권을 잡고서 자아의 승리를 거둔다면… 앙리 유이는 그 서린을 절대 인정하지 못할 것이다.

고든은 자신의 사후 앙리 유이가 반란을 일으킬 것을 그때 이미 예상하고 있었던 것이다.

그뿐만 아니라 그는 앙리 유이가 하려는 짓을 통해 자신이 되돌아올 것을 준비하고 있었다.

아낙스의 영적 정보를 고든과 서린의 융합 이후에도 보관해 둔다. 그것이 앙리 유이의 강신 의식에 따라 불러들여져 소년 강아담의 몸 안에 아낙스의 의식을 새기는 데 성공한 것이다.

다만 앙리 유이가 원한 건 고든이 아니라 그 이전의 아낙스였기 때문에 지금의 아담카드몬 아낙스는 고든이 아니다.

"…아, 그랬지. 하지만 이뤄지지 않기를 바라고 있었는데."

마틴은 이제야 생각났다는 듯 중얼거렸다. 물론 아담카드몬 아낙스는 그 행간을 읽을 수 있었다. 애초에 그런 걸 생각하기도 싫을 만큼 서린이 마음에 들었던 것이다.

"서린이 마음에 들었었나 보군."

아담카드몬 아낙스의 질문에 마틴은 솔직하게 대답했다.

"인간이었거든. 우리는 날 때부터 인간이 아니었지만 그가 테트라 아낙스가 되면서 인간을 간접 체험 할 수 있었지. 재미있는 녀석이었어. 솔직히 말해서 고든보다도 그가 좋았어, 나는."

"그런가. 그거참 애석한 일이로군. 미안하게 되었다."

"……."

뭐라 형언할 수 없는 복잡한 심정이 되어서 마틴은 아랫입술을 씹었다.

"서린이 죽지는 않았겠지?"

"물론이다. 그는 다시 돌아올 거야. 나를 막으러."

"…그건 기쁘군."

마틴은 아담카드몬 아낙스의 앞에서 그 적의 건재함을 기뻐했다.

그러나 아담카드몬 아낙스는 그런 걸로 마틴을 추궁하진 않았다.

"자, 그럼 오라클 시스템을 재가동한다. 천 마디 말보다 오라클 시스템이 낫겠지. 레베카와 베이런도 이로써 알게 될 것이다."

"꼭 그래야 하나? 서린이라면 그렇게 하지 않았을 텐데……."

"그래서이지. 서린이 내가 아니듯 나 역시 그와는 다르다는 걸 보여주어야 하지 않겠나?"

아담카드몬 아낙스는 그리 말하고 강제로 오라클 시스템을 가동시켰다.

오라클 시스템. 그것은 일부러 신체 기능을 훼손한 뱀파이어 예지자들을 모아 병렬로 연결시켜 테트라 아낙스의 예지 연산능력을 보조하는 인권 탄압의 상징이었다.

아무리 뱀파이어라 해도 감정이 있고 자아가 있는 존재를 무슨 컴퓨터 부품처럼 사용하는 그것을 싫어했던 서린은 테트라 아낙스의 수장이 되자마자 오라클 시스템을 해체하는 대작업에 착수했다.

신체를 개조해 강제로 오라클로 만들었던 이들을 수술로 회복시키고 오라클 시스템에서 뽑아내는 그 작업은 굉장히 힘들고 고통스러운 일이었다. 왜냐면 일단 한 신체 부위를 못 쓰게 하면 뇌는 그 부위의 능력을 버려 버리고 대신 다른 작업에 할당한다. 이런 뇌세포 재할당 작업을 통해 능력이 늘어난 것을 서번트 신드롬이라 하는데, 오라클 시스템은 바로 이 서번트 신드롬을 활용한 것이다.

서린은 그렇게 일어난 서번트 신드롬을 해제하고 그들에게 다시 시각과 청각이란 감각을 재건하기 위해 자신의 텔레파시 능력을 아낌없이 사용했다. 뱀파이어의 왕 테트라 아낙스가 쓰지도 않을 이들을 재활하는 데 직접 텔레파시 능력을 사용하다니 어리석은 짓이다. 어리석은 짓이지만 마틴과 레베카, 베이린을 포함한 테트라 아낙스 클랜의 모두는 그 때문에 서린을 좋아하게 되었다.

그러나 진정한 의미의 오라클 시스템은 건재했다. 테트라 아낙스의 피, 그 혈족이기만 하면 그들의 능력은 전부 테트라 아낙스의 예지 연산에 강제로 투입되는 것이다.

이로써 세계는 다시금 테트라 아낙스의 예지하에 관측당하게 되었다.

2

한세건을 억지로 제압하고 어선 선창으로 나온 서현은 한숨을 내쉬었다. 입안에 피비린내가 남아 있다. 뭐 카타볼릭으로 고통받고 있던 서현에게는 아주 달콤하고 군침 도는 냄새지만 이런 걸 좋아하는 자신에게 회의가 느껴진다. 그래서 표정을 구기고 있자니 누군가가 말을 걸어온다.

"…그 정도로 해결될 카타볼릭이 아니지?"

한니발은 어선 밖에서 낚싯대를 드리우고 키득키득 웃고 있었다.

서현은 그에게 고개를 끄덕해 보이곤 주위를 둘러보았다. 저 멀리 동쪽 바다에서 동이 터오고 있었다.

'기나긴 하루가 끝났군.'

자카르타는 다시 인간들에게 돌아갔다. 앙리 유이가 벌인 아웃레이지는 자카르타의 많은 것을 파괴했지만 사람도 거시적으로 보면 매우 질긴 생명이다. 대도시는 곧 회복될 것이다. 인류의 문명이 그때까지 남아 있다면 말이지만.

"이봐, 무시하는 거야?"

서현이 대답하지 않자 한니발이 답을 재촉했다.

참 곤란한 녀석이다. 어쩌다 한배를 타긴 했지만 껄끄럽다. 그래도 대답을 하긴 해야겠지?

서현은 어깨를 으쓱해 보였다.

"뭐 일반 음식을 먹어도 아주 느리지만 회복되니까 괜찮아.

그리고 저 녀석은 아껴두었다 한 입씩 먹는 게 맛있고 좋군."

"보통 라이칸스로프는 일반 음식만으로는 못 버틸 텐데?"

"…내 어머니가 좀 치맛바람이 세서. 그래서 낚시는 되나?"

"기다려. 커다란 청새치를 낚을 테니까."

그렇게 말하며 한니발은 팔을 내밀었다.

"뭐하면 일단 나라도 한입 먹어도 되는데?"

"…사양하지. 아무리 우리가 네 고객이 되었다 해도 너무 서비스가 과하면 부담스럽거든. 그보다 실베스테르는 회수했나?"

"접촉 중이야. 그런데 말을 지랄같이 안 듣는군. 우리를 믿을 수 없는 거겠지."

"너희들 하는 짓거리를 보면 믿는 게 바보라고 생각되긴 하지만… 재주도 용하군. 자카르타에 또 병력이 있나?"

"너희가 상대했던 올빼미랑 카멜레온이지. 아……."

한니발은 낚싯대를 잡고 갑자기 무서운 기세로 릴을 감기 시작했다.

그러자 정말로 어선이 휘청거릴 정도로 커다란 청새치가 끌려온다. 청새치가 새하얀 물거품을 일으키며 저항한다. 살고자 하는 그 욕망이 인도양의 바다를 가로지르며 아침 햇살을 반사하는 모습은 장관이었다. 저렇게 거칠게 움직이면 보통 낚시꾼으로선 감히 감당하기도 힘들 것이다. 왜 낚시가 해양 스포츠라고 불리는지 절실히 이해되는 순간이었다.

그러나 청새치에게는 불운하게도 낚싯대를 쥐고 있는 이는 한니발이다.

'저놈 손이면 전기 윈치나 다름없겠지?'

낚싯줄이 끊어지지 않는 한 청새치의 운명은 이미 결정되어 있었다.

서현은 청새치의 명복을 빌어주었다.

3

실베스테르는 마인이다. 뱀파이어와 라이칸스로프가 태초의 영에 의해 만들어진 인간의 사촌 같은 존재라면 마인인 실베스테르야말로 가장 이질적이고 끔찍한 존재라 할 수 있었다.

실베스테르가 아동용 애니메이션을 좋아하는 것은 바로 그 끔찍한 태생에 대한 반작용이라 할 수 있었다. 비록 냉막한 실베스테르의 태도에서 유추하긴 쉽지 않으나… 실베스테르의 안에는 인류와 인간성에 대한 무한한 동경과 사랑이 있었다. 그렇기 때문에 실베스테르는 베오울프와 손을 잡는 걸 매우 싫어했지만 허락했다. 온통 상처뿐인 한세건과는 좀 입장이 다르기 때문에 가능한 일이었다.

그런 실베스테르의 표정에 실소가 떠올라 있었다. 표정이 옅은 실베스테르가 이 정도로 농도 짙은 감정을 보이는 것은 그리 흔치 않은 일이다.

"크윽……."

한세건이 스트레이트 재킷에 포장되어 있다. 거기에 더해 서린 특제 부적이 붙어서 혼팅의 힘을 봉인하고 있으니 꼼꼼하기가 이만저만이 아니다.

웡웡웡웡…….

함석지붕 아래 매달린 대형 팬이 돌아가며 후덥지근한 공기를 내뱉고 있었다. 도마뱀들이 녹슨 금속 기둥을 오르락내리락할 뿐, 살아 있는 인간들, 라이칸스로프, 뱀파이어들은 모두 멀뚱멀뚱 서 있었다.

베오울프가 탈출 루트로 선택한 스포츠기 전용 활주로 곁에서 있는 클럽하우스다.

"…아이스 카창 하나요. 단팥 많이 넣어서."

아르곤만이 메뉴판을 내려놓으며 주문을 했다.

스포츠기용 활주로 옆에 설치된 클럽하우스 안에 베오울프의 사장, 한니발과 전 테트라 아낙스 서린, 그리고 라이칸스로프 유격대 출신의 서현과 진마사냥꾼 실베스테르가 앉아 있다.

뱀파이어와 라이칸스로프, 마법사와 헌터들의 세계에서 쟁쟁한 인물들이 한자리에 모여 있으니 분위기가 심각하다. 그 한복판에 한세건을 봉인해 두고 있으니 그렇잖아도 괴팍한 분위기가 한층 더 이상해졌다.

아삭… 아삭…….

그 와중에 아르곤은 아이스 카창, 얼음에 코코넛밀크를 넣어 만든 빙수를 먹고 있었다.

"음… 이 맛은 마치 플랜테이션에서 중노동하는 사탕수수 목장 노동자가 헐떡이는 맛이군. 달기만 하잖아? 팥이 그나마 먹을 만하네. 팥 맛이 나니까."

주제에 소믈리에 흉내를 낸다. 보다 못한 클럽하우스 직원이 아이스 카창용 시럽들, 딸기 시럽과 초코 시럽, 레몬 시럽 등을 가져오자 아르곤이 그걸 받아서 뿌리기 시작하는데… 얼음이 계속 늘어나고 있다. 동결 능력을 이용해서 아이스 카창을 늘리고 있는 중이다.

'이 분위기에서 잘도 저런 미친 짓을…….'

모두 다 아르곤을 보고 한숨을 내쉬었다.

"어째서 저 친구도 온 거야?"

"바다 위를 인력 보트로 달리고 있길래……."

"막무가내로 쫓아오더라고요……."

베오울프의 직원들이 한니발의 질문에 그렇게 답했다. 아르곤만이 아니라 아르곤의 동료인 래트는 등나무 침상에 드러누워서 거시기를 벅벅 긁으며 자고 있고 몬티는 이 더운 곳에서 쪼그려 앉은 채 손톱을 물어뜯고 있었다.

"사… 사방이 뱀파이어에 라이칸스로프야. 미친, 내가 전생에 무슨 죄를 지어서. 괴물 새끼들 한복판에서 답도 없는 삶을 살고 있담? 하하… 하하하하하. 죽자, 씨발."

몬티가 손톱을 물어뜯으며 중얼거린다. 그 자신도 뱀파이어인데도 주위에 괴물 천지인 게 신경 쓰이나 보다. 부슬부슬 머리가 빠지며 M자 탈모가 시작되는 걸 보면 몬티의 마음고생이 느껴진다.

"자, 그럼 어디 장사 이야기를 해볼까?"

한니발이 그래도 사장이라고 회의를 회의답게 해볼 심산인지 칠판을 가져왔다.

"그러니까 그 아담카드몬 아낙스라는 건 고든이 당신에게 당할 걸 예측하고 준비해 둔 백업 데이터를 덮어씌운… 되살아난 아낙스라는 거지? 일단은?"

말로 하면 더 길어지겠지만 요약하자면 그렇게 된다.

"네, 하지만 그 안에는 아담카드몬이라는… 인류를 멸절시킬 수 있는 존재도 있다는 게 문제지요."

서린이 응수했다.

"흠… 의식이 혼용되어 있다면 바로 발동하는 건 아니겠지?"

실베스테르가 물어보았다.

"네, 아낙스의 의식을 넣지 않고 아담카드몬만을 강림시켰다면 아담카드몬은 바로 아인소프를 발동해서 인류를 수확해 민들레 홀씨 뿌리듯 흩뿌렸을 겁니다. 그럼 인류는 파멸이지요."

"앙리 유이는 생식기 이탈되게 고생해서 남 좋은 일 시켜준 거로군?"

서현이 한숨을 내쉬었다.

"원래 자기가 뭘 좋아하는지 스스로도 정확히 모르는 사람들이 그러게 마련이야. 앙리 유이는 아낙스에게 시기심을 느꼈지만 그걸 아낙스가 위대한 존재라고 생각해서 열등감을 느끼는 거라고 착각해 버렸지. 자신이 그에 대등한 위업을 달성하지 않으면 안 된다는 강박관념이 있었고 고든은 그걸 아낙스를 다시 이 세상에 되돌릴 수 있는 안전장치라고 여겼어."

“그리고 앙리 유이는 고든의 뜻대로 움직여서 아담카드몬 강림 의식을 통해서 아낙스를 소생시켰다? 하지만 아낙스랑 고든은 본질적으로 다른 존재 같던데?”

서현이 그걸 묻자 서린이 피식 웃었다.

“테트라 아낙스가 용어 혼용을 한두 개 했어야 말이지… 고든은 자신이 아낙스랑 동일한 존재라고, 시간이 지나 저주를 받고 늙은 몸에 들어가서 심산이 뒤틀렸다고 생각했지 이미 자신이 타락해 버렸다는 걸 인정하지 못했어. 그러니까 내 몸을 빼앗거나 젊고 팔팔해지면 다시 아낙스로 돌아갈 수 있다고 생각했단 말이야.”

그때 묶여 있던 한세건이 물어보았다.

“그럼 네가 나에게 말한 건… 뭐지? 앙리 유이를 도와서 테트라 아낙스와 맞서라니?”

“아, 난 이제 더 이상 테트라 아낙스가 아니니까. 테트라 아낙스의 지배권은 아담카드몬 아낙스에게 빼앗겼어. 그리고 내가 본 예지에서는 결국 앙리 유이가 우리에게 큰 도움이 될 거라고 생각해.”

“…….”

“앙리 유이가 가지고 있는 능력은 버민 호드(Vermin Horde)지만 사실 그 능력 역시 심층 개화 해서 다음 스테이지로 진화하면… 엄청난 영적 부담을 커버할 수 있게 되거든? 인간의 뇌는 1,500cc에 지나지 않지만 앙리 유이는 벌레들을 자기 뇌의 일부로 편입시켜서, 컴퓨터로 치자면 클럭은 좀 낮아도 파이프라인을 엄청 깊게 만들 수 있단 말이야. 더 고도의 문제를 간단히 해결할 수 있게 되지. 이것도 굉장히 잠재 능력이 높은 혈인 능력이라 아담카드몬과의 싸움에서 틀림없이 도움이 될 거야."

서린이 그렇게 말하자 한세건이 벌레 씹은 표정을 지어 보였다. 뱀파이어를 인정하고 싶지 않아 하는 한세건의 앞에서 예지 능력자인 서린이 이렇게 모든 게 결정된 것처럼 말한다. 뱀파이어인 앙리 유이가 이 사건을 해결하는 데 크나큰 역할을 수행할 거라고. 그 말인즉슨 동경도와 자카르타에서 무고한 인간들을 벌레처럼 학살한 앙리 유이에게 살육에 대한 책임을 물어서는 안 된다는 소리나 다름없다. 이게 무슨 개소리인가.

그러나 예지 능력자인 서린이 말하면 어떤 개소리도 웃어넘길 수 없는 게 되어버린다.

"사람이 자신이 진정 원하는 게 무엇인지 모르면 결국 자신을 잃어버리게 되지. 앙리 유이가 진마이고 또한 강력한 마법사이면서도 고든의 손에 놀아난 것은 자기 자신을 잃어버렸기 때문이야. 아, 그런 점에서 당신도 조심하세요."

서린이 한니발을 지목하고 그리 말하자 한니발이 어이없다는 듯 피식 웃었다.

한니발은 분명히 돈이나 재물을 그다지 좋아하지 않는다. 그럼에도 불구하고 베오울프를 움직이기 위해서 돈을 좇고 물품을 약탈하는 짓을 벌여왔다. 좋아하지도 않는 것을 우선시하다 망가지기 쉽다. 서린은 그 점을 한니발에게 다시금 상기시켜 준 것이다.

"말하지 않아도 잘 알아. 나는 너보다 연하거든. 지금 이 순간 모든 삶이 너무나도 충실하지. 아직은 그런 자아 상실을 걱정할 단계가 아니야."

"……."

겉모습으로 보면 한니발이 서린 아버지라고 해도 믿을 판인데? 서린과 서현보다 한니발이 연하라니?

"노안 왕이군요."

"……."

그때 묶인 채로 듣고 있던 한세건이 입을 열었다.

"그럼 너희들은 인류를 지키기 위해서 협력하시겠다, 그런 건가? 날 웃겨 죽일 셈은 아니겠지?"

"이사카가 널 한 입씩, 한 입씩 파먹어서 죽일 거다, 비스트."

한니발이 한세건의 조롱에 반응하자 서현이 발끈했다.

"왜 날 끌어들여? 안 그럴 거거든?"

그러자 듣고 있던 서린이 피식 웃었다.

"맛있긴 맛있다면서?"

"그건 그렇지만……."

듣고 있던 한세건으로서는 목에 소름이 돋는 기분이었다. 싸우다 죽는 것, 뱀파이어에게 패해서 죽는 것은 헌터가 되었을 때부터 각오한 일이었지만 이놈들은 이상하다.

"…아, 제기랄. 이거 풀어. 얌전히 있을 테니까. 어서."

한세건이 꿈틀거리며 스트레이트 재킷에 봉인된 몸을 움직였다.

그러자 서린이 웃었다.

"나의 세건 형은 아무리 배가 불타는 상황에도 불을 끄는 데 협력하느니 우선 선장인 뱀파이어를 죽이는 사람이에요."

"……."

부정할 수는 없지만 '너의 세건 형'이 어디 있냐?! 하고 항변하고 싶은 기분이 드는 것은 왜일까? 이곳이 더워서 기온 탓일까?

"나의 세건 형은 그렇지 않아!"

서린의 눈이 뱅뱅 돈다.

"야……."

"그러니까 묶여 계세요."

서린이 그렇게 말하며 다가온다.

"인마, 자, 잠깐."

한세건이 피신하려 노력해도 이미 다 잡힌 물고기 신세다. 도마 위에 올라온 생선이 팔딱거려 봐야 도망칠 수 있는 곳은 한정되어 있다.

그래서일까? 서린의 눈이 광기를 발산하기 시작했다.

"하악하악… 나의 세건 형은 카와이~ 하고도… 나도 한 입 먹어볼까?"

서린이 그렇게 말하자 지켜보고 있던 서현이 서린의 묶어둔 뒷머리를 잡고 들어 올렸다.

"그만해라. 지금 장난칠 때냐?"

"현실이 너무 절망적이기 때문에 사람은 오히려 웃어야 한다고 생각하는데?"

서린이 그리 말하며 한니발을 돌아보았다. 한니발은 서린의 말에 동의한다는 건지 어찌 되어도 좋다는 건지 애매한 태도를 보이며 어깨를 으쓱해 보였다.

“아, 좋아. 알겠어. 그러니까 그 아담카드몬이 힘 한 번 쓰면 다 끝장난다 이 말이지? 일단 그게 뻥인지 아닌지 그걸 증명 못 한 부분은 제쳐두자고.”

그걸 증명하라고 하면 증명하는 동안 상황이 끝날 수 있었다. 뭐, 명색이 테트라 아낙스였다는 놈이 이제 와서 그런 장난을 하진 않을 테고…….

‘아니, 지금 한세건에게 장난 거는 걸 보면 할 수 있는 놈일지도?’

그런 의심이 들었지만 한니발은 커흠 하고 헛기침을 하고서 언성을 높여 말했다.

“우선 말하자면 나는 지구에 인구 70억은 너무 과하지 않나… 하고 생각하는 사람이야!”

“뭐, 70억이야 너무 많긴 하지. 그래서 어느 정도가 적당한데?”

서현이 궁금해서 물어보자 한니발이 대답했다.

“0.”

“이런… 진지하게 물어본 내가 원망스럽다. 지금 그걸 말이라고…….”

서현이 한니발의 대답에 분노했다. 아담카드몬 아낙스가 만약 인류를 멸절시키기라도 하면 쌍수 들고 환영하겠다는 건가?

“70억이 너무 과하면 우선 너부터 죽이면 되겠군.”

듣고 있던 실베스테르도 어이가 없는지 한마디 했다.

그러자 한니발이 코웃음 쳤다.

"당신은 확실히 인구에 안 들어가지. 진마사냥꾼, 아니, 마인 실베스테르!"

당장에라도 둘이 치고받을 기세다. 그때 찬물을 끼얹는 이가 있었으니…….

"거참, 너무 개성적인 놈들을 모아두니까 싸우고들 있네."

한니발과 실베스테르가 으르렁거리는 걸 본 아르곤이 수저를 입에 물고 한마디 했다.

그러자 모두들 조용해졌다.

'지금 저 소릴 저놈이 한 거 맞아?'

'와, 진심으로 화난다.'

'자기는 개성 이전에 그야말로 걸어 다니는 상식분쇄자 아닌가? 어쨌거나 남에게 뭐라 할 처지는 안 되는 것 같은데?'

'저 뱀파이어가 탈모에 시달리는 것도 이해가 간다.'

다들 그렇게 생각했지만 입 밖으로 그걸 꺼내는 이는 없었다.

그때 아르곤이 빈 빙수 접시를 잡고 빙글빙글 돌리며 말했다.

"생각해 봐. 저 친구 십 대야. 그 나이대면 전 인류를 죽이고 싶기도 하겠지."

아르곤이 그렇게 말하자 모두들 깜짝 놀라서 한니발을 바라보았다. 저렇게 생겨 가지고 십 대라니……. 한니발이 겉보기보다 엄청 젊다는 것, 심지어 서현이나 서린보다 연하라는 건 전에도 이야기했던 것 같지만 생긴 모습이 워낙 파격적이다 보니 아무도 그가 십 대라는 걸 제대로 기억하지 못하고 있었다. 아르곤이 그걸 다시 환기시켜 준 것이다.

“…….”

모두의 시선이 한데 모이자 한니발이 부끄러워한다.

“아니, 그런 뜻에서 하는 말이 아닌데. 아, 젠장.”

사설 용병 회사의 CEO, 전쟁을 돈벌이로 삼으며 무수히 많은 사람을 죽인 자를 십 대라고 해서 가볍게 볼 수 있을까? 절대 그렇지 않을 것이다.

그러나 십 대 취급을 받으면 가장 분노하는 것은 본인 자신이니… 서현과 서린은 기꺼이 그를 십 대로 취급해 줄 생각이었다.

“안됐군, 십 대 소년. 그런 노안을 갖고 태어나다니. 아니, 이 경우는 험하게 써서 노안이 된 건가?”

서현이 그렇게 말하자 한니발은 뭐라고 대꾸해야 할지 말문이 막혀 버렸다. 이 화제로 이야기를 계속 해나갈 경우 뭐라고 해도 그가 손해다.

“하아, 진짜…….”

한니발은 땅이 꺼져라 한숨을 내쉬었다.

“어쨌거나 전 인류가 죽을 위기든 말든 그래서 뭐 어쩌라고? 왜 내가 솔선수범해서 사람을 구하려고 희생을 해야 하냔 말이야. 70억 인간 이야기는 치워주더라도 나는 절대 독박 쓰진 않을 거야. 나나 내 부하들, 내 지인들이 목숨을 거는 동안 다른 놈들은 이 위협이 있었는지도 모르고 지나가는 꼴은 별로 보고 싶지 않거든? 그렇게까지 이 세상을 위해 헌신하고 싶은 생각은 전혀 없다고!”

인류의 역사상… 조직의 안녕을 위해 희생하는 사람들은 따로 있고 조직의 단물을 빨아먹는 사람은 또 따로 있다.

먼저 희생하는 자들의 고결함, 그럼에도 불구하고 그 고결함에 보답해 주지 못하는 사회를 본 사람이라면 한니발에게 동조할 수도 있었다.

"십 대가 아니라면 말이지."

"음… 십 대. 그리운 울림이네. 나도 한때 저런 격동의 시기가 있었지."

서현과 서린이 그렇게 말했다. 한니발이 뭐라고 말해도 그를 놀리기만 할 셈인 것 같다.

"너희도 간신히 십 대 넘기지 않냐?"

실베스테르가 그렇게 물어보자 둘 다 고개를 끄덕였다.

"어쨌거나… 앞자리가 2입니다."

서린이 손가락을 V 자로 내밀고 배시시 웃는다. 테트라 아낙스의 위엄이라고는 전혀 보이지 않는 녀석이다.

"나이는 숫자일 뿐."

서현도 손을 V로 만들어 보였다.

두 쌍둥이가 이리 말하자 한니발이 부들부들 떨었다. 도발이라는 걸 알아도 걸릴 수밖에 없다.

"자, 헛소리는 되었어. 어떻게 할 거냐? 날 설득해 봐. 어디 네놈 재주를 좀 보자."

한니발이 으름장을 늘어놓는다.

상황이 위협적이라는 건 잘 알겠다. 그러나 결국 이들 중 가장 강력한 조직력을 갖추고 있는 것은 한니발이다. 베오울프의 도움이 없으면 그들은 지금 당장 이 섬을 떠나지도 못할 것이다. 그리고 한니발은 악당. 과연 어떻게 그를 설득할 것인가? 서린이 제시할 수 있는 것은 뭐지?

모두들 그게 궁금해져서 서린과 한니발의 기 싸움을 지켜보았다.

서린이 해맑게 웃으며 말했다.

"미안하지만 당신은 설득할 가치가 없어요."

"뭐? 무슨 뜻이지?"

한니발의 능력은 다른 초상 능력을 막는 힘이다. 그 성질을 생각해 보면 지금 여기에 있는 모든 이들 중 한세건과 함께 아담카드몬을 상대하기에 가장 좋은 능력이다. 한세건과 한니발, 이 두 인간의 협력 없이는 아담카드몬 아낙스를 제거할 가능성이 한없이 0에 수렴한다 해도 과언이 아니다. 아니, 지금은 둘 다 협력해 봤자 0에 수렴할 것 같긴 하다만. 그래도 한니발의 심기를 서린이 거슬러서 좋을 게 없을 텐데?

그러나 서린은 자신의 스마트폰을 들고 단언했다.

"왜냐면 방금 제가 베오울프 최대 주주에 등극했기 때문이지요!"

"……."

"이야, 별로 인기 없네요, 베오울프 주식. 5% 커미션만으로 장내 주식 상당수를 매수했어요. 거기에 장외 매수 약간… 이거 플렉스 재단의 사재를 약간 착복해서 모아둔 게 정답이었군요."

"…어……."

한니발이 입을 떡 벌리고 있었다.

서린과 티격태격하던 서현도 감탄하고 박수 칠 수밖에 없었다.

"와, 대단하다."

"과연… 대단하군. 애송이인 줄 알았는데 많이 컸어, 서린. 아니, 테트라 아낙스의 기억과 경험이 만든 건가?"

실베스테르도 박수를 쳤을 정도다.

다만 묶여 있는 한세건이 불만을 토했다.

"돈을 시궁창에 처박을 셈이냐? 전쟁범죄자들 주식을 사다니."

"시궁창에 처박긴요. 지금 이들이 약탈해 간 금괴만 해도 얼마어치인데요. 남는 장사입니다."

서린이 생글생글 웃으며 그리 말했다.

4

아담카드몬 아낙스는 미국으로 돌아와 간단히 플렉스 재단의 최대 주주이자 이사장 자리를 차지했다.

굴지의 대기업, 무수히 많은 병원과 제약 회사, 의료보험사와 금융사의 집합인 플렉스 재단의 이사장 자리가 그렇게 쉽게 바뀔 리 없다. 그러나 아담카드몬 아낙스의 능력은 통합 정보 능력, 그 힘을 사용하면 여론이나 세간의 기록을 조정하는 것은 그리 어려운 일이 아니다. 서린의 존재는 순식간에 역사에서 지워지고 그 자리를 아담카드몬 아낙스가 대신했다.

"정말 깔끔하게 바꿔치기되었군."

레베카는 치욕이라도 겪은 양 부들부들 떨고 있었다.

미합중국 부통령이 비셔스 바이러스에 대한 대책을 상의하기 위해 서린과 미팅을 잡았던 게 이틀 전, 그리고 아담카드몬 아낙스가 서린을 대신해 부통령과 만났다. 부통령 호퍼스는 노회한 정치가이지만 서린과 아담카드몬 아낙스가 뒤바뀌었다는 사실을 인지하지 못하고, 처음부터 아담카드몬 아낙스와 만나기로 약속했던 사람처럼 향후의 계획에 대해서 상의한 후 전세기를 타고 돌아갔다.

"이것이 테트라 아낙스의 힘이다. 그동안 그대들도 질릴 정도로 많이 써봤을 텐데?"

"그렇긴 하지만… 기억해 두고 싶은 정보가 타의로 변질되는 것은 정말 기분 더러운 일이야. 남의 입장에서 보니 왜 그들이 테트라 아낙스를 증오하는지 이해할 수 있을 것 같아."

레베카는 아담카드몬 아낙스에 대한 거부감을 숨기지 않았다.

아담카드몬 아낙스는 그들의 원형인 아낙스의 기억을 가지고 있다. 게다가 아낙스와 아담카드몬, 둘 다 초월적 존재로서 일반 인간은 이해하기 힘든 정신을 가지고 있다는 점에서는 크게 다를 것도 없다. 과거의 아낙스보다 더 박정하지만 고든보다는 정이 많은 인물. 이 정도면 개인의 컨디션 변화 폭 안에 있는 정도다. 고든이나 아낙스와 같은 인물이라고 인정하고도 남을 정도의 변화 폭에 불과하다.

외려 확고한 타인은 서린이었다. 아낙스와도 다르고 고든과도 다른 자. 그러나 테트라 아낙스의 수장이 되어 고여 있던 물이나 다름없던 테트라 아낙스 사인방에게 많은 것을 가르쳐 준 인물이었다.

그를 대신해서 다시금 아낙스가 들어왔다는 사실이 테트라 아낙스 사인방을 슬프게 만드는 것 같았다.

"그렇다면 기억을 지우고 감정을 조절하는 건 어떤가?"

"우린 그러지 않을 거야. 설령 네가 우리를 고문한다 하더라도 말이지."

"그럴 리가 있나. 그대들은 나의 일부나 다름없고 오라클 시스템의 중책이다. 고문 같은 비생산적인 일을 할 수는 없어."

"…오라클 시스템의 자체 문제는 어쩔 거지?"

불필요하게 많은 정보가 들어온다는 것, 그것이 오라클 시스템의 문제였다. 처리해야 할 정보가 기하급수로 늘어나면 테트라 아낙스의 정신이 정보에 눌려 희석당한다. 서린이 오라클 시스템을 정지시켰던 것은 오라클 시스템이 가학적인 구조를 취하고 있는 것도 있지만, 테트라 아낙스에게도 크나큰 부담이었기 때문이다.

그런데 그걸 다시 되돌려 놓고서 아담카드몬 아낙스는 무슨 짓을 하려는 것인가?

"우선 나는 현재의 정보량 정도로 훼손당할 리 없다는 걸 말해두지."

"하지만 정보량은 계속 기하급수적으로 늘어날 거야."

레베카가 그렇게 말하자 아담카드몬 아낙스는 싱긋 웃었다.

"그보다 더, 더 많이 늘어난다고 해도 별문제는 없지만… 정말 그래서 날 걱정하는 건가?"

"아니."

레베카는 말없이 고개를 저었다.

"우리로 인해 고통받을 다른 이들을 걱정하는 거지."

"훌륭하군. 하지만 안심해. 그런 일은 없을 테니까."

아담카드몬 아낙스는 그렇게 말하고 자리에서 일어났다.

"우선은 뱀파이어의 수를 줄이지. 다행스럽게도 이미 테트라 아낙스의 사설 부대는 많이 줄어 있군. 덕분에 뱀파이어의 수가 상당히 줄었어."

아담카드몬 아낙스는 뱀파이어 학살을 예고하고 나섰다.

레베카는 그런 아담카드몬 아낙스를 보고 물어보았다.

"선악에 관계없이 그저 인구수를 조절하기 위해 죽인단 뜻?"

"그래."

아담카드몬 아낙스는 쉽게 수긍했다. 학살, 그것도 대학살을 저지르겠다고 지금 단언하는 것인가?

레베카는 분노해서 아담카드몬 아낙스를 바라보았지만 그 순간 아담카드몬 아낙스와 눈이 마주쳤다.

타오르는 불꽃 같은 호박색 눈동자가 기묘한 빛을 발한다. 도저히 거역할 수 없는 공포가 레베카를 사로잡았다. 비록 부인격, 오라클 시스템의 안전장치에 가까운 역할이라 해도 레베카 역시 테트라 아낙스 사인방의 일원이다. 물경 VT 백만을 넘는 궁극의 뱀파이어이며 마법사이기도 했다. 그런데도 두렵다. 살해당할까 봐 두렵다? 그런 게 아니다. 이자는 경험을 갈구하고 있다.

"아낙스는 그렇게 하지 않았을 거야."

"아니, 그렇게 했을 거다. 너희들이 생각하는 선량한 아낙스의 모습 이면에는 당연히 성자가 아닌 그가 잠들어 있었고… 성자로서 한 번 실패했으니 마왕으로 돌아오는 게 당연한 이치지."

아담카드몬 아낙스는 자신이 아낙스의 재래임을 주장했다.

"그리고 내가 아낙스가 아니라고 부정하는 것은 그리 현명한 짓이 못 돼. 나는 아낙스이고자 하기 때문에 지금 이 세상을 끝장내지 않고 있는 거니까."

그것은 결코 허언이 아니었다.

5

뱀파이어는 일단 각성하면 나이를 먹지 않는다. 어린 나이에 뱀파이어가 되어버린 이들은 그래서 어린 시절의 모습인 채로 살아간다. 그것은 저주일 수도 있고 축복일 수도 있다. 하지만 보통은 필연적으로 저주가 된다. 외견은 다른 이와의 커뮤니케이션에 매우 중요한 요소가 되며 다른 이와의 커뮤니케이션은 곧 자아를 규정하기 때문이다. 남들이 자신을 어떻게 보고, 어떻게 대접하는지에 따라서 자신이 자신을 어떻게 보는가, 그 관점이 영향을 받게 된다.

십 대 초반의 어린 소녀의 모습으로 살아가야 하는 진마 마리아는 모든 이가 그녀를 어린아이로 대하기 때문에 높은 지능과 지성을 가지고 있음에도 불구하고 어린아이로 살아갈 수밖에 없었다. 하지만 어린아이의 자아를 가지고 있다고 해서, 세상 물정을 모르는 건 아니다.

그런 그녀에게 갑자기 플렉스 재단의 이사장이 바뀐 것은 당연히 무시할 수 없는 대사건이었다.

'뭔가 큰일이 터졌구나. 이대로는 위험하다.'

플렉스 재단의 이사장은 대대로 테트라 아낙스 사인방의 리더가 맡아온 자리다. 간혹 로테이션으로 잠깐 명의를 돌릴 수는 있지만 그럼에도 불구하고 그 이사장이란 자리는 뱀파이어 왕의 것이다. 그걸 생판 보지도 못한 인물이 차지했다는 점에서 이미 사태는 심각해졌다.

이전의 테트라 아낙스 이사장, 서린과 친밀한 관계였던 그녀는 즉시, 뒤도 안 돌아보고 비즈니스 제트에 올라탔다. 다행히 지금 테트라 아낙스의 병력 상당수는 이미 줄어 있는 상태라서 그녀가 유타주를 떠나는 데 제지하는 이는 아무도 없었다. 아니, 어쩌면 그녀가 떠나는 것쯤은 향후 벌어질 일에 아무런 영향도 주지 않는다는 것일까?

하지만 그녀가 막 자신의 비즈니스 제트에 앉는 순간 그녀의 휴대폰으로 문자메시지가 날아왔다. 발신인은 놀랍게도 플렉스 재단 이사, 테트라 아낙스로 되어 있었다. 그녀를 제지하진 않지만 그렇다고 무시해 주진 않겠다는 걸까?

깜짝 놀란 그녀가 받아본 문자메시지는 다음과 같았다.

[GMT 기준 6월 4일 정각까지 24계통 진마 전원, 뉴욕 플라자 호텔 팜 코트에 집결할 것. 정당한 사유 없이 불참하는 자는 아웃로로 규정하겠음. 테트라 아낙스 수장 아담.]

뱀파이어 대부분이 지금까지 재산을 모으고 먹고사는 데 걱정 없이 살 수 있었던 것은 테트라 아낙스의 지원 덕분이었다.

그러나 테트라 아낙스는 그런 지원을 어디까지나 자신에의 복종의 대가로 주었다. 즉 애초에 테트라 아낙스를 인정하지 않거나 달리 먹을 게 있는 이들은 테트라 아낙스의 세계에서 빠져나가 아웃로가 된 상황. 이런 상황에서 긴급 집합에 안 오면 아웃로로 만들겠다는 건 이미 자신의 사람인 이들을 학대하는 짓에 불과하다.

'서린이라면 절대로 이런 짓은 하지 않았을 거야. 아니, 그보다 대체 이건 무슨 뜻에서 하는 짓이지?'

마리아는 이 상황이 보통 심각한 문제가 아니라는 걸 깨달았다.

새로운 테트라 아낙스가 있다. 어떤 수단으로 어떻게 된 것인지는 모르지만 서린을 내쫓고 새로이 테트라 아낙스가 된 자는 뱀파이어들에게 강경하다. 자신도 뱀파이어이면서? 아니, 그보다 서린은? 죽은 건가?

마리아는 아랫입술을 질끈 깨물었다. 그녀의 겉모습은 어린 소녀지만 그녀는 이미 무수히 많은 사람을 떠나보냈다. 친밀한 사람, 사랑하는 사람들을 수차례 떠나보내게 되면 싫어도 이별하는 법에 대해서 알게 된다. 그 이별이 설사 그녀가 원하지 않는 방식이라고 하더라도.

하지만 이건 아니다. 서린은 아직 죽지 않았을 거야. 그러나 서린에게 지금 직접 전화를 해도 괜찮은 걸까? 어쩌면 새로운 테트라 아낙스의 수장이라는 자는 그녀를 일부러 놓아주어 서린을 낚을 미끼로 삼으려 하는 것일지도 모른다.

하지만… 이 이상은 그녀가 판단할 근거가 없다.

'더 이상 근거가 없으니… 마음 가는 대로 할 수밖에.'

자포자기 같지만… 어쩔 수 없다.

마리아는 심호흡을 했다. 도자기 인형 같은 매끈한 피부에 홍조가 떠오르고 작은 가슴이 부풀어 오른다. 그리고 조심스럽게 휴대폰을 들어서 서린의 번호를 찍으려는 순간… 전화기가 먼저 울렸다.

서린이었다.

—미안해. 걱정했지?

서린은 평상시처럼 언제나 쾌활한 태도로 전화기 너머에서 말을 걸어왔다.

"…바보! 어떻게 된 일이야? 메일이라도 보내지!"

말로 하는 것보다 메일이 더 빨리, 정확하게 정보를 전달할 수 있을 것이다.

그래서 말한 거긴 하지만 서린의 목소리를 듣자 안심이 되는 것이었다. 하긴 만약 서린이 정말 메일만 보냈다면 마리아는 화가 머리끝까지 났겠지. 머리로 받아들이는 것과 마음으로 받아들이는 게 따로 노는데 서린은 이 중 후자를 선택한 것일 뿐이다.

—앙리 유이를 통해서 아낙스가 귀환했어. 아담카드몬의 몸을 입고.

"응? 아낙스라고? 아담카드몬?"

—그래. 동경이랑 자카르타에서 사람을 실컷 죽여놓고 그 영적 자원을 한데 때려 박은 거야. 거의 신적인 존재지. 천만 명이 넘는 사람의 영혼을 착취했으니까 말이야.

천만 명을 희생시켜 이 세상에 강림시킨 마왕, 그것이 바로 아담카드몬 아낙스라고 할 수 있었다.

"…그래서? 그가 널 해고한 거야?"

그 순간 전화기 너머로 서린이 웃었다. 해고 정도면 차라리 낫다는 뜻이리라.

—아마도 이렇게 돌아온 녀석은 아낙스가 선택했던 길과 반대쪽의 길을 선택할 여지가 커. 무슨 뜻인지 알겠어?

과거 아낙스는 성자로서 뱀파이어들을 거두어들였다. 그러나 그것을 실패라고 규정하고 다시 돌아왔다면 이번에는 반대로 갈 공산이 크다.

'아니, 하지만 고든은 또 꽤 철권통치를 하지 않았나? 아… 그건 아웃로들에게만이었지 뱀파이어라는 종 전체에 대한 건 아니었나? 가만, 그 반대라면 그럼?'

마리아는 서린의 말을 듣고 경악했다.

과거 아낙스는 뱀파이어들이 인간들에게 일방적으로 살육당하지 않도록 인간들의 정보를 조작해 그들이 살 수 있는 세계를 만들어주었다. 즉 뱀파이어의 존재를 인정하면서 살려두었던 것이다.

그러나 만약 뱀파이어의 존재를 남겨두지 않기로 작정한다면?

아낙스 혼자만 남는다 해도 그는 충분히 이 세계에서 살아갈 수 있다. 사실 그가 다른 뱀파이어의 생존을 굳이 보장해 줄 이유는 어디에도 없는 것이다. 지금까지는 너무나 당연하게 그걸 받아들이고 있었지만… 이게 사실이라면 저 돌아온 아낙스, 아담카드몬 아낙스는 설마?

"그렇지 않아도 메일이 왔어. 모든 진마에게 플라자 호텔에 모이라고… GMT 기준 6월 4일 정각이야!"

—절대 가지 마! 가면 아마 박제해 버릴 거야! 얼른 도망쳐야 해!

서린의 목소리가 다급해졌다.

—언제든지 과거의 정보에서 살아 있는 걸 만들 수 있는 놈이라면 지금 살아 있는 자들에게 아무런 가치도 부여하지 않는다고! 아낙스가 24계통 뱀파이어의 피를 다 모아두고 관리하에 두려는 건 박물학자가 박물을 기록해 두는 것과 같아!

"아, 알겠어! 그런데 서린 넌 괜찮은 거야?"

—물론이지! 형하고 세건 형도 있고 아르곤도 여기 있는걸.

"아… 그, 그래? 그건 역으로 없던 걱정이 생겨나는 조합인데?"

—그럼 다음에 또 연락할게.

서린은 그렇게 말하고 먼저 전화를 끊었다.

"아, 진짜……."

마리아는 한숨을 내쉬며 전화를 끊었다. 이미 비즈니스 제트는 활주로를 따라 질주하고 있었다. 일반 여객기라면 전자 기기를 쓰지 말라고 했을 테지만 개인 비행기에서는 그런 요구가 없었다.

우우우웅!

비행기가 굉음을 토하며 활주로에서 이륙했다. 하지만 그 순간……. 활주로 맞은편에서 알루미늄과 티타늄으로 이뤄진 몸체를 번뜩이는 무인기들이 날아오고 있었다.

쉬이이이익!

무인기들의 배 밑에 달려 있던 미사일들이 일제히 발사되었다. 능동추적 기능이 붙어 있는 암람 미사일이다. 이제 막 활주로를 벗어나느라 직선으로 날 수밖에 없는 비즈니스 제트에게는 사형선고나 다름없는 공격이었다.

6

볼코프와 라이칸스로프 여단은 새로운 테트라 아낙스, 아담 카드몬 아낙스의 휘하에 들어와 미국 각지의 아웃로 뱀파이어들을 처단하기 시작했다.

시대착오적인 남부군 깃발을 내건 테러범 집단이나 아메리칸 크루저를 타고 다니는 헬즈엔젤들, 아일랜드 갱단들 사이사이에서 아웃로 뱀파이어들은 똬리를 튼 독사처럼 몸을 낮추고 있었지만 테트라 아낙스는 간단히 그들의 위치를 파악하고 그들을 은신처에서 끄집어내었다.

일단 그렇게 끄집어내어지면 그다음은 그야말로 일방적인 학살이었다.

"뭐, 뭐야! 이놈 새끼들!"

얼굴과 목에 아리안 브라더후드의 켈트 십자 문신을 새긴 백인 남자가 더블배럴 샷건을 들고 으르렁거리고 있었다. 눈이 붉고 이가 날카로우며 움직임이 빠르다. 어둠 속을 꿰뚫어 보고 있는 걸 보면 뱀파이어임에 분명하다.

그리고 실제로 테트라 아낙스가 내준 정보에도 일치한다.

"테트라 아낙스의 턱밑에 살고 있던 아웃로인가?"

볼코프는 그에게 성큼성큼 걸어가면서 말했다.

"엿 먹어!"

성질 급한 아리안 브라더후드의 남자가 샷건을 쏘았다.

볼코프는 그 총탄을 피할 생각도 하지 않았다.

투두두두둑…….

얼굴에 명중했던 납탄들이 식어서 바닥에 떨어진다. 낡은 나무 마루 위로 납탄의 파편들이 우수수 쏟아지자 총을 쏜 뱀파이어도 뭔가 잘못되었다는 걸 깨달았다. 중절식 12게이지 더블배럴 샷건을 무슨 NERF사의 장난감 총 상대하듯 몸으로 받아버리다니?

"어?"

"더 말할 것도 없군."

볼코프의 발길질이 눈앞에 있던 뱀파이어의 사타구니에 꽂혔다. 그 순간 뱀파이어는 세로로 두 쪽이 나버렸다. 키 192㎝, 건장한 근육질 체구의 뱀파이어가 좌우로 쪼개지고 머리와 척추 부분은 온데간데없이 사라지며 피와 살점들이 사방으로 쏟아져 비가 되었다.

"쯧."

볼코프가 손수건을 꺼내 군화를 닦는 사이 그의 부하들이 다른 아리안 브라더후드들을 포위했다. 뱀파이어가 아닌 인간들도 있었지만 볼코프가 손가락을 튕겼다.

"다 죽여."

그러자 라이칸스로프 여단은 아무렇지도 않게 차량에 장착된 그레네이드 머신 건으로 아리안 브라더후드 갱들이 머물고 있는 싸구려 트레일러 파크를 쓸어버렸다.

폭음과 충격이 사방을 휩쓸었지만 경찰도, FBI도 주 방위군도 보이지 않는다.

대신 금발의 남자가 트레일러 파크의 위성 안테나를 발로 툭 차고 훌쩍 몸을 날려 볼코프의 앞에 착지했다.

"레온……."

"하하. 뭘 또 직접 움직이고 그러십니까? 이런 건 그 오라클 시스템의 텔레파시 검으로 푹 찌르면 뇌가 지워져서 정박아가 될 텐데."

레온이 팔짱을 끼고 볼코프의 곁으로 다가왔다.

볼코프는 박살 나고 있는 트레일러 파크를 보며 물어보았다.

"내 수명은 이제 얼마나 남았지?"

"아담카드몬에게 늘려달라고 할 거 아니었습니까? 그 정도쯤은 들어줄 텐데요?"

라이칸스로프의 수명을 늘린다? 그야말로 신이나 할 수 있는 짓 같다.

볼코프는 그리 생각하고 쓴웃음을 지었다.

"…그런 이유로 이런 짓을 하는 게 아니야."

"정말 이해 못 하실 분이로군요. 이미 한 거 조금 더 보태서 자신의 욕망을 채우면 어떻습니까? 이미 악당인데 스토익(Stoic:금욕적인)한 악당이 되어버리면 상대하는 쪽은 더 괴롭다고요."

"신에게 소원을 빌어버리면 남자로서 끝장이란 생각이 들어서 말이지. 내게 있어서 신은 언제나 내가 이렇게 할 테니 지켜봐 달라고 맹세하던 서원의 대상이었지 뭔가를 이뤄달라고 졸라대는 대상이 아니었어."

"그런 게 스토익하다는 겁니다. 당신 주먹에 피떡이 되어서 죽는 이 젊은 애들이 불쌍하지도 않습니까? 적당히 탐욕도 보이고 강간도 하고 그러면서 추잡하게 굴어야 덜 억울할 텐데 말이지요."

트레일러 파크는 라이칸스로프 여단의 강력한 화기 앞에 순식간에 거덜 나버렸다.

아리안 브라더후드, 백인 인종주의자 갱단들이 주로 거주하는 이 트레일러 파크에는 이제 살아남은 생명이 없다.

미국이 스포츠 총기의 최대 시장이라고 하지만 그레네이드 머신 건은 그 어떤 주에서도 허용하지 않을 중화기인데 그걸 차량에 달고 마구 퍼부어대는 동안 아무도 등장하지 않다니. 새삼스럽게 테트라 아낙스의 무서움이 느껴진다.

아니, 더 무서운 건 아담카드몬 아낙스다. 비록 아리안 브라더후드가 갱단이긴 하지만 이들 사이에 뱀파이어가 한두 놈 있었다는 이유만으로 트레일러 파크를, 그러니까 트레일러를 주차시켜 두고 전기와 물을 공급할 수 있는 작은 마을 하나를 통째로 몰살시키다니? 세르비아나 체첸, 그로즈니도 아니라 미합중국 한복판에서 벌어진 살육이다.

"국가의 치안 체계를 눈멀게 하고 얼마든지 사람을 죽일 수 있는 능력을 가진 놈이… 죽이는 쪽을 선택했다 이거지?"

볼코프는 그렇게 중얼거리며 피와 살점이 묻은 손수건을 던졌다.

"그런데 너는 어째서… 아담카드몬과 직접 만나서 소원을 빌지 않지? 그러려고 날 부추긴 게 아닌가?"

"저야 그 친구랑 만나는 게 목적이 아니니까요. 릴리쓰에 아담카드몬에… 그런 것들하고는 좀 안 맞아서……."

"…어디서 지내고 있나?"

"이 천지에 어디 잘 곳이 없겠습니까? 참호전도 버틴 저인데요."

"사람 많이 죽여서 신났겠지."

"어이쿠, 귀엽고 깜찍한 백인 갱단을 쓸어 죽이신 분이 그런 말씀을 하시는군요."

레온은 으스대면서 물어보았다.

"아담카드몬 아낙스는 정말 미국에서 아웃로를 뿌리 뽑을 모양이로군요. 하지만 아웃로만 건드리는 걸까요?"

"아니. 아마 모든 뱀파이어를 다 죽이려는 걸 거다. 그전에 아웃로들부터 정리하는 거지. 아웃로를 정리한다고 하면 테트라 아낙스를 지지하던 놈들은 가만히 있을 거거든. 그리고 뱀파이어 놈들은 결국 뼈대가 없어. 테트라 아낙스가 어떻게든 그 녀석들 뼈대를 좀 키워주려고 너희들은 귀족이니 뭐니, 잘 먹이고 잘 입혀서 키워놓은 것 같지만… 다 응석받이지."

"그럼 뱀파이어를 다 죽이고 난 후에는? 아담카드몬의 본질은 정보 수집자입니다. 지금은 아낙스의 자아 때문에 아낙스의 과오를 바로잡는 데 집중하고 있지만 그게 끝나면 싫어도 아담카드몬으로 돌아가, 본질대로 정보를 수집할 겁니다."

"그럼 그때 가서 처리하지. 그런 거, 싫어하지 않아. 아니, 좋아하지. 사람은 역시 소일거리가 있어야 해. 심심해 미칠 것 같거든."

볼코프가 그렇게 말하자 레온은 큭큭 웃었다.

"부디 뜻을 이루시기를, 장군님."

7

아담카드몬 아낙스는 우주선이라도 발사할 수 있을 것 같은 상황실에서 현재의 상황을 검토하고 있었다. 상황실 모니터를 통해 보이는 정보가 사실이라면 각지의 아웃로 뱀파이어들이 매우 빠른 속도로 소멸하고 있었다. 가까운 곳은 라이칸스로프 여단에게, 먼 곳은 오라클 시스템의 텔레파시 공격을 썼는데 그것만으로도 북아메리카 지역의 아웃로들 상당수가 소멸했다. 단 사흘 만에 북아메리카 아웃로의 90%가 몰살, 그나마 나머지 10%는 에스프리들 사이에 섞여 있어 정밀 타격이 힘들어서 그렇지 이미 위치와 인원은 전부 파악된 상태였다.

그리고 지금 라이칸스로프 여단의 병력은 에스프리의 캠프를 향해 포위망을 좁혀가고 있는 중이었다.

"이… 이렇게까지……."

레베카와 마틴, 베이런은 아담카드몬 아낙스가 벌이는 일을 보고 기겁했다. 상황실 모니터로 보이는 정보들이 끔찍해서? 그것도 있다. 그러나 그보다 더 놀라운 것은 현재 상황실 안에 아무도 없기 때문이었다. 정확히 말하면 의식이 있는 자가 아무도 없다. 테트라 아낙스 클랜의 일원인 뱀파이어들은 입에서 침을 질질 흘리며 의자에 앉아 있고 그들의 뇌와 신체는 전부 오라클 시스템에 본의 아닌 헌신을 하고 있었다.

"안심해. 너희 셋은 건드리지 않을 테니까."

아담카드몬 아낙스는 그리 말하고 탁자 위에 버블헤드 장난감을 하나 올려두더니 그 버블헤드의 머리를 건드렸다. 휴스턴 로켓 버블헤드가 딸랑거리는 모습이 이 끔찍한 상황실의 모습과 대조적으로 익살스러웠다.

"에스프리까지 아웃로로 지정할 셈인가?"

베이런은 에스프리를 향해 좁혀가는 라이칸스로프 여단을 보고 기겁했다. 스트라이커 장갑차, 헬파이어를 장착한 드론, 그레네이드 머신 건을 장착한 건십, 105mm 견인포를 동원해서 히피 캠프의 포위망을 좁혀간다.

그에 반해 에스프리들은 낡은 폭스바겐 캠퍼나 차량 몇 대로 들판에서 모닥불 피우고 마리화나 피우는 게 전부인 이들로 무장이라곤 꼴랑 권총 몇 정 있을까 말까 하다.

아무리 상대가 뱀파이어라고 해도 이 정도 장비 차이가 나면 학살밖에 되지 않을 터. 즉 지금 아담카드몬 아낙스는 그들의 눈앞에서 아웃로도 아니라 정식 클랜이던 에스프리를 학살하려고 하고 있는 것이었다.

"물론."

아담카드몬 아낙스는 간단히 대답했다.

"에스프리는 정통 클랜 중에서도 가장… 사람을 덜 해치는 곳이야. 저들을 해치면 다들 뭐라고 생각하겠어?"

고든이 수장이던 시절, 테트라 아낙스는 자신의 힘을 가지고 뱀파이어들을 위협하긴 했었다. 하지만 그것은 어디까지나 협박의 도구였고 통치 수단이었다. 당근과 채찍 중 채찍이었을 뿐 전체적인 목표는 나귀를 살려두기 위함에 있었다.

그러나 이것은 도살이다. 도살장에는 당근 따위 필요 없다.

"흠. 모르고 있나 보군. 이미 마리아도 공격해서 확보해 뒀다. 아웃로만이 아니라 형식적으로 테트라 아낙스에 충성을 하고 있는 이들도, 서린과 관계되어 있다면 가차 없이 공격하고 있다. 이제 와서 호들갑 떨기엔 늦지 않았나?"

아담카드몬 아낙스가 그렇게 말하자 테트라 아낙스 사인방의 나머지 삼 인 모두가 충격을 받았다.

"그게 정말인가?"

레베카는 테트라 아낙스 사인방 중 유일한 여성이라서 그런지 마리아와 죽이 잘 맞았다. 서린과 많은 시간을 함께 보내고 싶어 하던 마리아는 자연적으로 테트라 아낙스 사인방과 함께 보내는 시간도 늘렸고 그 와중에 마리아를 예뻐하던 레베카였다.

그런 마리아를 이 괴물이 제압했단 말인가?

"나는 서린을 증오하거나 하진 않아. 그의 추종자들에게 감정이 있는 것도 아니야."

아담카드몬은 레베카의 질문에 엉뚱한 답을 했다. 하는 행동과 말이 너무나도 다르다.

"그렇지만 어차피 해야 할 숙청을 이런 핑계로 나누어서 하면 그들은 자신이 그 카테고리에 속하지 않을 때 숨죽이고 지켜보겠지."

"저항을 줄이기 위해서 일부러 단계적으로 숙청한다고?"

베이런이 질려서 물어보자 아담카드몬 아낙스는 고개를 가로저었다.

"그럴 리가? 저들 죽이는 데는 사실 품도 별로 들지 않아. 조금 손이 간다고? 그 정도는 저들을 다 죽여 버리고 올 지루함과 공허함에 비하면 기꺼이 공을 들일 가치가 있는 일이지."

"……."

아무리 별다른 자원이 없는 아웃로 뱀파이어들을 죽이는 게 쉽다고 해도 이렇게나 오만방자한 말을 하다니.

그러나 아담카드몬 아낙스가 말하니 이건 오만이 아니라 냉정한 현실일 뿐이다. 만약 아담카드몬 아낙스가 저들을 죽이는 게 힘들다거나 자기 목숨을 지키려고 몸부림치는 이들의 저항이 강렬했다고 치하한다면 그거야말로 기만이 될 것이다. 상황실 모니터를 통해서 보이는 모습은 그야말로 일방적인 유린이고 도살이었으니까…….

"나는 그들에게 후회할 기회를 주기 위해서 이러는 것이다. 이런 식으로 차례차례 숙청을 하면 그들은 자신이 숙청당할 때 이렇게 생각할 거야. '내가 남의 고통과 아픔을 이해하지 못했기 때문에 지금 나의 아픔을 나눌 동지가 아무도 없구나'."

"그게 무슨 의미가 있지? 당신의 가학성을 충족시키는 것 외에?"

아담카드몬 아낙스를 책망하는 마틴의 목소리에 날이 서 있었다.

"죽어가는 사람이 자책을 하는 것은… 그의 영혼을 정화시켜 주는 일이지. 후회하고 자책하는 것으로 그들은 자신의 삶의 끝을 겸허하고 숭고한 자세로 장식할 수 있겠지."

"결국 그런 식으로 모든 뱀파이어를 다 죽일 셈이군."

"그래. 테트라 아낙스 사인방을 제외한 나머지 전부 다."

아담카드몬 아낙스는 자신의 목표를 부인하지 않았다.

第26夜

시험하는 자

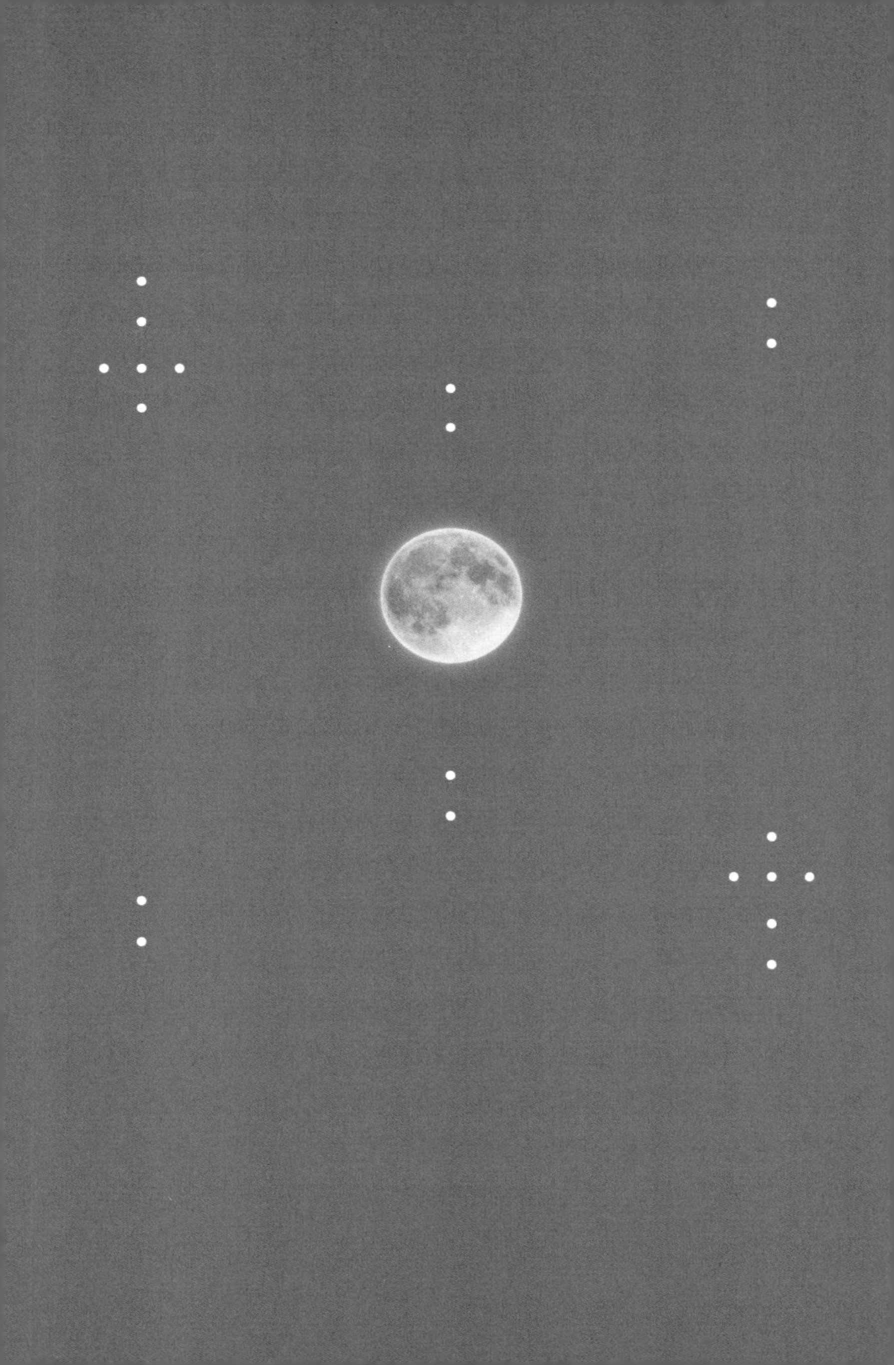

1

아담카드몬 아낙스는 스카이후크을 이용해 드론 항모로 귀환한 후 다시 싱가포르로 이동, 거기서 전세기를 타고 미국으로 돌아갔다.

그동안 베오울프와 서린, 한세건 일행은 트롤 어선을 이용해 자카르타를 벗어나 수마트라 섬으로, 그리고 그곳에서 다시 육로를 따라 베오울프가 준비한 스포츠용 비행장에 대기하고 있었다. 베오울프의 사장 한니발과 그의 머리 위에 대주주로 올라선 서린 일행은 베오울프가 수배한 비행기를 기다리느라 꽤 오랜 시간을 대기해야 했다.

그렇게 사흘 정도를 정글에서 대기하고 있으니 마침내 비행기가 한 대 도착했다.

엠브라에르 페놈 300.

브라질 회사에서 만든 경(輕)비즈니스 제트이다. 연료 탑재량이 많지 않아서 그리 먼 거리를 날 수 있을 것 같지는 않고 이런 스포츠기용 활주로에서 과연 이륙은 가능할까 의문이다. 스포츠기용 활주로지 터보팬 제트기를 위한 공항이 아니다 보니 길이가 짧다. 더군다나 적도의 더운 나라는 그만큼 공기 무게가 가벼워서 비행기의 양력을 발생시키는 데 많은 애로 사항이 꽃핀다. 물론 여긴 사막이 아니니까 더우면 더운 만큼 수증기가 섞여서 무게를 맞추어주긴 하지만 그걸 감안해도 과연 이륙이 가능할지 어떨지?

게다가 태워야 할 놈도 많다.

"안심해. 여긴 항상 아침에 서쪽에서 강풍이 불어오거든. 이륙 거리는 충분히 나온다."

한니발이 그렇게 말하며 아타왈리를 가리켰다.

"아타왈리는 내가 아는 한 세계 최고의 조종사니까."

"허허허, 과찬의 말씀이십니다."

아타왈리는 콧수염을 손가락으로 배배 꼬면서 멋쩍어했다.

"맞바람을 타고 난다라… 이론상으로 활주 거리가 줄긴 하지만……."

돌풍이 일면 그만큼 위험해진다.

그러나 한니발은 호언장담했다.

"믿어. 아타왈리는 A380으로 카이탁에도 내릴 수 있어."

"……."

카이탁 공항이라면 홍콩의 구공항으로 도시에 포위되어 있는 공항의 특성상 끔찍한 착륙 난이도로 유명했다. 너무 끔찍한 난이도 때문에 지금은 첵랍콕 공항으로 모든 기능을 이전하고 선박용 부두로 이용된다고 알고 있었는데…….

그런 곳을 A380처럼 거대한 비행기로 착륙할 수 있다면 전 세계 어딜 가더라도 베테랑 파일럿이라 할 만했다.

"이거 참 믿어주시니 감사합니다. 그럼 출발해 볼까요?"

아타왈리가 그렇게 말하며 비행기에 올라탔다.

용병 회사가 쓰는 비행기라 그런지 비즈니스 제트의 좌석에는 '특별한' 손님을 모시기 위한 의자가 준비되어 있었다. 북극곰이라도 꼼짝 못 할 것 같은 케블라 타이들이 준비되어 있고 언제든지 안정제 주사가 가능한 스팀팩 플랫폼이 붙어 있는 저것은 사실상 수술대라고 해도 과언이 아니다. 이런 의자에 앉혀지기만 해도 심약한 사람은 기절할 것 같은 디자인이다.

그 특별석에 한세건이 앉혀졌다.

"과연… 세건 형이라면 이 정도는 대접해 드려야지요. 베오울프가 뭔가 알긴 아는군요."

서린이 한니발에게 엄지를 세워 보이며 칭찬을 늘어놓았다.

"동감이긴 한데, 좀 과한 것 같다는 생각도 들고."

서현은 어깨를 으쓱해 보였다.

한세건이 뱀파이어와 타협하지 않으니까 설득하지 않는다. 그걸 감안해서 아예 이런 식으로 대한다는 건 뱀파이어의 왕 테트라 아낙스의 수장이었던 서린이 한세건을 그만큼 인정해 준다는 것이다.

그런데 별로 부러운 인정은 아니다. 두 번 더 인정받았다간 살해당하겠다. 이런 인정은 누구도 받고 싶지 않을 거다.

"칵… 뭐 하는 거야?!"

"아, 입에 구속구를 채우려고요. 이거 어디서 많이 본 것 같지 않아요? 내가 언젠가 꼭 이걸 누군가에게 채워보고 싶긴 했었는데……."

어디서 많이 본 것 같다는 입 구속구는 SM에서나 쓸 법한 볼개그였다.

특정 취향에게는 매우 매우 좋은 도구일지는 모르나 정상인 입장에서 보면 입이 벌려진 채 구속되어서 침이 줄줄 흐를 수밖에 없는 치욕스러운 재갈이다. 저런 걸 입에 무느니 차라리 양말을 쑤셔 박히는 게 감사할 지경이다.

"으악… 미친놈아!"

그걸 채우려 하는 서린을 보고 한세건이 기겁했다.

그런 서린의 태도 때문일까? 실베스테르는 조용히, 리클라이너 시트에 앉아서 다리를 쭉 폈다. 제노바 협정이 세워지기 이전 스타일의 포로 대접을 받는 한세건과 달리 실베스테르는 깔끔하게 샤워를 하고 몸의 파츠도 교체한 후 마력도 완충했다. 자카르타에서의 여독을 씻어내고 보송보송해진 실베스테르였다.

"…뭐 하는 겁니까, 당신은?!"

"아니… 지금은 아담카드몬을 쓰러뜨리는 걸 우선한다. 그리고 여기에 뱀파이어는 아르곤 일당과 서린뿐이군. 이 정도로 뱀파이어와 협력한다… 고는 할 수 없지."

실베스테르는 한세건에게 그리 말하곤 더 이상 대화하기도 싫다는 듯 헤드셋을 썼다. 휴대폰과 블루투스로 연동되어 있는 기기인데 실베스테르의 휴대폰에서 바하의 교향곡이 연주되고 있는 게 보였다.

외면했다!

물론 실베스테르가 한세건을 외면한 것은 이번이 처음이 아니었다. 한세건은 언제나 폭풍의 바다를 질주하는 한 조각 조각배처럼 위태로운 영혼이었다. 무수한 행운과 우연, 그리고 그 자신의 노력이 겹쳐서 지금까지 살아남을 수 있었던 것이지 정상적이라면 끔찍한 결말을 맞이했을 것이다. 그런 한세건이 닳고 닳아 쓰러지기 직전까지 내몰려도 실베스테르는 한세건을 돕지 않았다. 자력으로 일어나야 한다고, 그렇지 않으면 무가치하다고 여겨서였을까?

하지만 한세건은 그렇게 외면받는다 해서 화를 내거나 실베스테르에게 원망을 품진 않았다. 한세건 자신도 뱀파이어 헌터는 자립해야 함에 동의하고 있었기 때문이다. 지금까지는 말이다.

"하지 마."

보다 못한 서현이 서린을 말려주었다.

"묶은 정도로 되잖아."

"이 정도 묶은 걸로 세건 형이 만족할 리가 없어요! 잔혹한 뱀파이어의 더더욱 끔찍한 고문을 원하진 않을까요?"

"까불지 마. 지금 한세건은 포로가 아니고 내 팀원이다. 협력받아야 하는데 이런 건 장난으로라도 지나쳤어."

"어차피 세건 형은 제가 뭘 하든 절 미워할 건데, 뭐. 그럼 가장 미움받는 대상이 되어야지! 억울하지나 않게!"

"그 무슨 옛날 로맨스 소설 같은 발상이냐?"

"라는 건 농담이고. 이 정도로 해두지 않으면 세건 형도 납득하지 못할 거야! 뱀파이어 상대라면 당연히 학대와 증오가 오가야 만족할 테니까!"

서린이 멋대로 말하자 한세건이 발끈했다.

"내 기분이나 생각을 너희들 마음대로 정하지 마! 이 미친놈들아!"

원래 남이 이렇게 생각할 거다, 저렇게 생각할 거다 하고 앞질러 버리는 건 굉장히 무례한 짓이다. 하물며 그게 누군가를 학대하는 방향으로 몰고 가게 되면 적반하장도 유분수가 아닌가?

"자자, 여기서 재갈을 채우면 완벽……."

서린은 정말 한세건에게 미움받기로 작정했는지 하려는 것 같다. 그걸 본 서현이 서린의 손을 잡았다.

"야……."

뭐라고 말하려 했지만, 서현은 서린의 손이 떨리고 있다는 걸 깨달았다.

"음……."

"……."

서린이 쓴웃음을 지으며 서현의 손을 뿌리쳤다. 그런 것을 보며 서현은 차마 추궁할 수 없었다. 지금 현재 서린도 불안하고 불안정하다는 걸 깨달았기 때문이다.

'이 자식, 젠장. 뭔가 이상한 예지를 봤구나. 그래서 괜히 더 쾌활한 척하고 있는 거야…….'

"흠……."

아르곤이 풍선껌을 불면서 서린과 서현을 바라보다가 서현과 눈이 마주치자 창문 쪽으로 시선을 돌렸다.

'저 녀석은 푼수 팔푼이 같은데 묘하게 예리해. 촉이 좋은 것 같다.'

서현은 아르곤이 이쪽을 눈치챘음을 느끼고 혀를 찼다. 어쨌거나 이대론 서린에게나 한세건에게나 별로 좋지 않을 것 같아서 서현은 화제를 돌리기로 했다.

때마침 비행기가 활주로에 섰다.

—자, 이제 곧 이륙합니다. 전자 기기는 꺼주시고 안전벨트는 매든가 말든가…….

기장 아타왈리의 기내 방송이 들려왔다. 사실 그렇게 큰 비행기는 아니라서 기내 방송을 할 것도 없는 상황이지만… 잠시 후 터보팬 엔진이 굉음을 내기 시작했다.

엠브라에르 페놈 300은 무난하게 아침 맞바람을 받으며 떠올랐다. 기장 역할을 맡고 있는 아타왈리는 기내 방송으로 말했다.

—자, 이제… 전자 장비를 쓰셔도 됩니다.

"……."

실베스테르가 헤드셋을 잡고 살펴보았다.

'이륙할 때 전자 장비 쓰고 있었는데? 뭐, 별 탈 없이 이륙했으니 괜찮은 거겠지?'

실베스테르는 그리 생각하며 창밖을 바라보았다.

확실히 아타왈리라는 놈은 능숙하다. 활주로의 절반 약간 넘는 정도, 60%만 쓰고 이미 이륙해 버렸으니 굳이 맞바람 때를 기다리지 않아도 충분히 날아오를 수 있던 게 아닌가? 혹시 다른 마음을 품고 있어서 시간을 끈 게 아닐까 의심스럽다.

그때 한니발이 빙글 몸을 돌려 서린을 돌아보았다.

"자, 그럼 이제 앞으로의 계획을 말해보실까?"

현재 의심을 품고 있는 것은 실베스테르만이 아니다. 지금 이 비행기 안 인물들의 조합은 역대 최악이라고 해도 좋을 만큼 기괴하다. 뱀파이어에 뱀파이어 헌터, 라이칸스로프 용병들이 한 배를 타고 있다니? 오월동주라는 말이 있지만 이 정도면 정말 심각하다. 민감한 성격의 사람이라면 위궤양으로 쓰러질 지경일 것이다. 다행인지 불행인지 그 정도로 민감한 성격의 사람은 이 안에 없지만…….

"그건 내가 물을 말이야. 어느 쪽으로 가는 거지? CEO?"

대주주가 되어서일까? 서린의 말투가 빈정거림으로 바뀌었다.

"어이쿠, 물으면 대답해 드려야지. 북아프리카의 알제로 갈 거야. 그곳에 베오울프의 아프리카 지사가 있거든. 장비, 무기, 탄약, 인재, 뭐든 끌어다 쓸 수 있지. 베오울프의 가장 화끈한 전력이 모여 있는 곳이라서 말이지."

즉 호랑이 굴 한복판으로 들어가는 셈이다. 하지만 서린은 다른 점을 물어보았다.

"이 비행기로 여기서 알제까지?"

"물론 경유해서 기름을 좀 넣어야지. 그렇지만 그보다 더 중요한 건 베오울프가 정말 당신을 주주로 인정하느냐 이게 문제지. 당신이 대주주긴 하지만 알다시피 우리가 상장회사인 건 어디까지나 몇 가지 이득을 얻기 위해서일 뿐이야. 설마 돈으로 우릴 완전히 길들였다고 생각하는 건 아니겠지? 만약 그 주식 몇 조각이 네 안전을 보장해 줄 거라고 생각한다면 크나큰 오산이다."

"나도 알고 있어. 벌처 펀드도 아니고 주식으로 주도권을 잡고 베오울프의 자산과 재원을 쏙 뽑아먹을 생각은 없어. 하지만 여기서 날 협박하는 건 경솔한 행동인 것 같군."

서린이 그렇게 말할 때였다. 서현이 혀를 찼다.

"드론 접근."

"아… 젠장. 인도네시아나 말레이시아군은 뭐 하는 거야? 사설 드론 항모가 이 근처에서 작전을 수행 중인데!"

서린이 투덜거리자 묶여 있던 한세건이 반문했다.

"테트라 아낙스의… 것 맞지?"

서린이 징징대고 있는 드론 항모의 소유주가 테트라 아낙스 아니었나?

"그러게요. 이런 못된 테트라 아낙스. 용납할 수 없다. 역시 테트라 아낙스는 참 나쁜 것 같아요. 사람들의 정부나 국가를 뭐 애들 소꿉놀이 취급 하는 것도 아니고 너무 인간들을 무시하네요."

"……."

'방금 전까진 네가 테트라 아낙스였잖아?!' 라고 외치고 싶다. 보통 저렇게 쉽게 아이덴티티를 세척하진 못할 텐데 아담카드몬 아낙스에게 빼앗긴 이후 이렇게 빨리 자신의 위치를 손바닥 뒤집듯 뒤집다니 대단하다. 순수한 의미로 감탄할 수밖에 없다.

어쨌거나 농담할 때가 아니다. 저 드론에 실려 있는 무기가 지상 공격용 헬파이어 미사일이라고 해도 이제 막 이륙한 비즈니스 제트보다 헬파이어의 가속이 더 빠르다. 비행기인데 지상 공격용 미사일을 처맞을 수 있다는 뜻이다. 그게 아니라 공대공 미사일인 사이드와인더나 암람이라면 뭐, 더 말할 것도 없다. 반면 이 비행기에 방어 수단은 전무하다.

"아… 맙소사. 어쩌지?!"

"우린 이제 다 죽었어!"

래트와 몬티가 꽥꽥거린다.

몬티는 머리를 막 긁적이는데 이마 쪽의 털들이 빠져서 기내에 흩날리고 있었다.

'만약 여기서 살아남는다면 세탁비를 꼭 받아야지.'

한니발이 그렇게 다짐할 정도였다.

그때 서린이 창문에 손가락을 대었다.

"뭐, 그렇게 호들갑 떨 필요 없어요."

서린이 손가락을 좌에서 우로 쓱 긋자 날아오던 드론이 핑 돌더니… 전기불꽃을 일으키며 폭발해 버렸다.

"무인기 정도야 뭐……."

서린은 어깨를 으쓱해 보이고 돌아섰다.

"긴 강행군 수고하셨습니다, 대주주님."

한니발은 빈정거리면서 창고의 문을 열었다. 에어버스 A380도 정비할 수 있을 것 같은 거대한 창고의 문이 열리고 안에 들어 있는 각종 병기가 눈에 들어왔다.

아프리카는 용병 회사들이 각축장을 벌이는 곳. 알제리처럼 비교적 안정되어 있는 곳이 용병들의 베이스캠프 역할을 수행하고 있다고는 알고 있었지만 일개 용병 회사가 가지고 있기에는 엄청난 병기들이다.

공격 헬기와 수송기, 공병 작업차 등이 깨끗하게 정비되어 있고 알제리 현지인으로 보이는 정비 요원들이 지금도 열심히 닦고 조이고 기름 치고 있었다. 이 정도면 진짜 어지간한 군대라고 해도 과언이 아니다. 정부군도 다 썩은 MIG—19를 운용하는 아프리카 여러 국가, 끽해야 도요타 하이럭스를 몰고 돌아다니는 군대가 전부인 곳에서 이 정도면 그야말로 군사 강국의 면모를 가졌다고 할 만하다.

게다가 라이칸스로프 병사들, 초인 병사들이 있으니 그야말로 절대적인 강자다. 게다가 이놈들 사이에 라이칸스로프들이 섞여 있다. 이들이 이곳에서 얼마나 많은 죽음을 팔아왔을까?

지금 이곳엔 서현, 아르곤, 실베스테르 등의 강력한 이들이 있지만 베오울프의 전력이 절대적으로 우위다. 베오울프가 손바닥을 한번 뒤집듯 배신해 버리면 글쎄, 서린이나 서현이 죽을 것 같지는 않지만 지금 한세건은 꼼짝없이 당한다. 왜냐면 한세건은 여전히 케블라 타이와 스트레이트 재킷에 묶인 채로 이동 중이기 때문이었다. 화장실 갈 때는 풀어주는데 정말 모든 장비를 빼앗고 보내 버리기 때문에 도망칠 수도 없었다.

'서린 이 자식이…….'

그래도 이 정도 해주지 않았다면 한세건은 자신이 뱀파이어와 손을 잡았다면서 자책으로 무너졌을 것이다. 서린이 이렇게 가혹 행위를 해준 덕분에 그는 자신이 뱀파이어와 손을 잡지 않았고 어디까지나 포로 신세라는 걸 자각할 수 있었다.

그래도…….

"이제 그만 개줄은 풀어주지그래?"

"…에이 참, 또 그러신다."

서린은 한세건의 요청을 무시했다.

'이 새끼, 나중에 반드시 죽여 버릴 테다. 아니, 처음에도 그런 마음을 먹긴 했지만 그 마음이 더더욱 굳건해지는군.'

한세건은 분노했다.

알제 시 외곽, 사설 도로의 끝에 위치한 베오울프의 창고는 말이 창고지 안에서 광동체 여객기도 조립 가능한 거대한 격납고에 가까웠다.

그 격납고를 지키고 있던 베오울프의 무장 병력이 일행에게 다가와 병풍처럼 에워쌌다.

심리적 압박을 줄 셈인가?

이쪽이 어린애 집합이면 먹힐지도 모르지만 산전수전 다 겪은 괴물들 집단인데 이런 건 무의미한 짓이다.

"히익! 라이칸스로프! 우린 끝장이야!"

몬티가 머리를 벅벅 긁는 걸 제외하면 말이다.

"자, 그럼 어디 보자. 뉴욕 플라자 호텔에 뱀파이어들이 모이면 그 아담카드몬 아낙스가 뱀파이어들을 다 작살낼 거란 말이지? 그걸 막아달라는 건가? 왜 그래야 하지?"

한니발이 그렇게 물어보자 서현이 어깨를 으쓱해 보였다.

"아담카드몬 아낙스의 뱀파이어 학살을 막아달라는 게 아니라, 아담카드몬 아낙스를 처치하자는 거지."

"그거나 그거나 같은 소리 아냐? 동생이라고 대신 나서서 변호해 주는 거 아니냐."

한니발은 서현에게 짜증을 냈다.

그러나 서현은 고개를 가로저었다.

"아니, 천만에. 우선순위가 달라. 아예 뱀파이어들의 구조 따윈 신경 쓰지 마. 나도 별로 잘한 거 없이 잘 처먹고 잘살던 뱀파이어 새끼들을 구해줄 의리 따윈 전혀 없으니까."

"…그런가? 그럼 뭐 괜찮군. 그런데 그래서 베오울프 몫으로는 뭐가 떨어지지?"

"내 보유분 베오울프 주식을 소각하겠어. 어때?"

서린이 그렇게 말했다.

지금 현재 서린이 차지한 베오울프의 주식은 약 43%, 확고부동하진 않지만 현실적으로 절대적인 지배력이다. 그걸 소각해서 베오울프의 주식 가치를 상승시키고 베오울프에 대한 서린의 지배력을 포기하겠다는 뜻이다. 돈으로 따져도 엄청난 금액일 텐데… 그걸 소각시키겠다고 하는 서린의 태도가 지나치게 시원시원하다.

뭐, 서린 입장에서는 통제 안 되는 개막장 용병 집단인 베오울프를 돈으로 컨트롤할 수 있다면 오히려 싸게 먹히는 거다. 지금 이 순간 베오울프의 도움이 절실히 필요하기도 하고. 그런데 약한 모습을 보이면 더욱더 뜯어먹으러 덤벼들게 뻔하니 이렇게 허세를 부릴 수밖에…….

"음… 좋아. 받아들일 수밖에 없군."

한니발은 그 모든 걸 감안하고도 이 제안이 받아들일 가치가 있다고 여겼다.

"그쪽은 어때요?"

서현이 실베스테르에게 물어보았다. 실베스테르도 고개를 끄덕였다.

"뱀파이어를 구조하는 게 아니라는 전제가 선다면… 신을 참칭하는 자를 처단하는 건 내 입맛에 맞는군."

실베스테르는 그렇게 말하고 쓴웃음을 지었다.

2

전기 등불이 발명되기 전의 뱀파이어는 테트라 아낙스의 도움 없이 인간들 사이에 숨어 살기가 불가능했다.

하지만 전기가 보편화된 이후에는 야근도 보편화되고 밤의 생활도 일상적인 일이 되었다. 즉 테트라 아낙스의 도움이 없다 하더라도 살 수 있었다.

그래서 많은 뱀파이어는 테트라 아낙스의 도움을 거부하는 대신 자신들의 욕망대로 살았다. 더 많은 피를 마시고, 예쁘고 아름다운 이를 뱀파이어로 만들어 수집했다. 동족을 늘려서 파티를 벌이고 쾌락을 좇았다.

덕분에 많은 사람이 희생되었지만 테트라 아낙스는 아예 뱀파이어의 존재를 누설하거나 하지 않으면 직접적으로 제거하지 않았다.

대신 뱀파이어 헌터들이 나타나 그들을 사냥했지만… 그것은 어디까지나 각오할 만한 희생이었다. 기나긴 밤을 고독하게 사는 것보다는 쾌락을 쫓으며 그 몸을 불사르는 게 나으니까.

하지만 그 아웃로 뱀파이어들이 테트라 아낙스의 손에 의해 몰살당했다. 북아메리카 지역 한정이지만 그래도 한 대륙의 아웃로를 깡그리 몰살시킨다는 건 집행자의 광적인 의지가 있지 않고서는 불가능한 일이다.

문제는… 사실 아웃로만 이런 범죄를 저지른 게 아니라는 것이다. 테트라 아낙스의 지배력을 인정하면서 그가 내주는 정보로 거대한 부를 챙기고 그러면서도 쾌락을 좇아 테트라 아낙스의 율법을 어기던 뱀파이어들 입장에서는 날벼락이 떨어졌다.

"차라리 엄격할 거면 처음부터 엄격할 것이지 이제 와서 이게 뭐야?!"

헤카테는 분개하면서 테이블을 강타했다.

호텔 스위트룸에 비치된 대리석 테이블에 금이 갔다.

맞은편에 앉아 검은 비단 재질의 옷을 입고 있던 동양인 여성, 파군이 눈살을 찌푸렸다.

차이니즈 마피아, 청방(靑幇)의 대두목 중 한 명인 그녀의 앞에서 이런 행패를 다른 인간이 부렸다면 살려두지 않았을 거다. 하지만 지금은 파군도 이 건에 대해 이야기를 나눌 상대가 필요했다.

"현재 그는… 에스프리를 몰살시켰습니다. 농담이 아니라 사전적 의미로 말이지요."

"에스프리를? …왜?"

에스프리라는 클랜은 히피적인 성향이 강해서 고전주의적인 뱀파이어들에게 좋은 평가를 못 받는다.

헤카테도 그다지 고전주의적 뱀파이어는 아니지만 앞뒤 생각 없이 그저 오늘만 살아가는 에스프리의 뱀파이어들을 그렇게 좋게 보지는 않았다. 그러나 에스프리의 리더인 아르곤은 과거 구아르를 꺾은 팬텀조차 패퇴시킨 영웅 중의 영웅이다. 에스프리 자체는 떨거지지만 그 리더 아르곤을 무시하는 자는 어디에도 없다.

게다가 아르곤은 지금까지 테트라 아낙스의 여러 가지 일을 처리해 주었다. 많은 뱀파이어가 그것을 들어 아르곤을 테트라 아낙스의 자객이라고 비난할 지경이었으니 제아무리 막돼먹은 테트라 아낙스라도 에스프리를 손대서는 안 될 것이다.

도의적으로 손대서는 안 될 텐데 손을 댔다면… 생각할 수 있는 것은 하나?

"그만큼 서린의 흔적을 지우고 싶은 거려나?"

진마 헤카테는 의자 위에 책상다리를 하고 앉아서 하이힐을 빙빙 돌리고 있었다. 지미 추의 하이힐이 그녀의 다리를 파먹은 모양이다. 물론 뱀파이어가 그 정도 아픔 때문에 마음에 드는 신발을 벗진 않는다. 피부의 사소한 상처 따위는 순식간에 재생하니까. 그럼에도 불구하고 그 아픔이 그녀에게 신경 쓰인다면 아무래도 초조한 탓이겠지.

하긴 그녀는 아웃로나 다름없다. 아름답고 재능 있는 녀석들에게 관심이 많은 그녀는 테트라 아낙스의 규율 따위는 무시하고 동족을 잔뜩 늘려두었다. 정규 클랜 인원 허용 수와 별도로 뮤지컬 배우, 오페라 가수, 화가 등을 수집해 온 그녀로서는 심란할 수밖에 없다.

그러나 이전엔 테트라 아낙스를 두려워하지 않던 그녀였다.

팬텀이나 앙리 유이가 사법사 계열의 마법사라면 그녀는 고전 드루이드 마녀 계통이다. 악마를 불러내고 사바스를 즐기는 마녀가 아니라 밤의 여왕 헤카테의 이름을 빌려 쓰는 정통파 마법사인 것이다. 혈인 능력도 전투적이며 재생력도 동급 VT인자 레벨에 비해 강력하다. 그런 그녀가 이렇게까지 당혹스러워하다니?

"원래는 별로 테트라 아낙스를 두려워하지 않았지만, 그때는 훨체어 탄 노인이고 싸우면 어떻게든 이길 수 있을 거라고 생각했어. 그렇지만……."

"저는 그가 강림한 순간 전율했습니다. 아니, 조금이라도 영감이 강한 자라면 느꼈을 거예요."

정확히 자카르타에서 강신이 완료된 순간, 파군은 자신의 몸 안에서 공포의 격동을 느꼈다. 마치 대양에서 폭풍을 만난 일엽편주처럼 흔들리는 마음은 도저히 억누를 수가 없었다. VT인자가, 그녀의 몸 안에 있는 생명의 원천이 비명을 지르고 있던 것이다.

"애초에 이름부터 아담이라니… 숨길 생각이 없잖아. 아, 마리아가 소식이 끊긴 거 알아?"

헤카테가 말하자 파군이 혀를 찼다.

"서린과 연결되어 있으니까 그럴 거라고 생각은 했지만… 그 작은 소녀에게까지 손을 대다니, 뱀파이어의 왕이 그런 짓을 할 줄이야. 테트라 아낙스의 이름이 아깝군요. 정말 아낙스이긴 한 걸까요?"

"모르겠어. 젠장. 서린은 굉장히 말이 잘 통하는 쪽이었는데… 새로운 테트라 아낙스라는 놈이 이런 짓을 하다니. 에스프리를 쓸어버리고 마리아를 해칠 정도면 너무 세게 나오는데? 다른 이들에겐 연락해 봤어?"

파군은 차이니즈 마피아의 대두목, 대반 중 한 명이기 때문에 별다른 조직을 가지지 않은 뱀파이어들이 그녀의 조직력을 빌리는 경우가 많았다. 국외 이동을 할 때, 밀수나 인신매매를 할 때 파군의 조직력은 유용하게 쓰였다. 그런 그녀이다 보니 아웃로든 정식 클랜이든 발이 넓다. 아담카드몬의 강림이 진마들을 격동시켰다면 싫어도 그녀에게 연락이 올 텐데?

"다른 뱀파이어들도 혼란스러워하고 있습니다. 아우성은 너무 많은데 그중에 쓸 만한 정보가 얼마나 있을는지는 모르겠군요. 그리고 저희가 움직일 경우 과연 아담카드몬 아낙스가 그걸 좌시하고 있을까요? 마리아에게까지 손을 대는 인물인데?"

"애초에 테트라 아낙스라는 건 그렇게 쉽게 바뀔 수 있는 거야?"

"공식적으로 그는 서린에게 이전한 것이나 그 밖의 모든 게 아낙스의 재생 계획 안에 포함되어 있는 것이고 자신이 진정으로 재생한 아낙스라 주장하고 있습니다. 문제는 그게 사실이란 거지요."

자세하게 확인하진 않았지만 강림의 순간 격동이 밀려왔다면 아담카드몬 아낙스가 뭐라 말해도 수긍할 수 있었다.

"하긴 아낙스가 갑자기 노화했을 때가 오히려 놀라웠지."

헤카테도 그렇게 말하고 한숨을 내쉬었다.
"왜 아무도 안 와? 젠장. 전화… 를 쓸까?"
"도청당할까 봐 쓰지 말자고 한 건 당신 아니었습니까?"
"아니, 생각해 보니까 상대는 테트라 아낙스야. 여기서 내가 샤워를 한다고 해도 다 볼걸?"
"그건 또 복잡한 의미로……."
파군이 머리칼을 긴 손톱에 걸고 배배 꼬았다. 그런데 그때 누가 호텔 스위트의 벨을 눌렀다.
"이봐, 안에 있나?"
"윽. 뭐야? 아그니?"
헤카테는 상대의 목소리를 듣고 표정을 구기며 파군을 바라보았다.
밤의 여신 헤카테의 이름을 빌리는 진마 헤카테는 악마에게 모든 여성성을 바치고 마법의 힘을 얻는 고전적인 마녀들을 혐오했다.
애초에 흑마술에서 사역되는 악마는 외령이 아니다. 그것들은 인간의 의식에서 태어난 존재. 인간의 상상력을 먹고 자라난 초자연적인 힘의 집합이다. 그런 악마들을 소환해서 성관계를 맺고 마법의 힘을 빌리는 사바스의 마녀들은 조잡하다.
외령이나 태초의 영의 힘을 빌리는 사법사들.
자연령의 힘을 빌리는 드루이드들.
민간신앙의 힘을 빌리는 베난단티.
자연에 법칙을 각인하고 법도에 의해 힘을 쓰는 도가.

인간들의 신앙의 힘을 집결시켜 하나의 원칙을 만들어내는 아브라함계 유일신앙…….

각 계통의 마법들에는 자연적으로 존재하는 힘이든, 태초의 영이든, 인간들의 의식이 만들어내는 힘이든 간에 그것이 시전자인 인간에게 이롭게 되도록 조절하는 장치가 마련되어 있었다. 사법사들이 타락한다고 하지만 검은 영과 같은 강력한 힘을 써대면서 그 정도 가지고 징징대는 건 이기심일 뿐이다.

그러나 사바스의 마녀들에게는 그런 안전장치가 없다. 시전자에 대한 성적 학대와 모멸이 처음부터 각인되어 있다. 이는 가부장제가 만들어낸 끔찍하고 악의적인 마법이다.

헤카테는 뱀파이어의 힘으로 사바스의 마녀들을 굴복시키고 그녀들에게 새로운 방향성을 제시해 주었다. 그것이 그녀가 헤카테라고 불리는 이유다.

이것만 보면 그녀가 상당한 거물이고 그만큼 진중한 성격을 가지고 있으리라 짐작할지도 모른다. 하지만 헤카테는 굉장히 적극적이고 공격적인 성향을 가지고 있었다. 그런 그녀는 아그니를 불렀다는 파군의 말에 바로 반박했다.

"그 자식은 앙리 유이에 달라붙어서 시시덕거리던 놈이라고. 진마로서는 품격이 너무 떨어져."

"…아무래도 그가 상황에 대해서 좀 잘 알고 있을 것 같아서 말이지요. 지금은 그런 품격을 가지고 거리를 둘 때가 아닙니다."

파군은 격노하는 헤카테를 보며 쓴웃음을 지었다. 품격을 논할 거라면 격정적인 헤카테도 그렇게 품격이 높다고 할 수는 없었다. 하지만 여기서 그걸 지적하면 또 싸움으로 번지겠지.

파군은 정당한 지적을 단념하고 손에 구슬을 쥐었다. 현무강환, 혹은 현무강탄이라 불리는 쇠구슬이지만 사실 어떤 특별한 처치도 취해지지 않은 것이다.

그러나 이것이 파군의 손에서 던져지면 그야말로 무시무시한 무기가 된다. 그녀가 자미두수의 흉성, 파군(破軍)이라고 불리는 건 저 구슬 한 개로 산을 날려 버려서라고 한다. 뭐, 너무 파괴력이 커서 이런 근거리에서는 제대로 쓸 수 없다는 게 문제긴 하다.

'소문대로의 파괴력이 사실이라면 이 호텔은 통째로 날아갈 거 아니야? 그런데 아그니를 불러들여서 이 거리에서 근접전을 벌이면 내가 싸워야 하나?'

헤카테는 그리 생각하며 짜증을 냈다.

"당장 그 녀석이 덤비면 여기서 호주까지 날려 버릴 거야."

"아니, 제 부하들을 안 건드린 걸 보니까 그렇게 나오진 않을 것 같군요. 평소의 그는 뱀파이어라면 일단 무조건 먹어치우고 봤으니까요. 조용히 여기까지 올라온 것만으로도 성장을 기대할 수 있지 않을까요?"

"하… 뱀파이어가 성장? 그런 게 가능했으면 마리아도 그렇게 작은 꼬마로 살진 않았겠지."

"작은 건 아니랍니다. 옛날에는 그 정도 나이면 충분히 아이도 낳고 그랬는걸요."

"특정 취향의 변태들을 긍정하는 짓은 하지 말고 들여보내지?"

"네."

파군은 구슬을 던져서 간단히 원격으로 문의 잠금장치를 열었다. 산을 부순다는 파군의 현무강환이 고작 호텔 문고리를 들어서 열고 다시 그녀에게 돌아온다.

잠시 후 아그니가 한 소녀의 손을 잡고 걸어 들어왔다.

아그니와 소녀. 그만큼 어울리지 않는 조합이 또 있을까?

그런데 지금 눈앞에는 아그니가 한 소녀의 손을 잡고 들어오고 있었다. 말레이계? 혼혈아인가? 가늘고 긴 팔다리, 매끈하고 부드러워 보이는 피부를 가진 소녀다. 자라나면 향후 미인이 되겠지만 애석하게도 이미 뱀파이어가 되어 그녀의 성장은 멈췄다.

"……."

"뭐야, 이 미친놈. 드디어 본색을 드러냈구나."

헤카테는 아그니가 예쁘장한 소녀의 손을 잡고 걸어 들어오는 걸 보고 짜증을 냈다. 그러자 아그니가 코웃음 쳤다.

"무슨 생각을 하는 거야, 누님들? 걸즈 토크라도 하고 있었냐? 누님들 그런 거 하기엔 다 늙었어. 파자마 입고 베개 싸움할 나이는 지났는데?"

"입방정 떨지 마라. 당장 네놈 모가지를 비틀어 버리……."

그러나 아그니는 한숨을 내쉬었다. 평상시 늘 남의 피를 빨겠다며 진마들만 봐도 으르렁거리던 녀석이었는데 어째 침착해졌다.

"아직도 그런 식으로 살고 있나, 누님? 댁은 참 철없어서 좋겠수."

"뭐… 너 지금 뭐라고?"

헤카테는 자신을 철부지 취급하는 아그니에게 격노했다. 뱀파이어들끼리 줄 세우고 철없음 랭킹을 먹이면 제일 첫 열에 설 놈이 뱀파이어 사회에서 존중받는 헤카테를 철부지 취급 하다니? 자신이 헤카테에게 저지른 짓은 생각지도 않는 건가?

"아마도 그 아이는 혈족인 것 같군요. 어떻게 된 거지요, 아그니? 혈족을 들이지 않는 주의 아니었습니까?"

파군이 물어보았다.

"다들 내게 관심이 많으시군. 앙리 유이 이야기를 들으려고 날 부른 거 아니었어? 평상시엔 다들 아웃로에 사고뭉치 취급하면서 웬일로 차도 비행기도 대준다 하며 부른 게 설마 내 일신을 걱정해서는 아닐 테고?"

아그니는 그리 말하고 머리를 벅벅 긁더니 멋대로 냉장고를 열어 음료를 꺼내서 소녀에게 보여주었다. 소녀가 환타 포도를 고르자 아그니는 직접 캔을 따서 그 아이에게 건네주었다.

그 모습을 보던 헤카테가 못 볼 것을 봤다는 듯 고개를 돌렸다.

"아… 씨발. 내가 지금 뭘 보고 있는 거야? 파군, 내가 뭘 보고 있는 거지?"

"음… 변태?"

그사이 소녀는 환타 포도 캔을 들고 살며시 아그니 뒤에서 파군과 헤카테를 바라보다가 고개를 숙여 가볍게 묵례하고 카우

치를 가리켰다.

"앉아서 TV 봐도 돼요?"

"…응. 아, 그래."

헤카테는 무심결에 그렇게 대답했다가 깜짝 놀랐다.

"애가 붙임성이 좋지?"

"하……."

"키워서 잡아먹어야지. VT인자라는 게 내 몸 하나에 농축하는 것보다 여럿으로 늘려서 키우는 게 낫잖아. 게임으로 따지면 멀티 찍는 거지. 차곡차곡 VT를 쌓아 올리게 해서 내가 먹어야지."

"그럴 것 같기는 했다만… 정말 마음에 안 드는군."

헤카테는 더 볼 거 없다는 듯 힘을 끌어 올렸다.

그러자 놀란 파군이 그녀를 제지하고 물어보았다.

"헤카테, 진정하세요. 아그니 당신도. 이 호텔 일대엔 저와 그녀의 조직원이 깔려 있다는 건 알고 있지요? 경거망동을 삼가지요. 설령 그 어떤 원한이 있다 하더라도 지금은 원한을 풀어내기에 적합한 시기가 아닙니다."

파군이 그리 말하자 아그니가 히죽 웃었다. 성질 더러운 헤카테를 살살 긁어봤는데 과연 긁으면 긁혀주는 성격은 재미있다.

그러나 파군은 조금 다르다.

"허~ 지금 이거 협박인가?"

"아니, 설마요. 저는 이 자리를 중재한 자로서의 책임을 지겠다는 뜻이랍니다."

그렇게 말하며 파군은 손가락으로 현무강탄을 돌렸다. 위잉 하고 현무강탄이 진동하는 걸 본 아그니가 혀를 찼다.

예전 같으면 상대가 진마 둘이든 뭐든 막 싸움을 벌였겠지만 아그니 역시 아담카드몬이 강림했을 때 전율을 느꼈다. 지금이 위기라는 게 확실해지니 이 문제에 대해서 문제의식을 공유할 상대가 절실하다.

게다가 아르곤처럼 보트 타고 태평양을 건너고 싶지 않으면 파군의 커넥션은 매우 유용했다. 그녀에게 밉보일 거면 아예 죽여서 먹어치울 자신이 있을 때 저질러야 한다. 어정쩡하게 미움만 사면 향후 고달프기만 할 뿐. 반면 헤카테는 약을 좀 올려도 별문제가 없지만… 파군이 조용하길 원하니 입을 다무는 게 낫겠다.

"그보다 일 이야기를 하지. 대체 어떻게 된 거야? 앙리 유이는? 같이 다니지 않았나?"

역시 그 이야기를 듣고 싶어서 부른 거겠지.

아그니는 잠시 생각에 잠겼다.

"망할 분위기라서 때려치우고 나왔는데?"

아그니는 그렇게 말하고 어깨를 으쓱해 보였다.

"녀석이 내가 먹을 밥에 전부 재를 뿌리겠다고 협박해서 붙긴 했는데 아웃레이지라는 게 꽤 강하긴 하지만 슬슬 망조가 보이더라고."

"앙리 유이는 어떻게 되었지?"

"자세히는 모르겠지만 한 가지 분명한 건……."

아그니는 커럽티드들이 들끓던 일본 동경도와 자카르타의 모습을 떠올리며 확언했다.

"그 악령에서 태어난 놈이 아낙스라면 틀림없이 재앙일 거다. 해줄 이야기가 많지 않아서 대신 이걸 가져왔는데."

아그니는 그리 말하고 테이블 위에 알약을 늘어놓았다.

"이게 아웃레이지인가?"

"그래. 어때? 뭔가 알 것 같나?"

아그니가 그렇게 물어보자 헤카테가 코웃음 쳤다.

"지금 테트라 아낙스의 수하들이 북미에서 아웃로들을 쓸어버리고 있어. 이게 정말 진마만큼의 힘을 주는 거 맞나? 그렇다면 아웃로들이라고 해도 그렇게 쉽게 당하진 않을 텐데?"

"…쓸어버린다고?"

아그니는 깜짝 놀랐다. 테트라 아낙스가 아웃로를 쓸어버린다는 건 뱀파이어로서는 상상하기 힘든 장면이다. 이러니저러니 해도 테트라 아낙스는 뱀파이어의 수호자였기에… 아웃로인 아그니로서도 그건 인정하고 있었던 것이다.

"아마 그렇지는 않을 겁니다. 앙리 유이나 헥토르나 다들 인종차별주의자이니까요. 그들이 북미 지역에 그렇게 약을 많이 뿌리지 않았을 겁니다. 백인종이나 서구 문명사회의 핵심에 타격을 주고 싶어 하진 않았을 테지요. 뭐, 아시아 쪽이 인구가 많고 인구밀도가 높다는 게 더 주요한 이유겠지만."

파군이 그렇게 말했다.

"아시아에만 피해를 주려고 했다 그 말이군. 아, 정말 구역질

나는 놈들인데?"

아그니는 헥토르를 떠올리며 이를 갈았다. 비록 진마들 사이에서도 품격 없고 무례하며 앞뒤 생각 없이 혈혈단신으로 날뛴다 해서 배척받는 아그니지만 헥토르처럼 그를 하인 취급 하는 놈은 없었다. 그 녀석과 앙리 유이가 죽이 잘 맞는 걸 보니 앙리 유이도 인종차별주의자일 건 안 봐도 뻔하고……. 그 정도 인종차별주의자라면 정말 아웃레이지를 아시아 지역에만 뿌렸을 가능성이 있다.

"어디 그럼 테스트를 해볼까요?"

파군이 손가락을 튕겼다. 그러자 잠시 후 양복 차림의 남자들이 새하얀 러닝셔츠를 입고 배가 남산만큼 불룩 튀어나온 대머리 중년 남자를 끌고 왔다. 양복 차림의 남자도, 이 배불뚝이 남자도 전부 흡혈귀였다.

"크아아악! 잘못했어! 난 죄가 없다고!"

"이걸 먹여봐."

파군은 부하들에게 아그니가 가져온 아웃레이지의 약을 던져주었다. 생체 실험인가? 하지만 헤카테도 아그니도 이런 가벼운 생체 실험 정도로 놀라진 않았다.

아그니만은 단지 한마디 했다.

"이봐, 조심하는 게 좋을걸. 이건 그다지 안정적인 게 아니라고."

"괜찮습니다. 여차하면 죽여 없애지요. 이미 이자는 조직에 중죄를 저지른 자. 그 목숨을 어차피 지워야 한다면 이런 방향으로 소모시키는 것도 나쁘지 않겠지요."

파군은 그리 말하며 부하들에게 턱으로 지시를 내렸다. 배불뚝이 중년 남자가 입을 굳게 다물고 절대로 약을 삼키려 하지 않았기 때문이었다.

양복 차림의 남자들이 양복에 어울리지 않게 손도끼를 꺼내 배불뚝이 중년 남자의 턱을 올려쳤다.

빡!

턱뼈가 쪼개지고 굳게 다문 입이 불가항력적으로 개방되자 그들은 알약을 남자의 목구멍에 강제로 쑤셔 박았다.

남자는 턱뼈가 쪼개졌음에도 불구하고 식도를 조이며 저항했지만 그때마다 손도끼가 무자비하게 날아들었다. 이대로 가다간 배를 가르고 알약을 처넣을 기세다.

과연 배불뚝이 남자는 더 이상 저항하지 못하고 알약을 삼키고 말았다.

"으아아아악!"

"엄살떨긴. 그렇게 쉽게 변하진 않는다고. 일단 변이가 끝나고 나서 약을 제때 공급 못 받거나 강한 충격을 받아야……."

아그니가 그렇게 말할 때였다.

드드드득!

멀찍이서 둔탁한 소리가 들려왔다. 육중한 기관총 소리다.

"……."

"무슨?!"

파군과 헤카테가 깜짝 놀랐다.

그때 이번엔 가까운 곳에서 다시금 총성이 울려 퍼진다. 호텔을 지키고 있던 파군의 조직원들이 총을 발포한 것이다.

"이런."

파군은 적들의 습격을 예측하고 휴대폰을 꺼내 들었다. 하지만 그녀가 휴대폰을 켜기도 전에 그들의 호텔 방의 벽면에 붙어 있던 TV가 일변했다.

"꺄악!"

디즈니 채널을 보고 있던 여자아이가 비명을 질렀다. 왜냐면 그곳에서 어안렌즈에 가까운 왜곡률을 보이는 카메라에 얼굴을 가까이 가져다 댄 남자가 떠올랐기 때문이었다. TV 화면 너머지만 불타오르는 듯한 호박색 눈동자가 화면 너머로 이곳을 노려보고 있다고 느껴졌다. 피를 흘리는 것도, 악귀나찰처럼 꾸미고 있는 것도 아닌데 강렬하고 무서운 눈빛이었다.

—처음 뵙겠습니다, 라고 해야 하나… 아니면 아낙스로서 그대들을 이미 과거에 보았다고 말해야 할까? 이렇게나 선명한 기억인데도 그것을 믿어선 안 되다니 슬픈 일이야.

"…아……."

헤카테와 파군은 TV 화면에 떠오른 남자를 알아보고 기겁했다.

노화되기 전, 타락하기 전의 아낙스가 불타는 들판에 서 있었다. 불타는 들판은 이제는 구하기도 힘든 폭스바겐 클래식 캠퍼들이나 트레일러 차량들이 쌓여 있는 곳으로 에스프리들이 모여 사는 히피 캠프였다. 뱀파이어들의 육신이 활활 타오르고 있었다. 물론 타들어가는 뱀파이어의 육신은 사실상 인간의 그것과 다를 바 없다. 즉 저것은 거대한 화형장이다.

한때 뱀파이어의 가장 강력한 수호자였던 이가 등 뒤로 뱀파이어들의 시체를 쌓아 올리고 불태우며 비릿한 미소를 짓고 있었다. 마치 먹이를 앞두고 공격을 준비하는 표범의 자태를 연상시키는 미소였다.

"…윽."

헤카테는 속이 울렁거리는 걸 느꼈다. 분명히 눈앞에 나타난 저 영상의 주인은 아낙스지만 자애롭고 선량한 의지를 가진 아낙스와는 하는 짓이 정반대다.

그러나 극과 극은 통하는 법. 아낙스가 정말 돌아왔다면, 그리고 자신의 과거 선택이 실패했다고 생각한다면 이렇게 되는 것도 당연하다는 생각이 들었다.

성자와 마왕은 표리일체. 그들을 가르는 것은 종이 한 장의 차이다. 눈앞에 있는 존재는 가장 아낙스에게 멀리 떨어져 있는 자면서, 또한 가장 아낙스에 가까운 자다. 저자에 비하면 서린은 얼마나 인간적이었던가?

"무슨 짓을 하시는 겁니까?"

파군이 모니터 너머로 질문을 던졌다. 물론 이 모니터는 평범한 TV다. 상호 간에 대화할 수 있는 장치 따위는 없지만 아담카드몬 아낙스는 평범하게 파군의 말을 알아들었다.

—왜 내가 여기에 있느냐고 물어보지 않는군?

"정말 당신이 보이는 모습 그대로의 분이시라면 우리의 의문이 의미가 없을 것이기 때문입니다. 그리고 만약 당신이 보이는 모습 그대로가 아니라면 대화를 나누는 의미가 없겠지요."

파군이 예의를 갖추어 말하자 차이나 드레스 사이로 매끈한 하얀 다리가 드러나 보인다. 우아하고 아름다운 모습이지만 검은 과부거미 같아 보이기도 한다. 맹독을 품고 있는 겸손함과 우아함이다.

그러나 그런 파군의 모습도 아담카드몬 아낙스에게는 아무런 감흥을 불러일으키지 않았다.

—나는 기억에서의 그대들의 모습을 알고 있다. 하지만 그 기억은… 그대들의 진가를 시험해 본 적이 없더군.

"시험?"

—시험에 들게 하지 않고서 어떻게 진가를 알 수 있을까? 녹여보지 않으면 도금인지 아닌지 어찌 알겠는가?

"물에 담가보면 되잖아, 병신. 유레카도 모르냐? 개무식한 나도 안다."

아그니가 반발하자 아담카드몬 아낙스는 모니터 너머로 미소를 지었다.

—하하하, 재미있는 소리군, 아그니. 하긴 그런 식이라면 아예 전기 계측기를 써서 금방 알아볼 수 있기는 하지. 번거롭지도 않고 말이야. 하지만 좋아, 내가 잘못했다. 내 비유가 나빴군.

그 순간 갑자기 호텔 플로어를 기고 있던 배불뚝이 중년 남자가 벌떡 일어나 파군에게 뛰어들었다. 파군은 보지도 않고 현무강탄을 날려 중년 남자를 명중시켰다. 쇠구슬들이 무서운 폭으로 진동하며 중년 남자의 팔과 다리, 육신을 다 날려 버렸다.

하지만 핏물이 몸에서 터지며 배불뚝이 남자의 몸이 확대되었다. 맞아서 상처가 난 게 아니다. 마치 반죽을 밀대로 펴서 늘리듯 배불뚝이 남자의 육신이 터지고 부풀려졌다.

"커럽티드?!"

헤카테는 그 모습을 보고 깜짝 놀랐다. 아까 전 아웃레이지 알약을 먹여서 그런가?

'그럴 리가?'

한 알 먹었다고 바로 커럽티드가 될 정도였으면 아웃레이지는 절대 퍼지지 못했다. 너무 빨리 숙주를 죽이는 바이러스는 결코 널리 번성하지 못한다. 잠복기가 있어야 번성할 수 있는 법이다. 즉 이건 알약 때문이 아니다.

"으음……."

파군은 현무강탄을 다시 움직여 눈앞의 커럽티드를 완전히 토막 내며 주위를 둘러보았다.

"으아아아악!"

두두두두!

그사이 총기가 불을 뿜고 만다린 오리엔탈 호텔 밑의 거리에서 경찰 사이렌이 요란하게 울려 퍼진다.

"홍콩 전체를 파괴할 셈인가?!"

홍콩 역시 인구밀도가 높은 도시. 당연히 그만큼 많은 뱀파이어가 살고 있었다.

그러나 그들에게 아웃레이지가 번졌을까 하면 회의적이다. 앙리 유이와 그 추종자들이 열심히 약을 뿌리긴 했지만 이미 동경도 사건을 본 이들이 일광 좀 피하자고 그런 위험한 약을 먹을 리 없다.

게다가 테트라 아낙스도 가만히 있진 않아서 이 사태를 해결하고 나면 안전한 일광 차단제를 제공하겠다고 약속했던 것이다.

끼이이이잉!

빅토리아 항 위를 날아서 도심으로 들어오던 커다란 아구스타 헬기 한 대가 균형을 잃고 호텔 벽으로 날아든다.

"무슨! 아웃레이지가 벌써 번졌을 리가 없는데?!"

헤카테가 그걸 보고 경악했다. 헬기를 몰고 있는 녀석들은 뱀파이어 중에선 정식 클랜원뿐이고 홍콩에서도 부자들이어야 한다. 그런 이들에게 이런 수상한 알약이 공급될 리가?

'홍콩의 부자들이 혹시 사이키델릭 문으로 아웃레이지에 오염된 약을 투약했나?'

그렇게 생각할 수도 있지만 글쎄? 마약 공급책이라는 건 사실 보수적인 일이다. 좀 더 싸다고, 좀 더 양질의 약이라고 공급선을 함부로 바꾸는 건 위험한 짓이다. 언더커버 캅일지도 모르는 놈과 거래를 텄다가 조직 전체를 말아먹을 수도 있으니까. 특히 지금의 홍콩은 일국양제라 해도 중화인민공화국의 법이 적용되기 때문에 마약사범에게 가혹하다. 즉 지금 이건 알약과 별개로 아웃레이지가 일어나고 있었다고 봐야 하지 않을까?

"나 참!"

아그니가 혈인 능력을 발휘해 만다린 호텔 외벽으로 날아드는 헬기의 날개를 절단했다.

금속 발화가 일어나며 헬기의 로터 블레이드가 날아가는 바람에 빙글빙글 돌며 추락하던 헬기는 좀 더 빠르게 급강하해 바다로 떨어졌다. 로터 블레이드는 그대로 수평으로 날아와 만다린 오리엔탈 호텔의 매끈한 외벽에 박혔다.

콰드드드득…….

유리와 철골로 만들어진 호텔 외벽이 성둥성둥 잘려 나간다.

하지만 아그니는 그대로 서서 벽을 뚫고 자신의 목으로 날아오는 헬기 로터 블레이드를 붙잡았다.

치이익!

호텔 벽을 부수며 뜨겁게 달아올라 있던 로터 블레이드가 무서운 힘으로 아그니를 벽면으로 밀었지만 아그니는 그 로터 블레이드를 중간에 발화시켜 잘라 버리고 칼날처럼 잡고서 휘둘렀다.

막 커럽티드로 변신한 배불뚝이 중년 남자가 로터 블레이드에 의해 세로로 토막 나면서 만다린 오리엔탈 호텔 밖으로 떨어졌다. 까마득한 고층 빌딩 아래로 거대한 살덩어리가 떨어진다.

"꺼져!"

아그니가 손가락을 튕기자 떨어지는 살덩어리에 불길이 피어오른다. 불붙은 커럽티드가 바닥에 떨어지자 흙먼지가 피어오른다.

아그니가 다시금 발화 능력을 발하자 흙먼지들 사이로 불꽃이 튀더니 또 한 번 폭발해 커럽티드를 불길에 휩싸이게 했다.

하지만 이게 끝이 아니다. 홍콩 곳곳에서 커럽티드, 그러니까 정식 명칭으로는 비셔스 바이러스가 발병하고 있었다. 도시 곳곳에 뱀파이어들이 들끓고 당장 이 만다린 오리엔탈 호텔 로비에도 이변이 벌어지고 있었다.

"하… 창문 트여서 좋군. 요새 실내는 다 금연이라."

아그니는 호주머니에서 담배를 꺼내어 달궈진 로터 블레이드에 대고 눌렀다.

치익!

담배에 불이 붙었다.

"좋은 말로 할 때 꺼라. 응?"

헤카테가 손가락을 튕기자 아그니의 손에 들려 있던 담배가 깔끔하게 반 토막 났다.

3

홍콩과 그에 인접한 선전 시에도 물론 아웃로 뱀파이어들이 있었다. 북미 쪽에 비하면 아시아 쪽이 월등하게 아웃로 뱀파이어가 많다. 인구밀도가 높고 도시 거주민이 많으며 야근이 활성화되어 있기 때문이다.

그 아웃로 뱀파이어들은 너무나 값비싼 홍콩이나 선전의 임대료를 감당하지 못하고 닭장 같은 셰어하우스에서 드러누워 있었다. 작은 원룸 한 칸의 임대료가 월 5천 홍콩달러를 넘었기 때문에 칸막이를 쳐서 방을 나누고 여러 사람이 함께 쓰고 있으니 그 환경은 열악하다. 지금도 몇몇 아웃로 뱀파이어가 신음하는 소리에 다른 동거인들이 짜증을 내고 있었다.

"앓고 있으면 본토로 꺼져!"

분노한 옆 칸 사람이 벽체를 두들긴다. 자신도 본토에서 취직하러 왔으면서 서로서로 본토로 꺼지라는 욕설을 해댄다.

평상시라면 짜증을 냈겠지만… 뱀파이어들은 갑자기 몸을 엄습해 오는 가려움증에 벅벅 몸을 긁으며 신음하고 있었다.

"그으으으… 으으으……."

상처를 너무 긁어서 피가 난다. 그리고 그 상처로부터 놀랍게도 고사리 같은 식물이 자라난다. 테라토마… 아니, 테라토마도 아니다. 인간의 유전자에 담겨 있는 유전정보는 어쨌거나 동물들의 기록이다. 식물과는 전혀 다르다. 고사리나 철쭉 같은 것은 인간의 유전정보 안에 들어 있지 않으므로 그 어떤 끔찍한 테라토마라 해도 인간의 육신에서 식물이 분화할 리는 없다.

"카아악!"

"아, 진짜."

바로 옆 칸막이에서 무슨 일이 벌어지는지 모르는 노동자가 짜증을 내며 머리맡에 두었던 렌치를 잡았다. 일당을 모아둔 전낭과 그것을 지키기 위한 무기, 그걸 가지고 있는 남자가 렌치를 들고 옆 칸을 두들겼다.

"아프면 본토로 꺼지라니까? 어이! 듣고 있……."

그러나 그 순간 갑자기 벽이 찢어졌다. 샌드위치 패널로 만들어진 벽이 찢어지고 날카로운 사슴 뿔 같은 것이 렌치를 든 남자의 가슴을 관통했다.

"억… 뭐……."

콰드드득!

샌드위치 패널이 찢어지고 몸체가 불어난 아웃로 뱀파이어가, 아니, 커럽티드가 뛰쳐나왔다.

놀란 사람들이 도망치려고 했지만 샌드위치 패널로 만든 벽체가 무너지며 사람들이 깔렸고 그렇게 깔린 이들은 고스란히 커럽티드의 먹이가 되었다.

"어어……."

우걱우걱…….

신음을 내지르는 얼굴이 따로, 인간을 잡아먹는 얼굴이 또 따로 있다.

"놀랍군."

헥토르는 눈앞에서 벌어지는 일을 보며 몸을 떨었다.

홍콩과 선전, 전역으로 하늘로부터 텔레파시의 검이 강림하고 있었다. 그 검이 아웃로들에게 명중할 때마다 아웃로 뱀파이어들이 커럽티드로 변화한다. 이것은 마치 강력한 방사선이 유전정보를 직접 파괴하는 것처럼 뱀파이어의 VT인자에 직접 작용한다. 일반적인 텔레파시보다 훨씬 더 미세화되어 있는 정보, 그것이 VT인자에 직접 작용해 오염시키고 그들을 커럽티드로 만든다. 아웃레이지의 알약도 필요 없다. 원격으로 그들의 VT인자를 변화시키는 것이다.

하지만 도시 한복판에서 커럽티드들을 대량으로 만들어낸다니?

그것은 필연적으로 사람들의 죽음을 불러일으키는 대참사다. 만약 아무런 근거 없이 이런 일이 벌어진다면 사람들은 너무나 놀라고 당황스러워하고 그 원인을 찾으려 애쓰겠지.

하나 이 경우 비셔스 바이러스라는 핑계가 있다. 이미 동경과 자카르타를 파멸시킨 바이러스가 홍콩에 상륙했다고 생각할 수 있겠지. 사건의 본질을 숨기기에 적합한 정보다.

"……."

테트라 아낙스의 부하들, 전투 요원이 아니라 운영 요원인 플렉스 메디칼의 직원들은 지금 눈앞에서 벌어지는 참사를 보며 침울한 표정을 짓고 있었다.

홍콩 지역은 예전부터 아시아 금융의 중심이었다. 아름다운 스카이라인, 번잡한 도시, 전 세계의 명품과 싸구려 가짜들이 즐비한 눈 돌아가는 도시를 그들은 사랑했었다.

그런데 이제 테트라 아낙스가 그 도시를 파괴하고 있다. 자신의 치세에 반항하는 아웃로를 잡는다, 그 정도가 아니다. 아웃로만을 잡는다면 그들을 커럽티드로 만들어 도시 전역을 파괴하는 미친 짓은 하지 않았을 것이다. 이 공격에는 철저한 증오와 적개심만이 가득했다. 이는 고든이 집권하던 시절보다 더하다.

"그래서… 당신은 어쩌실 겁니까, 헥토르."

홍콩이 파괴되는 모습을 보면서 고역스러워하는 젊은 뱀파이어가 헥토르에게 물어보았다. 그러자 헥토르는 쓴웃음을 지었다.

아담카드몬 아낙스는 헥토르가 정신을 차리고 적으로 다시 등장하길 바란다며 풀어주었지만… 헥토르는 스스로 아담카드몬 아낙스의 진영에 투항했다.

진정한 귀족이 그 깃발을 걸어야 할 곳은 진실한 신의 진영이다.

그게 헥토르의 사상이었다. 그리고 지금 신의 힘이 부정한 것들을 태우는 것을 보면서 헥토르는 자신의 선택이 옳았다고 생각하고 있었다.

물론 곁에서 그를 보고 있는 테트라 아낙스의 심복들조차 헥토르에게 어떤 혐오감을 느끼고 있다는 건 그도 알 수 있었다.

어리석은 놈들이다. 이들은 무모한 것이 귀족적이고 아름다운 것이라고 착각하고 있었다. 상대가 위대한 존재임을 아는데 그편에 서지 않고 저항하는 것에 무슨 의미가 있단 말인가? 하지만 지금은 내버려 두자. 지금 자신에게 주어진 사명은 홍콩에 남아 있는 진마들을 제거하는 것이었다.

아담카드몬 아낙스는 모든 진마에게 뉴욕 플라자 호텔로 집결하라고, 그러지 않으면 반역으로 간주하겠다고 말했다. 그러나 그것은 플라자 호텔로 집결하는 것을 용인하겠다는 뜻이 아니다. 애초에 거기까지 올 능력이 되지도 못한다면 죽여 버리겠다는 엄포였던 것이다. 아담카드몬 아낙스는 모든 뱀파이어를 철저히 시험해 보기로 결심했다.

하지만 그런 속내를 모르는 뱀파이어들은 아담카드몬이 아웃로에게 손대면 아웃로를 정리하려고 그러나 보다, 서린과 연관된 이들을 제거하면 전임자의 그림자를 지우려 하나 보다 하고 멋대로 넘겨짚고 있었다.

"이 아시아의 뱀파이어들이 정말 나와 어깨를 나란히 할 자격이 있는지 검증해 봐야겠지. 우리의 신께서 검증을 원하신다."

헥토르가 그렇게 말하자 뒤에서 하아 하고 한숨 소리가 들려왔다.

"……."

계승자인 조반니 반테로가 귀를 후벼 파고 있었다. 레게 머리가 흔들린다. 테트라 아낙스의 명으로 마약 재배를 직접 통제하면서 마약왕에까지 등극했던 조반니는 돈 좋아하고, 삐까번쩍한 금 좋아하고, 여자도 좋아하는 열정적인 성격이었다. 삶을 적극적으로 즐긴다는 점에서 그는 서린과 죽이 잘 맞았다. 그는 한때 서린의 적이었는데… 서린이 테트라 아낙스가 된 이후로는 외려 그의 충실한 심복으로 활동해 왔다.

그런 그에게 지금 이 상황은 정말 마음에 들지 않는 상황이었다. 그러나 그의 생사여탈권이 아담카드몬 아낙스에게 넘어간 이상 따를 수밖에 없다. 그렇다고는 해도 어째서 이런 녀석과 함께인가?

'아담카드몬 아낙스를 바로 신이라 여기고 숭배하면 자신이 배를 갈아탄 걸 치욕스럽게 여기지 않아도 된다고 생각하는 건지 모르겠지만, 다 싫어하거든? 하여튼 이런 녀석이 진마라니. 왜 광기의 헥토르라고 불리는지 알겠다. 미친 새끼, 잠이나 처자는 게 그나마 주위에 도움이 되었겠군.'

조반니는 서린을 그리워하는 만큼 강렬한 적개심을 헥토르에게 품었다.

하지만 조반니는 계승자, 석세서다. 그리고 석세서에게는 아낙스의 명에 거역하지 못하는 강력한 금제가 걸려 있다. 설령 그가 서린의 편에 서고 싶다고 해도 아담카드몬 아낙스가 명한 이상 그는 서린의 뜻에 반해서 싸워야 했다.

"자, 그럼 가볼까? 진짜 진마가 어떤 것인지 보여주겠다! 텔레포터! 나를 나르도록 해라!"

헥토르는 조반니에게 명령하듯 말했다. 지금까지 계승자의 한계를 무시하고 삶을 즐기며 살아온 조반니였지만 이날만큼 자신이 목줄 잡힌 개 신세라는 걸 통감한 날이 없으리라.

4

알제리의 수도, 알제 외곽에 위치한 베오울프의 창고에서는 다음 작전에 대한 계획이 한창 논의되고 있었다.

서현은 세계지도를 펼쳐놓고 혀를 찼다.

"문제는 연안 경비대야. 그냥 뱀파이어에 라이칸스로프 여단도 골치 아픈데 대서양 연안 경비대와 뉴욕 주 방위군이 적으로 돌아선다고. 플라자 호텔에서 회합을 가진다면 손대기가 쉽지 않아. 여기 올 때 드론을 쏘아 올린 것만 봐도 알겠지만 이 녀석은 우리를 곱게 여객기 타고 들어가게 내버려 둘 리가 없어. 어떻게 생각해?"

서현이 그렇게 물어보자 서린이 고개를 끄덕였다.

"아담카드몬 아낙스가 아낙스의 자아를 베이스로 사고한다고 생각했을 때… 민항기를 타고 들어가면 그냥 대서양에서 격추할 거야."

과거의 아낙스는 성자였다. 그러나 성자로서 다른 이들을 대하고 실패했기 때문에 이제 철저한 마왕이 되어 돌아왔을 것이다. 민항기를 탄다는 건 민간인의 목숨을 방패막이로 섞여 들어오겠다는 것. 상식적으로 이런 상황에서 민항기에 손대는 건 911 테러를 겪은 미 국방성으로서도 쉽게 결정할 수 없는 일일 것이다. 그러나 마왕이 된 아담카드몬 아낙스가 민간인의 목숨 따위를 아낄 이유가 없다.

"그러면 민항기 말고 밀입국을 해? 배가 되면 더 격추하기 쉽지."

한니발은 고개를 절레절레 저었다.

"우리가 뉴욕에 접근하는 것만으로도 상대는 우리를 엿 먹일 수단이 너무 많아."

"내가 테트라 아낙스의 제어권을 빼앗으면 해결되지만 그것에 기대해서는 안 되겠지?"

서린이 그렇게 말하자 한니발이 혀를 찼다.

"그런 식으로 칼같이 맞아들어 갈 때를 기대해서 작전을 짜면 망한다고. 원래 모든 작전은 시작 5분 뒤 다 틀어지는 법."

"십 대 소년답지 않은 통찰력이네?"

아르곤은 그렇게 말하며 휴대폰을 만지작거리다 한숨을 내쉬었다.

"하아… 젠장. 정말 손을 대버리는군."

"응?"

"아니, 에스프리가 공격당했어. 알고 있었지, 서린?"

아르곤이 서린에게 추궁했다.

원망해서 추궁한다기보다는 어깨가 축 늘어진 게 힘이 빠진 것 같다.

"…몰랐다고 하면 믿지 않겠지요? 그러니까 알고 있었지만 어차피 알려봐야 별수단이 없으니 말하지 않은 걸로 치지요."

그 순간 아르곤이 텅 하고 공구함을 발로 걷어찼다.

아르곤이 이렇게 감정을 격하게 드러내는 걸 처음 본 서린이 흠칫 놀랐다.

"아, 미안. 너에게 화내는 거 아냐. 아… 이런 개자식……."

아르곤이 투덜거리며 제자리를 맴돌았다.

그런데 그때 그들이 회의를 나누고 있는 컨테이너 룸 아래에서 사람들의 소란스러운 소리가 들려왔다.

"무슨 일이지?"

한니발이 물어보자 베오울프의 직원들이 외쳤다.

"TV… TV를 켜보십시오!"

그 말을 들은 서현이 즉시 테이블 위에 리모컨을 들어 컴퓨터에 연결되어서 지도를 보여주고 있던 TV를 일반 채널로 돌렸다. TV로 전환하자 제일 먼저 눈에 들어온 것은 불타고 있는 홍콩의 모습이었다. 프랑스어와 아랍어로 리포터가 연신 떠들고 있고 그 밑에는 영어 자막으로 'Vicious Virus?!' 라고 쓰여 있었다.

홍콩에도 아웃레이지가 발병한 것이다.

"이런 개자식……."

보고 있던 한세건이 치를 떨었다. 앙리 유이는 이미 마음이 꺾였다. 그리고 아담카드몬 아낙스는 테트라 아낙스로서 지위를 확고히 했지. 그런데 홍콩처럼 번화한 도시에서 아웃레이지가 발생했다? 이건 자카르타와 동경처럼 앙리 유이가 저지른 일이 아니다. 만약 이런 일을 벌였다면 그것은 바로 아담카드몬 아낙스의 소행이 분명하다.

"에스프리도 몰살시키는 걸로 봐서… 뉴욕 플라자 호텔로 집합하지 않으면 반역으로 간주하겠다는 건 오라는 엄포가 아니라… 최소한 그곳에 도착할 수 있는 역량을 보이라는 위협이었군."

서현은 그제야 아담카드몬 아낙스가 얼마나 오만한 생각으로 이런 걸 제안했는지 깨닫고 혀를 찼다.

아담카드몬 아낙스에 의해 전 세계 각지의 뱀파이어들이 커럽티드로 타락하기 시작했다.

비셔스 바이러스에 의한 인류 위협… 그것은 정녕 끔찍한 재앙이었다. 이것에 비하면 라이칸스로프 여단이 직접 무력으로 살상한 이들은 차라리 평화로운 축에 속했다. 적어도 그쪽은 민간인 피해는 최소화할 수 있었으며 가장 최악의 상황이라고 해봐야 육신의 죽음뿐이었다.

커럽티드가 된 이들은 죽음보다 끔찍한 타락을 겪어야 했다. 그들의 존재가, 그들의 영성이 능멸당하고 이성 없는 살덩이가 되어 피와 살을 탐하고 때로는 자신이 사랑하는 것조차 잡아먹게 하였다.

하지만 한국은 되레 평온했다. 뱀파이어의 수가 파격적으로 줄어서일까? 오히려 치안은 안정화되어 있었다.

뉴스상에서는 여전히 불온한 기운이 감돌지만 애초에 북한과의 미묘한 긴장 관계에 익숙해져 있는 사람들이다. TV 화면 너머에서 사람이 죽든 말든 이미 계속된 긴장 속에서 무감각해진 사람들은 오늘도 일상을 살아가고 있었다.

그 일상 속에서 빼또쥬는 하품을 하면서 게임기를 만지고 있었다.

"심심하네."

비셔스 바이러스라는 이름으로 번지는 아웃레이지의 공포 속에서도 한국은 별다른 영향을 받지 않았기에 빼또쥬는 심심하다고 중얼거렸다.

"서현은 잘 지내는 걸까?"

"나는 일하는데 넌 심심하냐? 응? 게임하면서?"

루스킨은 리프트에 올라가 있는 차량을 정비하며 혼자 놀고 있는 빼또쥬에게 핀잔을 주었다. 그렇다고 빼또쥬가 이 일에 손대길 원하는 것은 아니다. 그럼 일을 망칠 테니까. 그냥 혼자 게임만 하고 있는 게 도와주는 일이긴 하다.

"뭔가 평화롭군. 세상은 난리인 것 같은데 말이야. 서현은 왜 우리를 부르지 않지? 이 정도로 화끈한 일이면 우리 도움이 필요할 텐데? 혹시 서현은 우리를 별로 보고 싶어 하는 게 아니지 않을까?"

"왜 그렇게 생각해?"

"보통 이름을 바꾸는 것은 말이야, 과거를 몸서리치도록 싫어해야 가능한 일이래. 그리고 우리는 서현의 과거에 있지. 싫어도 우리를 보면 과거가 떠오를 거 아냐?"

"오, 어디서 그런 소리를 들었냐?"

"지금 이 게임에서."

"아, 그래."

루스킨은 급격하게 흥미를 잃었다. 빼또쥬가 게임하다 흥이 올라서 실없는 소리 하는 게 어제 오늘 일이 아니기 때문이었다. 뭔가 그럴싸한 소리를 한다고 해서 진지하게 상대해 줘봐야 시간 낭비다. 저 게임의 감동이 사라지면 빼또쥬의 감정도 순식간에 식어서 다른 흥밋거리를 찾아 이동하기 때문이다.

'옛날에 전쟁터에서 나돌 때는 그래도 학교 가는 애들 부럽다고 책도 보고 공부도 하고 그러던 놈이었는데 역시 막상 일반인처럼 살 수 있게 되니까 노는 데 인이 박였군.'

루스킨은 그 점에 대해서 아쉬워했지만 그렇다고 빼또쥬를 억지로 공부시켜서 사람 만들어야겠다거나 그런 생각을 하진 않았다. 인생을 마음껏 자잘한 즐거움에 쓸 수 있는 것도 평화의 혜택이겠지. 평화로운 세상을 동경했던 것은 바로 이런 걸 할 수 있기 때문 아니었던가. 빼또쥬가 농땡이를 치면서 심심하다고 노래할 수 있는 것도 이 세상이 평화롭기 때문이지.

물론 지금 TV에서는 홍콩에 비셔스 바이러스가 발생해 홍콩 기능이 마비되고 있다는 뉴스 속보가 연일 계속되고 있었지만 말이다.

"뭐, 연락 없는 게 좋은 거 아니겠냐? 서현이 우리 손까지 빌려야 할 상황이 오면 그게……."

루스킨이 그렇게 말할 때 빼또쥬의 전화기가 몸을 떨기 시작했다.

"말하기가 무섭네. 서현이다."

"…어째서 내가 아니라 너에게?"

루스킨은 살짝 상처받았다. 그도 자신이 어른스럽다고 자부할 수는 없다. 그러나 아무리 그래도 빼또쥬보다는 낫지.

"…받을게?"

빼또쥬가 전화를 받자 서현의 차분한 목소리가 들려왔다.

—우선 루스킨에게 전해. 네 전화로 건 건 루스킨은 작업하거나 온라인 게임을 하고 있고 넌 놀고 있거나 일시 정지 가능한 콘솔 게임을 하고 있을 게 분명하기 때문이었다고.

"…서, 설마 테트라 아낙스라도 잡아먹었어? 어떻게 그런 예지를……."

—예지는 무슨… 너희들 하는 짓이 뻔하지.

"그, 그래서 무사해?"

—무사하다고 해야 할지 모르겠다. 너희들 도움이 필요해. 뷔르제예프에게도 연락했으니까 즉시 비행기 타고… 와서 미사일쟁이를 좀 구출해야겠다.

"미사일쟁이?"

—그래. 베오울프가 너희를 서포트할 거야.

"어… 잠깐?!"

—미안하군. 더 길게 통화하긴 힘들다. 메일을 보내두었으니 참고해. 항공권도 예매해 뒀다.

서현은 그리 말하고 전화를 끊었다.

"이… 이게 대체."

"하……."

루스킨은 레슬링으로 뭉개진 귀를 앞뒤로 움직이며 한숨을 내쉬었다. 이런 귀지만 청력은 상당히 좋아서 지금 빼또쥬와 서현의 통화를 다 들을 수 있었다.

"심심하다고 하더니만 잘됐네."

"루스킨이야말로 태세 전환이 드리프트급인데? 무소식이 희소식이라고 하지 않았어? 좋아하는 것 같아?"

"그야 나도 심심했으니까!"

루스킨이 그리 말하고 반삭한 머리를 양손으로 쓰악 쓸어 올렸다. 짧아서 유달리 빳빳한 머리가 타라락 소리를 내며… 루스킨의 손에 묻어 있던 엔진오일을 사방으로 튀겼다.

"…더러워."

빼또쥬가 짜증을 냈다.

"나도 원해서 한 게 아냐. 젠장, 씻기 너무 힘든데."

루스킨은 흥이 나서 머리에 기름칠한 자신의 어리석음을 저주하며 혀를 찼다.

5

물에 빠진 사람은 지푸라기라도 잡는 법이라는 한국 속담을 서현은 좋아했다. 격류에서 지푸라기가 뭐 얼마나 도움이 되겠냐마는 삶이라는 건 설사 격류에 휩쓸려 죽어가는 상황이라고 해도 몸부림칠 가치가 있는 것이다. 설사 태어날 때부터 자신이 잡아온 방향이 틀렸다는 걸 알았다 하더라도 여전히 삶은 노력할 가치가 있다.

투쟁할 가치가 있다. 그래서 그 지푸라기를 잡았다.

서현은 가급적 끌어들이지 않으려고 했던 동료들에게 전화를 했다. 비록 다들 어린 나이긴 하지만 1세대 라이칸스로프다. 그들의 신체 능력과 단기 전투 역량은 각각 뱀파이어 로드, 진마에 필적한다.

이런 식으로 도움을 요청한 것은 그만이 아니다.

"뱀파이어 헌터와 마법사들에게 도움을 청했다. 교황청에서는 아퀴나스의 검, 그리스 정교회에선 유스틴 베소츠카야가 도우러 올 것이다."

실베스테르가 마법사들과 뱀파이어 헌터들에게 연락했다.

"별로 큰 기대는 못 하겠는데. 그들에게 무슨 힘이 있나?"

급격한 스트레스 때문인지 왠지 홀쭉해진 몬티가 수혈 팩을 빨면서 투덜거렸다. 머리가 풀풀 빠져서 두피가 창고 등을 반사해 반짝이고 있었다.

아르곤이 어깨를 으쓱해 보였다.

"아니, 헌터와 마법사들이야말로 그나마 저 아담카드몬에 대항할 수 있을 거야. 인간은 그런 점에서 뱀파이어나 라이칸스로프보다는 훨씬 낫거든."

"하지만 저자는 인간이 아니지 않습니까?"

"인간이 되기 위해 뱀파이어의 눈물을 찾아다녔다는 점에선 어떤 인간보다 인간적인 자이지."

그렇게 말한 아르곤은 슬링 벨트에 묶인 채 옮겨지고 있는 155㎜ 포탄들을 보고 있었다.

"인간이 되기 위해서는 아니다. 내 자신의 본질을 찾기 위해서지."

실베스테르는 그렇게 대답하고 고개를 돌렸다. 긴 은발이 흔들리며 어두운 창고 사이로 멀어져 간다. 뱀파이어와 필요 이상으로 말을 많이 섞는 것에 대해 거부감을 느끼는 걸까?

"이런 걸 정말 쏠 수 있나?"

그때 포크리프트로 포탄을 옮기던 베오울프의 병기창 직원으로 보이는 남자가 반신반의하면서 물어보았다.

그러자 아르곤은 어깨를 으쓱해 보였다.

"쏠 거야. 쏠 수 있는가가 아니라."

에스프리가 공격당해 몰살당했다는 사실 때문인지 아르곤은 그답지 않게 진중한 태도로 스키틀즈 미니백을 뜯더니 입에 털어 넣었다.

'아니, 별로 진중하지 않아. 다 큰 놈이 왜 사탕을 이렇게 처먹어?'

병기창 직원이 그리 생각했지만 그가 뭐라고 생각하든 마법사들이 155㎜ 포탄과 촉발신관, VT신관들에 마법을 걸어 그것들을 아르곤의 그림자 안으로 밀어 넣고 있었다. 막대한 양의 금과 수은, 고래 지방이 제물로 함께 사라졌다.

철컥!

한세건은 간만에 풀려나서 자신의 앞에 주어진 피카티니 레일이 달린 USAS—12, ATS 특수강으로 만들어진 수백 자루의 일본도, 그리고 카본과 강철 프레임으로 만들어진 활을 보고 있었다.

베오울프가 마련해 준 무기는 전부 다 수준급이다. 특히 이 활은 한세건이 독자적으로 만들었던 것보다 훨씬 엄청난 것을 지금 바로 카본 섬유 제작기로 짜서 만든 것이다. 시험 삼아서 쏴 보니 목장에서 건초를 말아두는 롤 사일리지를 관통해 버린다.

텅!

관통하고도 한참 더 날아가 뒤쪽에 세워진 폐자재까지 관통한다. 다행히 단단한 철판에 부딪쳐서 화살이 부러지는 바람에 더 이상 날아가진 않았으나 운동에너지만은 진짜 엄청나다. 완전 강철이나 텅스텐으로 만들면 어떻게 될는지?

지금 일반 화살만으로도 어마어마한 관통력이다. 연성물질 투과 능력은 대물저격총의 그것 이상이다. 이전에 한세건이 강철프레임으로 만들었던 활은 발사하는 순간 프레임 자체의 반동이 중앙을 중심으로 물결치듯 밀려왔다.

하지만 카본과 강철 프레임 복합재는 카본부가 충분히 휘어지면서 효과적으로 반동을 상방, 하방으로 방출시켜 활의 조준을 흐트러뜨리지 않는다. 한세건이 주먹구구로 만들던 활보다 비교할 수 없이 좋으면서 초기 탄속도 10% 이상 향상되었다. 반동으로 소모되는 힘이 그만큼 화살에 전해지고 활의 장력 자체도 더 강한 것이다.

"베오울프의 소재공학자인가? 역시 독학으로 배운 공학으로는 한계가 있었군. 대단해."

한세건은 그리 중얼거리며 3M에서 만든 드레싱이 붙어 있는 어깨를 만져보았다.

서현이 물어뜯은 곳이다. 상처는 재생되었지만 여전히 껄끄럽다.

“어떤 점에서 대단한가? 전의 것도 비슷한 위력이었던 것 같은데?”

서현이 물어보자 한세건은 혀를 찼다.

“뻔뻔스럽게 아무 일도 없었던 것처럼 내게 말을 걸어오나? 대단하군. 이걸로 쏴도 얼굴 가죽을 못 뚫을까 걱정이군.”

롤 사일리지를 관통해 버리는 화살이면 다다미 30장은 돌파할 거다. 게다가 화살은 그걸 관통하고도 전혀 흔들림 없이 더 뻗어갔으니 그 이상도 뚫겠지. 이걸 얼굴 가죽으로 받아낼 수 있다면 대단히 볼만할 것이다.

“아담카드몬을 상대할 때 네 혼팅이 주효하니까, 싫어해도 말을 걸어야지.”

“내가 협력하지 않겠다면?”

“협력 이전에 아담카드몬 아낙스를 참아줄 수 없을걸.”

서현이 그렇게 말하자 가뜩이나 서린에게 그런 넘겨짚기를 많이 당한 한세건의 눈썹이 치켜떠졌다.

“웃기지 마. 모든 뱀파이어를 다 죽인 뒤 손댈 수도 있잖아.”

“이봐, 한세건. 언제까지 그런 식으로 살 수는 없어.”

“…너 같은 놈들은 많이 봤지.”

한세건은 자신에게 삶에 대해서 충고하던 많은 사람을 떠올렸다. 가난한 아이들을 위해서 직접 택시 운전을 하며 고아원을 운영하던 성직자라든가… 그런 사람들도 결국 한세건을 구할 수는 없었다. 본인이 스스로 구원을 원하지 않는데 누가 그를 구할 수 있을 것인가?

그러나 서현은 한세건이 명백히 거절의 태도를 보여도 태연자약했다.

"난 사실 네가 어찌 되든 별 상관 없어. 슬슬 배울 수 있는 건 다 배웠고… 내가 지은 죄가 너무 많긴 하지만 난 내가 하고 싶은 게 무엇인지 확실히 알았거든."

아담카드몬 아낙스와의 싸움에서 서현은 자신의 진정한 갈망을 알았다. 자신이 지은 죄는 당연하게도 영원히 대속될 수 없는 것이다. 그러나 그것과 별개로 속죄하고 싶다. 이 세상에 뭔가 이로운 일을 하고 싶다. 설령 아무리 더럽혀져 있어도 이 세상은 그의 갈망에 대답해 준다. 싸구려 햄버거라도 맛있고 게임도 재밌고 TV도 즐겁다.

자신 같은 죄인이 그걸 즐겨도 되는 걸까? 무고한 사람들을 죽이고 세상에 불화의 씨를 뿌렸는데? 그들에게서 삶의 즐거움을 빼앗은 자가 자살을 하진 못할망정 즐거워하다니 뻔뻔하다.

그런 죄책감도 들지만 그렇다고 한세건처럼 스토익하게 자신을 학대해선 안 된다는 생각이 들었다. 죄인인 자신에겐 오히려 세상을 미워할 자격이 없다.

"난 착한 사람이 되거나 죄를 씻고 싶은 게 아니야. 그냥… 내게는 세상을 미워할 자격조차 없는 거지."

"…미워할 자격이 없다?"

참신한 단어에 한세건이 흠칫 놀랐다.

"그렇잖아? 난… 싸구려 햄버거도 맛있고 사는 게 뭐든 좋았어. 그래서… 내가 이런 즐거움을 누릴 사람들을 죽인 게 너무 슬퍼. 차라리 자살했어야 했었는데 젠장, 목숨이 너무 모질어서 자살은 도저히 못 하겠어."

"그건 또 참신한 개소리로군."

한세건은 그렇게 말했지만 서현을 보는 눈빛은 변해 있었다.

서현은 비일상이 일상화된 인물이다. 그는 출생 전부터 월야의 세계에 속해 있다가 서린의 희생을 통해 이제야 보통 사람들의 세계에 접하게 된 자다. 한세건과는 정반대이지만 그렇기 때문에 공통점이 있다.

과거 자신의 삶의 방식을 부정하고 바꾸어야 한다는 것이다.

한세건에게 그것은 죄책감이었다. 자신이 과거에 저지른 잘못들, 무심코 지나쳤던 것들, 소중히 대하지 않았던 것들의 소중함을 깨닫게 되니 과거의 자신을 용서할 수가 없어서 그는 이 지옥의 불길에 스스로 몸을 던진다. 스스로 죄인이라 여기고 자신을 정죄하지 않으면 견딜 수 없는 것이다.

그러나 서현은 그런 한세건보다 훨씬 더 복잡한 상태다.

죄의 질? 서현 쪽이 비교할 수 없이 무겁다. 그는 자신의 본질을 착각하고 아낙스로부터 세상을 빼앗기 위해 무수히 많은 사람을 살해했다.

그에 비하면 한세건의 죄는 너무나도 가볍지.

그런 한세건의 눈으로 보기에 서현은 자책하는 시늉만 하다 바로 회복된 뻔뻔스러운 놈이다. 자신과 대칭점에 존재하면서, 어떤 면에선 너무나도 닮아 있는 자. 저놈을 볼 때마다 기묘한 혐오감과 동질감이 한세건을 괴롭히곤 했다.

"삶의 즐거움을 사랑하는 법을 모르는 사람은 증오의 무게를 진정 제대로 안다고 할 수 없어. 내가 파괴한 것들, 돌이킬 수 없는 것들이 얼마나 큰 가치가 있었는지를 모르는데 막연히 죄송한 척해 봐야 그건 혼나는 게 두려워서 먼저 몸을 사리는 것에 지나지 않아."

"……."

"꼴사납지? 그래도 나는 알겠어. 아담카드몬 아낙스가 세상을 파괴하게 내버려 두진 않을 거야. 그 결과 내가 죽더라도 그건 뭐… 죄인에게 합당한 결말이지 않겠어?"

"넌 내가… 이 자세를 버리고 너처럼 살아야 한다고 생각하냐? 난……."

한세건은 고개를 가로저었다.

"아담카드몬 아낙스는 제거할 거야. 신은 이 세상의 부조리에 책임을 져야 하니까. 하지만 너처럼은 할 수 없어."

"그래. 아담카드몬 아낙스를 해치우는 데 협력한다면 더 강요할 건 없지. 그러나 내가 보기엔 한세건, 너에게는 세상을 증오할 자격이 없어."

"……."

"너는 너 자신을 증오할 자격이 없어."

서현이 그 말을 마치고 돌아섰을 때 서린은 책상 위에 걸터앉아서 다리를 까딱이며 흔들고 있었다.

무장을 다 챙긴 진마 아르곤이 그들 둘에게 풍선껌을 던져 주었다.

아랍어로 쓰여 있고 할랄 푸드 마크가 붙어 있는 풍선껌이다.

"난 도저히 할 수 없었어."

서린은 쓴웃음을 지으며 살며시 박수를 쳐주었다.

한세건에게 말한 걸 두고 하는 걸까? 서현은 코웃음 쳤다.

"내가 한세건보다 더 지은 죄가 크니까. 넌 솔직히 말해서 무구하잖아."

서현이 손을 피로 더럽히고 생존을 위해 전쟁범죄를 저지르는 동안 한국에서 아버지와 함께 살았던 서린이었다. 서린이 테트라 아낙스가 되었다 해도 그는 무고했다. 자신의 욕심으로 남을 해치지 않고 세상을 선의로 대하려 했다.

그런 사람은 도저히 한세건을 구하거나 그의 단단한 자아에 파문을 그릴 수 없었다. 오직 한세건보다 더 더러운 자만이 한세건에게 구원의 실마리라도, 아주 작은 지푸라기 한 올이라도 드리울 수 있었던 것이다. 이제 이다음은 한세건의 몫이겠지.

"괜히 지금 말해서 그의 정신에서 힘을 빼는 거 아냐? 그가 가지는 혼팅의 힘은 그 특수한 감수성에서 나오는 걸 텐데?"

아르곤은 마치 오랜 친구처럼 스스럼없이 서현에게 말을 걸어왔다.

서현은 피식 웃었다.

"특수한 감수성… 그렇게 생각할 만큼 잘 알고 있나?"

“예전에 그 친구가 나에게 좀 맞아서 동태가 되었을 텐데?”

아르곤은 한세건과의 싸움을 떠올리며 어깨를 으쓱해 보였다.

“흠, 왜 안 죽이고 살려둬서…….”

“뱀파이어들은 결국 너무 오래 살면 특출 난 사람을 아까워할 수밖에 없어. 평균 근처에 있는 사람은 너무 많이 봐서 심심해. 반면 그처럼 특출 난 감수성을 가진 사람은 죽이기 아깝더라고. 신기하고 재미있거든?”

“뭐, 세건 형의 특수한 감수성… 아, 이 단어 입에 착착 붙네. 하여튼 그걸 걱정하는 건 알겠는데 그래도 세건 형을 흔들려면 지금 해두는 게 좋아요. 예지에 의하면 세건 형이 앙리 유이를 도와주어서 테트라 아낙스에게 맞서야 하는데… 이 정도 흔들어주지 않으면 앙리 유이를 세건 형이 도와줄지 어떨지 의문이군요.”

서린은 그렇게 말하고 쓴웃음을 지었다.

“그럼 이제 남은 건… 과연 우리가 아담카드몬 아낙스에게 얼마나 먹혀드냐는 건데. 솔직히 자신이 없어.”

아르곤은 아담카드몬과의 만남을 떠올리며 쓴웃음을 지었다.

“그래도 해야겠지.”

6

알제의 베오울프 기지에는 대서양을 건널 만한 비행기들이 준비되어 있다. 아니, 없어도 전세기를 빌릴 수 있다. 그러나 그런 식으로 할 경우 지금의 테트라 아낙스는 가차 없이 격추시킬 거라는 게 홍콩의 비셔스 바이러스 사건으로 입증되었다.

그래서 서린은 각자 산개했다가 뉴욕을 향해 따로 접근하자고 제안했다.

"아무리 아담카드몬 아낙스라고 해도 무수히 많은 민항기나 루트를 다 커트하진 못할 거예요."

"아무리 아담카드몬 아낙스라고 해도 홍콩을 불바다로 만들 줄은 몰랐는데?"

서현이 동생의 말에 빈정거렸다. 아담카드몬 아낙스의 한계나 그의 행동 원칙을 멋대로 제한해선 위험하다. 그런 의미에서 빈정거리긴 했지만 역시 기분이 상한 걸까?

서린은 어깨를 으쓱해 보였다.

"너희 형제들이 사이가 좋은 걸 보니 보기 좋군."

서린이 뭐라 말하기 전에 한세건이 그렇게 중얼거리며 목덜미를 어루만졌다. 간만에 스트레이트 재킷을 벗어서 해방감을 느끼고 있는 것 같다. 처음엔 그를 방치했던 실베스테르나 서현이 서린을 말린 덕분에, 또한 그동안 한세건도 생각을 많이 한 덕분에 얻게 된 해방이었다.

"나의 세건 형은 그렇지 않아. 뱀파이어를 상대로 구속당하고 고문당하는 걸 싫어하다니?!"

서린은 아직도 한세건을 구속하고 싶은 건지 그렇게 중얼거렸다.

"…네놈들이 생각하는 한세건과 실물의 나는 상당히 큰 차이가 있단다. 그만하지그래? 네놈이 하는 말은 잘 알겠으니까."

놀랍게도 한세건이 서린의 장난을 정상적으로 받아쳤다. 필요 이상의 적개심이나 증오가 아니라 헌터와 뱀파이어 간의 건전한(?) 거리감이라고 해야 하나? 자기 파괴적일 정도로 집요하고 금욕적이던 한세건에게 아주 약간이지만 변화가 일어났다.

물론 한세건은 여전히 한세건이다.

"아담카드몬 아낙스를 처치하는 데 힘을 쓰긴 하겠어. 하지만 보태는 게 아니고 협력하는 것도 아니다. 뱀파이어를 지킨다거나 뭐 그런 것에 의미를 두진 않을 거야. 너희들은 나에게 협력해서 어떻게든 일이 되게 해라. 나는 너희들의 뒤통수를 기회만 보이면 후려칠 테니까."

"오, 역시 뻔뻔함. 좀 심정적으로 회복되었나 보군."

서현이 박수를 치며 한세건의 뻔뻔한 소리를 칭찬해 주었다.

"네놈은 반드시 쳐버린다. 응? 네놈이 사람 먹는 괴물이라는 건 아주 잘 알겠으니까."

서현에게 산 채로 물어뜯겼던 한세건은 서현을 보고 엄포를 놓았다.

"그렇게 선전포고하고 뒤통수가 잘도 쳐지겠다. 아, 그러고 보니 묶여 있을 때 사진 찍어둘 걸 그랬네."

서현도 한세건의 엄포를 받아넘겼다. 그래도 서현 덕분에 한세건은 적절한 거리감을 두고 이 작전에 투입될 만큼 정신 상태가 좋아진 모양이었다.

물론 한세건이 말하는 건 농담이 아니다. 만약 아담카드몬 아낙스를 제거하고 모든 상황을 통제할 수 있다 싶으면 서린의 뒤통수에 칼을 꽂고도 남을 거다.

하지만 그런 상황이 되기만 해도 서린은 성공을 기뻐해야 할 판이다. 아담카드몬 아낙스의 힘은 절대적이다. 그 위협을 타파하고 나서 여유가 생기면 뒤통수를 찌르겠다는 한세건의 엄포는 정말 낙관적인 전망인 셈이다.

"그럼 각지로 산개해서 들어간다. 팀은 어떻게 나누지?"

실베스테르가 물어보았다.

"헌터는 헌터대로, 베오울프는 베오울프대로, 나는 서린과 아르곤과 함께 행동하지."

서현이 그렇게 말하자 한니발이 멈칫했다.

"라… 라이칸스로프는 라이칸스로프대로 움직이는 게 아니라?"

"…나보고 베오울프로 들어가라고? 싫은데?"

서현이 칼같이 거절하자 한니발이 혀를 찼다.

어째 굉장히 아쉬운 모양이다.

'뭐지, 저 자식? 안 되겠어. 조심하지 않으면.'

서현은 왠지 한니발에게 거부감을 느꼈다.

저 녀석도 서린이 한세건에게 그러듯 '나의 서현은 그렇지 않아!' 하면서 감금하거나 구속복을 입히거나 그러려나?

'어… 그럴 가능성이 농후한 것 같기도 하고. 아, 저 녀석 능력 정말 호락호락하지 않을 텐데.'

서현은 오한이 드는 걸 느꼈다.

그때 서린이 말했다.

"한 가지 확실한 건 세건 형하고 한니발이 같이 움직이면 안 된다는 거야."

"음? 어째서?"

서현은 그렇게 반문했다.

한니발이 한세건과 함께 움직이면 안 된다는 게 곧 이쪽과 함께 움직여야 한다는 뜻은 아니지만 세력이 셋인데 그중 하나를 선택지에서 배제해 버리면 서현과 한니발이 함께 움직일 가능성이 33.3%에서 50%로 팍 올라 버리지 않는가?

"아마 한니발이 가지는 바라밀다의 힘은 아담카드몬의 힘에 굉장히 치명적인 것일 거야. 외령이나 자연령이라 해도 건드릴 수 없는 힘, 말하자면 인류영의 힘이거든?"

인간 본질의 힘. 그것이 바로 한니발이 사용하는 바라밀다의 힘이라는 게 서린의 해석이었다.

아낙스의 마법 지식을 가지고 있는 서린이 하는 말이니 틀림없을 것이다.

"혼팅은?"

무심코 한세건이 물어보았다.

"혼팅은 VT인자에서 파생된 또 다른 인류영의 힘이야. 뱀파이어들이 먹어치운 VT인자는 릴리쓰의 정보와 인류 본연의 정보가 뒤섞여 있는 저주 코어고 이걸 인류영으로 발현되도록 이성질체로 바꾼 게 사이키델릭 문이야. 뱀파이어나 뱀파이어에 의해 희생당한 자들의 원령으로, 그들의 원념인 뱀파이어 멸망에의 의지를 수행하도록 VT인자를 변화시킨 거지. 세건 형의 혼팅은 그것에서 나오는 힘이야. 그래서 아담카드몬 아낙스에게 먹히는 거야."

"그렇다면 아담카드몬은 뱀파이어계인가? 이상하군? 아담은 최초의 인간이며 모든 인간의 조상일 텐데?"

역시 마법에 일가견이 있는 실베스테르가 의문을 제기했다.

"앙리 유이가 만든 아담카드몬 아낙스는 뱀파이어인 아낙스를 재현하기 위해 VT인자 쪽에 맞춰져 있어서 그렇지요. 덕분에 뱀파이어에게는 자신들의 조상이나 아버지 같은 존재라서 그가 VT인자를 통제하면 쉽게 조작당하는 겁니다."

서린은 실베스테르의 의문에 답해주었다.

서현이 고개를 끄덕였다.

"거참, 별로 키워주지도 않은 아버지가 엄청 권위적이네. 가부장제는 역시 인류의 해악이야."

그러자 서린이 피식 웃었다. 서현의 발상이 재미있기 때문일까?

"내가 만약 아담카드몬을 순수히 학문적인 이유로 만든다면 난 원형대로 인간 쪽에 동조되게 맞춰놨을 거야. 아, 하지만 그러면 아담카드몬의 본질에 가까워서 빨리 아인소프 오올을 때려 버릴지도. 오래오래 써먹고 지식이나 마법을 뽑아 먹으려면 VT인자 쪽으로 세팅하는 게 맞겠군. 역시 앙리 유이가 그런 쪽으로는 좀 똑똑하단 말이야. 하는 짓 전체적으로는 바보 같은데……."

역시 아낙스의 기억과 자아가 있기 때문일까?

서린은 앙리 유이를 무슨 학생 논문 평가해 주는 교수처럼 평론하고 있다.

"어쨌거나 현재 아담카드몬 아낙스에게 위협적인 것은 세건 형의 혼팅과 한니발의 바라밀다일 거야. 위협적이라기보다는 음… 그나마 먹혀드는 무기라고 해야겠지. 그런데 둘이 함께 움직이면 둘을 함께 제거하기도 편해지잖아. 배나 비행기가 공격당해서 침몰해 버리면… 설마 대서양을 헤엄쳐서 건너고 싶진 않겠지?"

서린이 그렇게 물어보자 아르곤이 혀를 찼다.

"재밌겠는데?"

"……."

'너 말고' 라는 말이 서린의 목구멍까지 기어올랐다가 다시 들어갔다.

"레이캬비크에서 캐나다까지는 헤엄쳐서 건넌 적은 있는데."

"스톱. 거기까지."

한세건은 아르곤의 말을 더 들을 가치가 없다고 생각했는지 작전 테이블에서 바닥으로 굴러떨어진 볼펜을 하나 발로 차올려 잡은 뒤 아르곤 머리 위로 던졌다.

아르곤이 펄쩍 뛰어서 그 볼펜을 양손으로 첩 잡았다. 농구 선수가 리바운드로 볼을 회수하는 것처럼 멋진 운동 능력이지만…….

이 상황에서?

"……."

"……."

모두의 시선이 아르곤에게 집중되었다.

그러자 아르곤이 부끄러워한다.

"아, 떨어져서 그렇구나."

미식축구 선수들이나 즐겨 쓰는 비강 호흡용 서포터, 콧잔등 위에 붙이는 테이프가 떨어졌던 것이다. 그걸 다시 붙이는 아르곤의 태도는 모두의 시선이 바로 그 서포터가 덜렁거려서 그런다고 믿고 있는 듯했다.

"아니거든?"

서현이 투덜거렸다.

"자, 그럼… 우리가 해야 할 일이 많군요."

아타왈리는 그렇게 말하며 작전 계획서를 바라보았다. 대부분의 작전은 5분 뒤 박살 난다. 그렇기 때문에 이 작전 계획서는 세부 사항보다는 전략목표를 위주로 짜여 있었다.

그 전략목표에 의하면 팀은 다음과 같이 나뉜다.

실베스테르와 한세건은 몰타에 가서 마법사들과 성당 기사단, 그리고 교황청이나 헌터들과 접촉한다.

서현과 서린, 진마 아르곤은 민항기를 통해 캐나다로 이동, 그곳에서 육로로 미국으로 향하며 테트라 아낙스의 주의를 끌고 다른 뱀파이어들을 설득한다.

베오울프는 각지에 흩어진 가능한 지원 병력들을 모아서 합류하는 지원부대의 역할을 맡는다. 아무래도 그들이 가야 할 곳이 미국 경제의 심장부인 뉴욕이기 때문에 상장까지 한 용병 회사가 전력투구하기엔 문제가 있다. 그래서 베오울프의 역할은 어디까지나 지원, 그 이상도 이하도 아니다.

물론 지금 이들에게 가장 필요한 게 그거긴 하다. 홍콩의 비셔스 바이러스, 아웃레이지 발발로 일반 비행기들의 운항이 많이 취소되었다. 가능한 항로로 이동한 뒤 그곳에서 보트나 경비행기로 잠입해야 할지도 모르고, 그러려면 조직의 도움이 필요하다.

그런 면에서 전 세계 어디든지 병력 투사가 가능한 세계구급 용병 회사, 베오울프의 시스템은 든든한 배경이라고 할 수 있었다.

"야, 그런데 나……."

그 베오울프의 최연소 CEO, 한니발이 아타왈리에게 말을 걸었다.

"네, 사장님?"

"난 아무래도 서현을… 아니, 서린을 쫓아가야겠다."

"네?"

아타왈리는 자신의 귀를 의심했다. 방금 전에 본심이 앞서서 헛소리가 튀어나온 것 같은데? 언제나 냉정하고 잔혹한 한니발이 이렇게 부산을 떠는 건 처음 본다.

"그 주식을 정말 소각할지도 궁금하고 말이야, 감시가 필요하지 않겠냐? 게다가 작전 계획을 보면 이쪽이 가장 격전지야. 가장 위험하고 싸움도 많지. 전력을 더 집중시켜야 하지 않나 걱정될 정도인데 말이지."

"……."

한니발의 얼굴은 표정을 알아보기 힘들다. 너무나 끔찍한 상처들을 뒤덮기 위해 여기저기 이식수술을 그 자신의 손으로 저지른 덕분에 그는 감정을 얼굴로 떠올리는 기능을 잃어버렸다고 해도 과언이 아니다. 하지만 지금 이 순간 한니발의 표정은 너무나도 다채롭다.

'다채롭게 육갑을 떨고 있다고 해야 할까?'

아타왈리가 긴 한숨을 내쉬었다.

"언제부터 물어보고 사고 치셨습니까. 가세요."

아타왈리는 한니발의 요청을 허락해 주고 말았다.

이렇게 자주 들어주면 버릇 나빠지는데 하는 생각과 함께.

7

아담카드몬 아낙스는 자신이 누군가에 의해서 만들어진 존재라는 것을 안다.

보통 사람이라면 그것만으로도 자아에 치명적인 타격을 입는다. 지구의 인간들 상당수가 믿고 있는 아브라함계 유일신앙, 기독교와 이슬람교, 유대교에 따르면 인간은 신의 축복을 받아 태어난 존재다. 자신은 신이 인정해 준 정명하고 정당한 존재라고 믿고 싶은 것이 인간의 본성일 것이다.

그에 반해 아담카드몬의 출생은 전적으로 악의 소산이다. 앙리 유이가 그를 만들기 위해 죽인 인간의 수가 무려 천만 명. 부정한 방식으로 인간의 영혼백육을 착취하여 만들어진 것이 아담카드몬 아낙스였다.

하지만 아담카드몬 아낙스는 그것을 책망하거나 탓하지 않았다. 그의 기반이 된 아낙스라는 자의 정신은 이미 성자의 영역에 들어서 있었기에 이제 와서 자아에 의한 고통을 받을 단계가 아니다.

또한 그가 지니고 있는 아담카드몬의 본질은 한 개인의 자아를 초월한 존재다. 그렇기에 그는 무수히 많은 이를 죽음으로 몰아넣으면서도 되레 태연자약했다.

"많은 아브라함계 유일신앙 신자들은 매번 시험에 들지 않게 해달라고 빌지."

아담카드몬 아낙스는 각지에서 진행되는 말살 작업을 보면서 흡족한 미소를 지어 보였다.

"그게 잘못되어 있어. 사람은 시험에 들어야 해."

격전이 벌어지는 홍콩의 모습이 아담카드몬 아낙스의 뒤로 흘러가고 있었다. 성자의 모습을 하고 마왕으로 돌아온 그는 그 모습을 바라보며 술잔을 들어 올렸다.

"사람이든 뱀파이어든 라이칸스로프든 간에 모든 지성 있는 존재는 시험에 들어서 그 가치를 입증해야 한다고 생각하지 않나?"

"그 시험이 불가항력의 힘으로 아예 파괴해서 커럽티드로 만드는 걸 말하나?"

베이런이 빈정거렸다.

"…우리가 그들을 시험에 들게 할 권리는 없어."

레베카는 고개를 숙였다.

"그럼 당신은 누구에 의해 시험받지?"

마틴은 아담카드몬 아낙스에게 되레 질문을 했다.

"아마도 그들이겠지."

아담카드몬 아낙스의 대답은 아마도 서린과 그 일행을 말하는 것이리라. 그러나 그게 가당키나 한 일인가?

"웃기지 마! 그들은 무력한 게릴라일 뿐이고 우리들은, 아니, 당신은 거의 신이 아닌가?! 이건 불공평해!"

마틴이 아담카드몬 아낙스에게 항변했다.

"몰랐나? 원래 신이 하는 시험이라는 건 불공평한 법이지."

아담카드몬 아낙스는 다리를 바꿔 꼬며 대답했다.

"확실히… 적어도 그는 자신을 도마에 올리기는 했다. 신들에 비하면 매우 공평한 처사야."

베이런은 점점 격정으로 물들어가는 마틴을 걱정해서 말렸다.

"지옥에나 떨어져! 당신 때문에 모처럼 얻은 우리의 위안이 완전히 물거품이 되어버렸어! 차라리 우리를 만들지 말지 그랬어! 처음부터 뱀파이어들을 몰살시켰다면 좋았을 거 아냐?! 왜 뱀파이어를 관리하겠다는 목적으로 우리들을 만들고, 우리들의 자유의지를 무시하고 꼭두각시로 조종하다가 이제 와서 이런 끔찍한 모습에 가담하게 하냐고!"

"그 대답은 스스로도 이미 잘 알고 있을 텐데?"

아담카드몬 아낙스는 피식 웃었다.

"아낙스는 뱀파이어의 성자였을지 모르나 결국 죄인이었다. 세상의 이목을 속이고, 사람들을 속였다. 비록 그가 모든 다양성을 지키고 보전하고 싶어 하는 목적을 가지고 태어났다고 해도, 그런 사명을 릴리쓰에게 부여받고 태어났다고 해도 그 사명 자체가 죄악임을 부정하지는 못하겠지? 그런데 감히 구원을 바라나?"

"……."

마틴은 입을 굳게 다물었다.

"아낙스는 자신의 사명을 다하면서, 주어진 생에 충실히 살면서 고통받았다. 자신을 증오하고 죄악을 증오하지만 그것을 책망할 수 없었다. 성자여야 했고 수호자여야 했으니까. 하지만 그의 이면에는 인간을 시험에 들게 하고, 신을 시험에 들게 하고, 세상을 시험에 들게 하고, 이치를 시험에 들게 하겠다는 욕망이 있었다. 너희들도 알 것이다."

아담카드몬 아낙스는 불타는 도시를 굽어보며 그렇게 말했다.

레베카와 마틴, 베이런은 아무 말도 할 수 없었다. 아담카드몬 아낙스가 말하는 건 완벽한 사실이었다. 아낙스로 살면서 그들이 느꼈던 피할 수 없던 충동, 그것을 다만 이자가 실행할 뿐이다.

그러면서 알게 된다. 그들이 도저히 용납받을 수 없는 죄인이며… 이 세상에 정의가 있다면 진작에 심판받았어야 할 존재라는 것을!

"아낙스가, 테트라 아낙스가 이 세상을 마음대로 주무르면서 느껴온 회의를, 차마 실행하지 못했던 회한을 돌아온 내가 실행하는 것뿐이다. 물론 공평하게 나 자신을 시험대에 올려두어야겠지. 부디… 저들이 나의 시험을 돌파하고 나를 시험에 들게 하기를……."

아담카드몬 아낙스는 기도했다.

"부디 저를 시험에 들게 하소서."

第27夜

나선의 업보

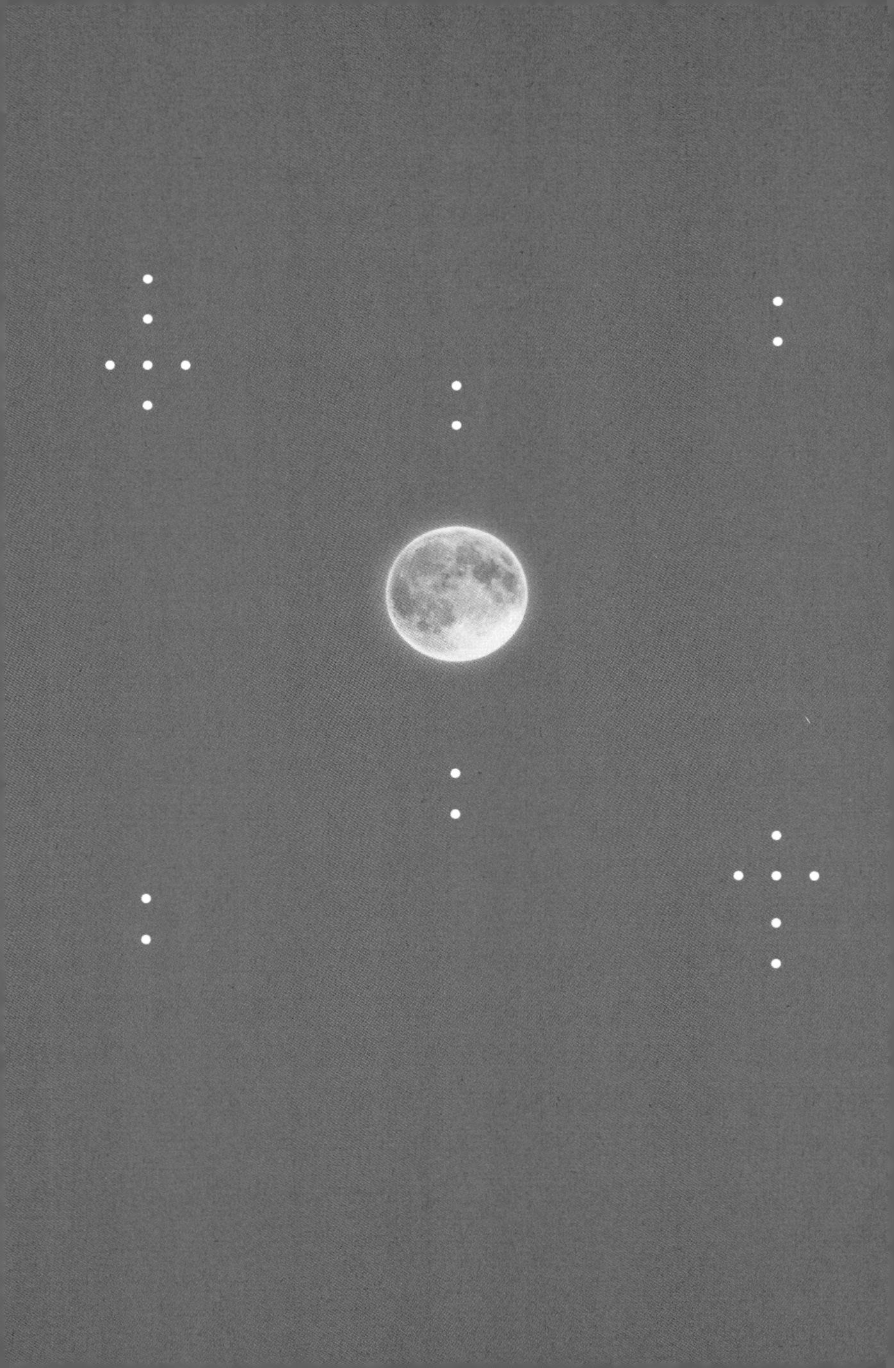

1

피의 안에는 예부터 인간의 생명이 담겨 있다고 여겨져 왔다.

뱀파이어는 그것을 빨아들임으로써 인간의 생명을 통해 자신의 생명을 유지하고 보수한다.

그렇기 때문에 플렉스 메디칼이 만들어낸 인공 혈액은 뱀파이어들의 생명을 유지하는 데 별 도움이 되지 않는다. 인간에게서 만들어진 게 아니라 유전자조작 된 세균에 의해 만들어지거나… 헤모글로빈을 대체하기 위해 만들어진 나노 머신이 들어있는 물은 뱀파이어들에게 있어서 다이어트 탄산음료와 마찬가지였다. 아무리 마셔도 영양가는 제로. 정확히 말해서 뱀파이어를 유지하게 해주는 영성이 없다.

다만 입에 와닿는 맛은 그럭저럭 괜찮다. 뱀파이어들은 인간의 피를 즐겁게 여기도록 진화했기 때문이다.

팬텀은 글라스 안에 흐르는 인공 혈액을 바라보면서 쓴웃음을 지었다.

영성 없는 빈껍데기가 잔 안에서 맴돈다.

이것은 마치 지금의 그와 같다.

"사실 나는 그렇게… 뱀파이어를 좋아하지 않는 걸지도 모르겠군."

팬텀이 그렇게 말하자 그의 뒤에서 묵묵히 태블릿 PC로 회사의 자산 동향을 관리하던 빌헬름이 입을 열었다.

"뭐 그런 걸 이제 와서 새삼스럽게 말씀하십니까?"

팬텀의 판타즈마고리아는 그렇게 클랜을 쉽게 늘리지 않는다. 팬텀이 거두는 이들은 오직 죽음의 기로에 선, 그러나 아직 죽기는 안타까운 가련한 피해자들뿐이었다. 그 행동만으로도 팬텀이 뱀파이어라는 종 그 자체를 좋아하지 않는다는 건 잘 알 수 있었다. 개개인은 선량할지 몰라도 종 자체로서 뱀파이어는 기생종이다. 자립할 수 없는 종족이 무한정 늘어나 봐야 좋을 것도 없지. 팬텀은 그것을 단지 자신의 고독을 해소하기 위해 늘리고 싶은 생각이 없었다.

그러나 오늘 밤은 다른 어느 날보다 특히 고독하다.

"아무래도 새로운 테트라 아낙스는 나도 그냥 처리할 생각인 것 같군. 앙리 유이는 어떻게 되었지?"

팬텀이 그렇게 물어보았다.

선량한 뱀파이어이면서도, 히로익 라이칸스로프인 구아르과 사생결단을 내어 뱀파이어들 사이에서 존경받고 있는 팬텀.

자기 잇속만 챙기며 사악한 마법을 사방팔방에 뿌리고 다니는 앙리 유이.

이 둘은 그 압도적인 평판의 차이에도 불구하고 동문이다. 이들 둘은 인간이던 시절부터 함께 자랐고 함께 마법을 익혔으며 함께 뱀파이어가 되었다.

그런 앙리 유이가 평생에 걸쳐 원했던 숙업이 실패하고 연락이 두절되었으니 팬텀의 마음에 그늘이 지는 것도 당연하다.

창백한 달이 모하비사막 위로 떠오른다. 사막 한복판에 위치한 호사스러운 별장 위로 열기 없는 달빛이 드리워진다.

"현재로서는 소식 두절입니다만 죽지는 않았을 겁니다. 아니, 죽이지는 않았을 거라고 해야 하나요?"

빌헬름은 당연히 갑자기 나타난 아담카드몬 아낙스에 대해서 조사했었다.

아낙스.

팬텀과 앙리 유이를 거두었던 스승.

앙리 유이의 가슴을 시기심으로 격동시킨 유일한 존재.

세이리오스의 성자, 그렇게 불리던 존재였다.

그러나 그것은 지금 마왕으로 돌아와 있었다. 과거, 성자로서 자신이 이룩한 업적을 파괴하고 자신의 행동을 부정하면서 새로운 단계로 이 세상을 바꾸려 하고 있었다.

하지만 빌헬름이 조사한 바로는 그 아낙스의 가슴에는 여전히 앙리 유이에 대한 특별한 감정이 남아 있을 것이다. 앙리 유이가 아담카드몬 아낙스를 통제하기 위해 넣어둔 장치는 여전히 작동하고 있다. 그렇기 때문에 아담카드몬 아낙스는 앙리 유이를 죽이는 게 훨씬 이득임에도 불구하고 그를 죽이지 못한 채 살려두고 있다. 아담카드몬 아낙스의 손으로는 절대 앙리 유이를 죽일 수 없을 것이다.

그러나 팬텀이라면 어떨까? 팬텀은 테트라 아낙스의 제자로서 철권통치 시절에도 딱히 저항하거나 반기를 들지 않았다. 어느 쪽이냐면 오히려 순종적인 편이었다. 그러나 지금 테트라 아낙스, 아담카드몬이 하는 짓은 테트라 아낙스의 권력을 위해서 벌이는 일이 아니다. 아르곤의 에스프리를 몰살시킨 것만 보아도 알 수 있다.

그런데 현재 팬텀은 이 별장으로 날아와서… 에스프리의 일부를 피신시켜 주고 있다. 아담카드몬 아낙스가 어떻게 나올 것인가는 불을 보듯 뻔하다.

과연 별장 주위에서 삑 하고 스피커의 화이트 노이즈가 울려 퍼졌다. 그리고 곧 항복 권고가 날아들었다.

—별장 안으로 피신한 이들은 테트라 아낙스에 저항한 세력입니다. 제발 부탁이니 그들을 넘겨주시지요?

팬텀의 별장은 이미 적들에 의해 포위되어 있었다. 창백한 달빛을 지우고 서치라이트가 팬텀의 별장을 유린한다. 사막의 색에 어울리는 에칭된 철강들과 유리로 꾸며진 별장 외벽을 서치라이트가 핥을 때마다 눈부신 반사광이 사방으로 흩뿌려진다.

라이칸스로프들… 라이칸스로프의 군대가 별장을 에워싸고 있으며 별장 안에 숨은 자들을 내놓으라고 한다.

"뭐라고 대답할까요?"

빌헬름이 팬텀의 의향을 물어보았다.

"나는 내 집 안으로 들어온 손님을 뻔히 죽을 줄 알면서 내놓을 만큼 못되어먹지 못하다고 말해줘라."

"마스터, 개인적으로는 저 히피나 아웃로들을 보호할 이유가 없다고 생각합니다만……."

"그럴 거라면 여기 별장으로 날아올 이유도 없었지. 그렇지 않은가?"

"하긴 그렇지요. 마스터의 결심은 이미 정해져 있었군요."

빌헬름은 한숨을 내쉬었다. 팬텀이 빌헬름의 충언을 무시하는 건 어제 오늘의 일이 아니다. 그리고 빌헬름 자신도 화가 나긴 했다.

뱀파이어 사회에 팬텀의 공헌도는 지극하다. 아무리 적들을 숨겨주었다고 해도 다짜고짜 이런 무도한 짓을 할 수는 없는 것이다. 그리고 이들이 과연 정말 아담카드몬 아낙스의 적인가? 웃기지도 않는 소리. 에스프리의 잔당과 에스프리들이 보호하는 아웃로들, 그들에게 밤의 제왕이라는 테트라 아낙스에게 위해를 가할 수단은 없다.

"그러나 저자들의 무례함은 저도 참아주지 못할 정도로군요. 일단 이 별장은 못 쓰게 될 게 분명한데 괜찮겠지요?"

"물론."

"그럼… 마스터, 만약을 대비해서 이걸……."

빌헬름과 팬텀의 옆에 있던 타일이 열렸다. 그 안에는 황금 사슬로 봉인되어 있는 거대한 돌판이 있었다.

"여기에 두었던가?"

"테트라 아낙스, 그러니까 서린 님이 이곳으로 옮겨두라고 해두었습니다."

"……."

서린은 만약 앙리 유이를 초반에 제거할 경우, 팬텀이 앙리 유이의 역할을 대신할 것이라고 예지했었다. 만약 서린이 자신의 손으로 앙리 유이를 숙청할 경우 팬텀은 앙리 유이의 조문을 위해 그의 유지를 이을 것이라고…….

그만큼 팬텀이 동문 형제에 대해서 가지는 애정은 깊다. 아니, 깊다는 말은 너무 가볍다. 앙리 유이와 팬텀은 피를 섞은 형제보다 더 깊은 인연으로 맺어져 있는 것이다. 비록 팬텀의 성향과 정반대지만 앙리 유이는 팬텀과 함께 2천 년간을 지내온 동지, 어린 시절부터 지금까지 함께해 온 유일한 벗이다.

앙리 유이가 만약 서린의 손에 의해 숙청당했었다면? 팬텀은 서린을 부정하기 위해 앙리 유이가 한 연구를 이어받아 저 아담 카드몬 아낙스를 강림시켰을지도 모른다.

그래, 서린의 예지는 처음엔 말도 안 된다고 생각했지만 충분히 합리적이었다.

그런 서린이 이 상황도 예지한 걸까?

"내가 다시 사법의 힘을 써야 한다고?"

"그렇지 않으면 여기서 살아남지 못할 거라고 했습니다."

"……."

팬텀은 한숨을 내쉬고 황금 사슬을 향해 손을 뻗었다.

황금 사슬들이 끊어지고 그 돌판이 부서졌다.

—다섯을 셀 시간을 주겠습니다. 발포할 겁니다. 5!

테트라 아낙스의 명을 받은 라이칸스로프들의 목소리가 들려온다.

돌판이 깨지고 안에서 봉인되어 있던 검은 책이 나타났다.

팬텀의 마법서.

그것은 검은 영에 오염된 팬텀의 육신 일부였다. 팬텀은 이미 자신의 영혼과 융합하다시피 한 검은 영을 빼내기 위해 자신의 몸 상당수를 절개해 그 안에 검은 영을 담아 방출했고 그것이 말라비틀어져 책의 형상이 되었다.

—4!

카운트다운이 팬텀을 재촉한다.

"그럼……."

빌헬름은 유려한 은색 나이프를 들어 자신의 손바닥을 찔렀다. 핏방울이 튀고 그 핏물이 팬텀의 사법서를 향해 날아들었다. 이런 짓을 하면 빌헬름의 VT가 줄어 쇠약해질 것이다. 물론 그렇게 줄어드는 VT인자 양은 극소수. 그러나 뱀파이어는 VT인자의 손실을 그렇게 쉽게 감내하는 족속이 아니다.

하지만 지금 이 순간 사법의 힘이 없으면 죽는다. 적어도 서린은 그렇게 예지했었다.

라이칸스로프들에게 협력하면 될 걸……. 팬텀이 새로운 테트라 아낙스, 아담카드몬에게 협력한다고 해서 뭐라 할 사람은 아무도 없을 것이다.

—3!

저 에스프리의 잔당을 그에게 건네준다고 한들 에스프리의 리더 아르곤조차 개인적으로 원망은 할지언정 팬텀에게 그 책임을 묻지는 않으리라. 하지만 팬텀은 저들을 넘겨주느니 그의 타락을 막기 위해 빼놓았던 검은 영과 육신을 다시금 몸에 받아들이는 걸 선택했다.

—2!

빌헬름의 피를 마시고 활기를 되찾은 검은 책이 펄럭인다.

종이처럼 보이던 것은 사실 근육 다발이고 살덩이였다. 안에 봉인된 검은 영. 인간들을 단순한 유인원에서 생각하는 존재, 호모 사피엔스로 진화시킨 정보생명체의 파편이 지금이라도 펄펄 날뛴다.

한때 팬텀의 육신이었던 것이 다시 팬텀에게 돌아간다.

"마스터……."

빌헬름은 그 모습을 보고 아랫입술을 깨물었다. 팬텀은 저 사법을 떨쳐낸 것만으로도 기뻐하고 있었다. 마치 가학적인 수용소에서 탈출해 하루하루 감사하면서 살아가는 남태평양의 어부처럼, 매 순간순간을 축복이라고 여기며 살아가고 있었다.

그런 그가 남들을 위해서 기꺼이 다시 자신을 타락의 힘에 집어넣는다. 과연 괜찮을까? 서린은 이 사법의 힘을 되찾지 않으면 여기서 팬텀이 살아날 수 없을 거라고 했지만… 차라리 죽는 것보다 더한 꼴을 보는 게 아닐까?

—1!

"안심해라, 빌헬름."

팬텀은 걱정하는 빌헬름을 보며 사법서에서 자라나는 혈관들이 자신의 몸에 꽂히는 걸 받아들였다.

"선의로 행한 일은 설령 그 후 아무리 꼬인다 하더라도 반드시… 의미가 있게 마련이다."

"그런… 일 따위는……."

빌헬름은 마스터의 신념에 혀를 찼다. 저 믿음에 가장 많은 배신을 당했던 자가 이제 와서 무슨 소리를 한단 말인가?

하지만 더 이상 말을 이어나갈 수가 없었다.

쉬이이이익!

별장의 사방을 에워싼 차량들로부터 미사일과 그레네이드 런처, 박격포탄이 종류를 가리지 않고 날아들었다.

"흠. 저항하는가? 그래야지."

레온은 히죽 웃으며 불길이 치솟고 있는 별장을 바라보았다.

팬텀과 라이칸스로프 여단이 맞붙고 있다. 이곳에는 볼코프 레보스키가 없지만 그렇다고 해도 라이칸스로프의 무장은 압도적이다. 고작해야 약간의 뱀파이어들을 처리하려고 가져온 것 치고는 과잉할 정도로 화력이 좋다.

"자… 몸부림쳐 봐라, 신의 아이들아……."

그렇게 말하는 레온의 입가에 미소가 불길처럼 번져 나갔다.

팬텀의 혈인 능력은 전신 안개화, '크림슨 글로우'.

뱀파이어 전설에서 나오는 능력 중 하나인 만큼 그 효과는 절대적이다. 일반적인 물리 공격을 무시하며 일반적으로 상대방을 유린할 수 있다.

그러나 라이칸스로프 여단은 이미 팬텀의 능력을 알고 있었고 당연히 그에 대한 준비를 철저히 해 왔다.

"액화 질소 준비!"

항공기의 터보팬 엔진처럼 보이는 거대한 원통형 포탑을 장착한 차량이 육중한 몸을 이끌고 팬텀의 별장을 향해 접근하고 있었다. 100미터 내까지 액화 물질을 분사할 수 있는 고압 살수차, 본래는 화염방사차다. 도시를 불태우고 벙커나 방벽 뒤에 숨은 이들을 제거하기에 안성맞춤의 무기지만 고압 탱크가 붙어 있는 만큼 방어에 취약하다. 듀얼 탱크 시스템으로 총이나 RPG—7 등의 로켓으로는 절대 점화하지 않게 만들어져 있지만 그럼에도 불구하고 이 무기를 사용할 수 있는 상황은 이미 제압이 끝난 상황에서 게릴라를 제거할 때 정도다.

이미 제압한 상대를 말살하는 무기.

즉 이것은 비인도적인 무기다.

테트라 아낙스는 통 크게도 이 비인도적이라 대량생산 하기도 힘든 무기를 4대나 보유하고 있었다. 그들은 이 차량에 거대한 액체질소를 연결해서 화염차 대신 급속 냉각차로 바꾸었다.

팬텀이 혈인 능력을 사용하면 반경 수 킬로미터에 달하는 거대한 박무로 변할 수 있었다. 그 안개 안에서 자유자재로 안개 안에 들어온 것들을 베어버리고 상처로부터 피를 빨아내어 죽음에 이르게 하는 게 팬텀의 혈인 능력 운용법이었다.

문제는 이 능력은 냉기나 바람에 취약하다는 것이다. 안개로 감싼 상대만 해칠 수 있으니 광대한 바람이 불면 진행에 방해를 받아 적을 공격할 수 없고, 온도가 너무 낮으면 안개가 결빙하면서 활동성을 잃게 된다. 만약 팬텀이 그 알량한 혈인 능력을 믿고 나왔다가는 순식간에 얼음기둥이 될 것이다.

"뱀파이어들 사이에서 팬텀은 꽤나 인정받는 것 같던데… 어떻게 나올까요."

"어떻게 나오든 상관없지. 우리가 질 리가 없다."

박격포와 미사일이 꽂혀서 별장 건물이 무너지는 걸 보면서 라이칸스로프들의 지휘관들은 부하들을 독려했다.

"크림슨 글로우를 쓴다 하더라도 소용없지. 아예 지하실 전체에 액체질소를 부어서 수영장으로 만들어 버리겠다! 모두 소리를 질러!"

"우아아아아아!"

병사들이 일제히 고함을 지른다.

텅 빈 사막 한복판에 함성 소리가 가득 찼다. 마치 천군만마가 질주하는 고대의 전장처럼, 폭력을 갈망하는 야만성의 외침이 대지를 뒤흔든다. 이 압도적인 화력과 폭력성은 제아무리 진마라 해도 혼자서는 도저히 해결할 길이 없으리라.

그런데 그때였다.

"어욱……."

누군가가 갑자기 구토를 시작했다. 화염방사차를 접근시키던 라이칸스로프 병사들 사이에서 구토 소리가 들려왔다.

"누구냐?"

"젠장, 갑자기 뭐 하는 거야?"

화염방사차를 지키는 보병들이 투덜거리며 주위를 둘러보았다. 그러나 어디에도 토하는 놈은 없었다. 그런데 바닥에 피가 흥건하다.

"어! 너… 뒤에!"

"맙소사 너도 드, 등에!"

그제야 라이칸스로프 병사들은 서로서로를 마주 보았다. 그들의 등에 난 거대한 인간 얼굴 형상의 고름이 피와 내장을 꾸역꾸역 토해내고 있는 것이다.

"이… 이런!"

놀란 라이칸스로프들이 그 거대한 인면창을 손으로 막으려 했지만 소용없이 상처로부터 피와 내장이 쏟아진다. 평소라면 재생력이 있어서 이 정도 상처로는 가렵지도 아프지도 않았을 테지만… 인면창에서는 재생력이 발현되지 않았다.

순식간에 체액의 대부분을 쏟아낸 라이칸스로프 병사들이 쓰러진다.

탕!

그때 샷건을 든 라토바 중사가 대뜸 쓰러지는 라이칸스로프 병사들을 쏘아버렸다.

인면창이 퍽 하고 터지며 상처로부터 밤보다 더 검은 그림자가 스르륵 사라지고… 재생력이 다시 발현된다. 쓰러졌던 라이칸스로프 병사들이 즉시 일어났다.

라토바 중사는 땋아 올린 머리칼에 걸쳐두었던 안경을 콧잔등 위로 내리며 명령을 내렸다.

"자외선 서치라이트 점화! 사법에 조심해라!"

차량의 서치라이트에서 자외선 등이 켜졌다.

그러자 어둠 속에서 형광색으로 번쩍이는 사령들이 보였다.

사법의 힘으로 불러들인 검은 영. 태초의 영보다는 훨씬 하급 영이지만 그 어떤 재생력도 무효화하고 라이칸스로프의 목숨조차 사경을 헤매게 한다.

"이… 이건?"

라이칸스로프 여단의 병사들이 라토바를 돌아보며 기겁했다.

라토바는 계급이 중사에 불과하지만 볼코프의 부관으로서 이런 상황에 대한 적응 능력은 가장 뛰어나다.

"실버재킷을 사용하도록! 법화 은탄환은 먹힐 거다!"

라이칸스로프 병사들은 즉각 탄창을 법화 은탄환, 축성받은 은탄환으로 바꾸었다. 라이칸스로프의 전설에 의하면 라이칸스로프를 죽이는 것은 축성받은 은탄환이 심장에 꽂힐 때다. 그런데 역으로 라이칸스로프 병사들이 법화 은탄환을 쓰다니 이 무슨 아이러니란 말인가?

드르르륵!

하지만 그런 아이러니에 동조해서 있는 은탄환을 안 쓸 라이칸스로프들이 아니다.

법화 은탄환이 폭음과 함께 공기를 찢는 것과 동시에 자외선 라이트를 받아 윤곽선이 드러나 보이는 사령들이 비명을 지른다.

"젠장… 너무 잘 대처하는데요?"

빌헬름은 상황실을 통해서 그 장면을 보고 혀를 차고 있었다.

이 라이칸스로프들은 그냥 초인 병사가 아니다. 테트라 아낙스에 의해서 완전무장 된 테트라 아낙스의 병사들이다. 즉 온갖 마법적 상황에 대응할 수 있는 완전무장을 챙기고 우수한 지휘관과 정보 요원들의 서포트를 받고 있는 부대다. 이런 상황이라면 인간 부대라 해도 위협적이다. 그런데 그게 라이칸스로프들이니…….

빌헬름은 더럭 겁이 났다

서린은 이 상황을 대비해서 팬텀의 마도서를 이곳 모하비사막의 별장으로 옮길 것을 권고했었다.

그렇다는 건 사법을 회복하면 팬텀이 이 위기를 넘길 수 있을 거라는 믿음을 주었다.

하지만 이 정도로 완전무장 한 라이칸스로프 군단이다. 과연 이런 놈들에게 살아서 도망칠 수 있을까?

"마스터, 어떻게 합니까?"

빌헬름이 초조해져서 묻자 빌헬름의 눈치를 보고 있던 다른 뱀파이어들, 멕시코 출신의 불법 이민자 부녀와 바이크 폭주족처럼 생긴 에스프리의 클랜원들, 장발에 나팔바지를 입고 있는 뱀파이어들이 겁에 질렸다.

진마 팬텀의 에스콰이어조차 지금 이 상황을 절망적으로 보고 있다니…….

겁을 집어먹을 수밖에 없다.

"그… 그것들은 악귀입니다. 차라리 그것들에게 죽느니 저희 목숨을 거두어주십시오."

몇몇 에스프리의 뱀파이어는 팬텀에게 자신의 생명을 빨아들일 것을, 완벽한 흡혈로 그들의 생명을 곱게 거두어줄 것을 요구했다.

이것이야말로 뱀파이어들의 자살법이다. 라이칸스로프 여단에 잡혀서 능욕당하다 살해당하느니 팬텀에게 조금이라도 힘을 보태고 그의 VT인자에 자신이 살아왔다는 의미를 더하고 싶다는 이들의 뜻이었다.

그러나 팬텀은 고개를 가로저었다. 그들의 뜻은 충분히 알겠지만 팬텀과 그들의 무덤은 이곳이 아니다.

"아니… 이 정도면 충분하다."

아이보리색 코트를 걸친 팬텀은 거대한 핸드 건, 비스트 더블과 은사들을 챙기고 걸음을 옮겼다.

그가 발걸음을 옮길 때마다 발자국에서 검은 그림자가 비명을 지르며 불씨처럼 피어올랐다 사라진다.

사법의 힘을 되찾은 그가… 저 잔혹한 라이칸스로프 군대에 맞서서 다시금 출진한다.

'이것은 마치 구아르과의 싸움을 연상시키는군. 모두가 나의 승리를 믿지 않으며 나조차 죽음을 각오했다는 점에서. 하하… 수백 년 전의 일이 어제처럼 선명하다니… 늙었다는 뜻인데, 그건.'

팬텀은 한 걸음 한 걸음 내디딜 때마다 갑자기 밀려오는 과거의 기억에 쓴웃음을 지었다. 확실히… 지금 그는 자신의 승리를 확신하지 못하고 있었다. 그러나 여기서 불안한 모습을 보이면 빌헬름이나 다른 이들도 불안하게 여길 테지. 그래서 팬텀은 일부러 패기 당당하게 앞서 나갔다.

그런데 그때였다.

[그대로는 죽을 거야, 팬텀.]

팬텀의 발아래… 피어나는 그림자들 속에서 누군가 익숙한 목소리가 말을 걸어왔다.

갑자기 시간이 늘어나는 듯한 느낌이 들고… 팬텀은 어둠 속에 떨어졌다.

어둠 속에서는 한 인영이 축 늘어진 채로 바닥에 앉아 있었다.

"앙리? 무사했었나?"

팬텀은 문득 저 앞에 있는 것이 앙리 유이라고 본능적으로 느꼈다.

[…….]

그것은 팬텀의 말에 대답하지 않았다.

그러나 그 침묵이야말로 그가 앙리 유이라는 걸 자인한 것이나 다름없다.

"무사하니 무엇보다도 다행이군."

[비웃는 건가? 이게 무사한 것으로 보이나?]

"아담카드몬 아낙스가 다른 이들을 대하는 것을 보면, 그 정도면 충분히 무사한 거라고 할 수 있겠지. 적어도 의식은 있는 것 같으니."

팬텀이 그렇게 답하자 앙리 유이가 장탄식을 했다.

[난 실패했어. 비참한 실패자다.]

"……."

[얼마 전까지만 해도 나는 오만방자했어!]

"설마 그걸 이제야 알았는가?"

팬텀은 자신의 동기를 보고 실소했다.

남들은 진작에 겪었어야 할 성장통을 뒤늦게 겪는 앙리 유이를 보며 팬텀은 손으로 자신의 미간을 찍어 눌렀다. 뭐, 이런 경우 상대는 이미 자신이 뭘 잘못했는지도 알고, 그것을 어떻게 해결해야 하는지 그 솔루션도 알고 있다. 다만 감정이 차올라서 말하지 않고서는 견딜 수 없는 상태이니 들어주는 게 좋다. '그때 이랬어야지' 라는 식으로 과거의 잘못에 대해서 비난하거나, '그러니 앞으로 이렇게 하는 게 좋다' 는 발언을 해봐야 감정만 상할 뿐이다.

그렇지만 듣고 있자니 점입가경이다.

[내가 하고자 하는 바는 모조리 이루어졌고 내 계획은 그대로 맞아 들어갔으니까!]

"……."

[그전부터 알고는 있었겠지만 나는 내가 오만해도 되는, 허락된 존재라고 믿고 있었지. 난 정말 좌절을 모르고 오만방자했거든!]

"정말 자기 비하도 오만방자한 방식으로 하는군."

팬텀은 앙리 유이의 말을 들으며 소감을 말했다.

그러나 앙리 유이는 진실로 이렇게 절망한 적이 없을 정도로 절망하고 있었다.

[온 세상 사람들이… 그 어떤 이들도 내 손바닥 위에서 춤추고 있다고 믿어 의심치 않았다! 너를 제외하면 말이지!]

"그건 네가 날 손바닥 위에 올리고 싶어 하지 않았기 때문이지. 네 마음속의 손바닥 위에 나를 올려놓았다면 나 역시 춤추는 광대로 보였을 테지. 사실 누구도 네 손바닥 위에서 놀지 않았어. 너는 그저 사과가 익어 나무에서 떨어지더라도 그것이 자신의 예측 안에서 놀아났다고 생각하던 철부지였을 뿐이지."

팬텀은 그렇게 말했다. 역시 오랜 친우라서 그런지 너무나 쉽게 앙리 유이의 정신 상태를 꿰뚫어 본다. 문제는 이런 통찰이 지금 상황에 별 도움이 안 된다는 것이었다.

하지만 앙리 유이는 팬텀의 지적을 받아들이고 있었다. 흔치 않은 일이다.

'어디 얼마나 더 버티는지 볼까?'

팬텀은 한 걸음 앞으로 내디뎠다.

"넌 단지 나와 아낙스만 특별 취급 하고 그 후 만나는 새로운 것들에 대해서는 가슴을 열지 않았어. 마음을 열지 않고 머리만으로 재단했기 때문에 모든 것이 네 계획 안에서 도는 것처럼 느껴지고 그래서 더더욱 감동 없는 헛똑똑이가 되었지."
[신랄한 비판이로군. 그래… 그게 맞아.]
팬텀의 비판을 앙리 유이는 거부감 없이 수용했다.
아담카드몬 아낙스 강림이라는 비참한 실패를 겪고 난 뒤여서일까? 예전이라면 제아무리 친우인 팬텀의 말이라 해도 이렇게 귀담아듣지 않았을 것이다. 한 귀로 듣고 한 귀로 흘려보냈겠지.
그러나 침울해져 있는 지금의 앙리 유이는 팬텀의 말을 긍정했다.
"그래서, 내게 왜 말을 걸어왔지? 나는 지금… 라이칸스로프 여단의 공격을 받고 있다. 이런 식의 대화는 시간을 그리 잡아먹지 않겠지만 그래도 내게는 매우 사정이 안 좋은데."
[라이칸스로프 여단인가…….]
앙리 유이는 한숨을 내쉬었다
[미안하군. 내 잘못 때문에.]
"정말… 세상은 오래 살고 볼 일이군."
팬텀은 앙리 유이의 고분고분한 사과를 듣고 깜짝 놀랐다. 마치 8년간 마약에 중독되어 약물 치료소와 감옥을 오가던 탕자가 새사람이 되어 돌아온 것을 본 부모 같은 태도다.
[내가 돕겠다. 널 죽게 할 수는 없지. 그러니 너도 날 도와줘.]
앙리 유이는 팬텀에게 애원했다.
"…앙리, 한 가지 말해둘 게 있는데."

[응?]

"난 그 어떤 교환 조건 없이, 널 도왔을 거야. 그저 도와달라고 한마디 말만 한다면 말이지."

2천 년 전 갈라졌던 두 뱀파이어의 길이 비로소 하나로 합친 것 같다. 물론 그건 이 라이칸스로프 여단에게서 살아날 수 있다면 이야기지만.

과거 뱀파이어들은 라이칸스로프들을 시기했다. 태양을 피해 어둠 속에서 숨어 살아야 하는 뱀파이어들과 달리 일광 아래를 자유롭게 거니는 라이칸스로프들은 각 부족의 챔피언, 위대한 전사가 되어 막대한 지위를 누렸다.

하지만 테트라 아낙스의 등장 이후, 인간의 공포를 극복한 뱀파이어를 라이칸스로프들이 시기하게 되었다. 테트라 아낙스라는 강력한 보호자의 밑에서 번영을 구가하는 뱀파이어들과 달리 라이칸스로프들은 뱀파이어보다 짧은 수명, 그리 쾌적하지 못한 삶을 살아야 했다.

그런 그들의 눈앞에서 뱀파이어들이 귀족인 양 으스대는 꼴은 봐줄 수가 없었다. 휠체어에 탄 노인네의 보호 없이는 살아가지도 못할 것들이 오래 좀 산다고 귀족이니 뭐니 하며 라이칸스로프들을 야만인 취급 했다. 당연히 감정이 상할 만하다.

그래서 모하비사막에 위치한 팬텀의 별장을 흔적도 없이 날려 버리면서 라이칸스로프들은 그 시기심을 보상받았다. 이름 높은 진마 팬텀이 속수무책으로 공격당하고 있었다.

"애초에 이런 사막에 집 짓지 말라고, 등신!"

"에너지 낭비다!"

라이칸스로프들은 사령들이 사라지자 언제 상처를 입었냐는 듯 신나서 화기를 퍼부어대었다. 이미 철골 콘크리트 골조도 남아나지 않은 건물을 향해 값비싼 폭발물들을 날리는 행위도 에너지 낭비긴 하지만… 팬텀과 그 추종자들이 지하에 숨어들어서 몸을 온존하고 있을 게 분명하기 때문에 그들은 가차 없이 공격을 가했다.

"좋아! 각도가 나온다. 화염차! 아니, 액체질소차 준비!"

볼코프의 부관이던 라토바 중사가 작전을 지시했다. 그녀보다 더 나이 많고 군대 경험이 풍부한 병사들이 군말 없이 액체질소를 뿜게 되어 있는 화염방사차를 준비시켰다. 설사 지하에 숨어 있다 하더라도 대형 탱크 8개 분량의 액체질소다. 팬텀과 그 추종자들은 액체질소의 수영장에서 헤엄치는 법을 배워야 할 거다.

~~우우우우우웅~~!

액체질소를 방출하기 위한 포대가 점화 직전의 여객기 엔진처럼 고속으로 회전하기 시작한다. 팬이 돌면서 액체질소가 컴프레서에 압축되기 시작한다. 수십 미터에서 백 미터 이상 뿜기 위해 액체질소를 더욱더 고압으로 압축하는 과정이다.

그런데 바로 그 순간…….

"발은 생각하지 않나 보군."

푹!

밤보다 더 깊은 어둠의 검이 대지에서 솟구쳐 올라 라이칸스로프들을 쑤신다.

"아니?!"

라토바가 놀라는 사이… 사법의 힘이 라이칸스로프들을 유린한다.

그리고 그 검은 검들의 한복판에 새하얀 양복 차림의 남자가 모습을 드러내었다. 진마 팬텀이 라이칸스로프들 한복판에 모습을 드러낸 것이다. 완전무장 한 라이칸스로프들 사이로 나타나다니? 아무리 진마라고 해도 이 정도면 만용이 지나치다!

그러나 팬텀의 옆에 인접한 라이칸스로프들은 제대로 움직이지도 못하고 있었다. 재생력조차 허용하지 않는 사법의 힘이 그들을 찔러 관통시켰기 때문이다. 사법의 힘은 정보. 그중 태초의 검은 영이라 불리는 인간들로서는 불길하고 부정한 존재들의 힘을 사용한다. 하지만 불길하고 부정한 존재라 해도 외령, 신에 가까운 존재다. 그 힘은 순식간에 라이칸스로프들의 육신에, 살에 새로운 정보를 덧씌워 그들의 육신을 오염시킨다.

촤악!

그리고 팬텀의 손에서 은색 강사가 뿌려졌다. 이미 사법에 당해 몸을 제대로 움직이지 못하는 뱀파이어들의 팔다리를 축으로 강사가 펼쳐져 마치 거대한 거미집처럼 변했다.

"장난하냐!"

한세건처럼 도폭선도 아니고… 이놈들은 군인이다. 다들 도검을 가지고 있어서 와이어 톱 정도에 갈릴 바보가 아니다.

하지만 라이칸스로프가 강선에 접촉한 순간이었다. 그 강사를 따라 사법령이 전파된다. 자외선 라이트 밑에서 검은 톱니 같은 것이 강사를 따라 빠르게 움직인다. 그게 라이칸스로프들의 몸으로 빨려 들어가자 라이칸스로프들의 몸이 마치 꼭두각시 인형처럼 홱 돌아서며 방금 전까지 동료였던 다른 라이칸스로프들에게 총격을 퍼부어댔다.

"쏴! 쏴라!"

두두두두두!

총구가 불을 뿜는다. 법화 은탄환들이 팬텀을 향해 날아든다. 하지만 팬텀은 강사와 사령에 묶인 라이칸스로프들을 조종해 그들의 몸으로 총탄을 막고 액체질소차에 강사를 뿌렸다.

"이런 젠장!"

라토바는 팬텀의 의도를 깨닫고 혀를 찼다.

쿠아아아아앙!

펌프가 작동하며 거센 액체질소가 뿜어져 나왔다.

팬텀의 저택을 향해 맞춰져 있던 액체질소차의 포대가 회전하며 표적이 라이칸스로프 여단으로 바뀌었다.

"끄아아아악!"

"아아아악!"

탁한 액체의 탁류가 라이칸스로프를 덮친다. 그 순간 라이칸스로프들이 얼어붙는다. 재생력이고 뭐고 없이 체액 자체가 동결되어서 그대로 굳어버린다. 모하비사막의 모래와 바위들 사이로 액체질소가 쏟아지는데 마치 범람하는 강물처럼 모래밭

위를 휩쓸며 라이칸스로프를 덮친다.

"마… 막아!"

라이칸스로프 여단의 다른 라이칸스로프들도 팬텀의 의도를 알아채고 팬텀에게 접근하려 했다.

그러나 그 순간 팬텀의 손이 움직였다.

퍼엉…….

폭음과 함께 접근하던 라이칸스로프의 몸이 통째로 날아가 버린다. 비스트 더블, 그야말로 변태적인 집착 없이는 만들 수 없는 거대한 화약 무기가 불을 뿜었다. 이 묵직한 쇠뭉치 리볼버는 탄을 쏘아낸다는 느낌보다는 폭발을 미숙하게나마 제어해서 내가 원하는 부위를 파괴한다는 느낌에 가깝다. 조준 사격에 별 기대를 할 수 없는 대신 그 위력은 그야말로 절륜. 총에 명중당한 라이칸스로프가 발목만 남기고 녹아 없어질 지경이었다.

"으아아아악!"

"제기랄!"

라이칸스로프들이 총격을 가하지만 팬텀은 안개로 변해 총격을 피하고 손가락을 튕겼다.

한 가닥 강사가 라이칸스로프들에게 날아간다.

"흥!"

라이칸스로프 군인이 가볍게 나이프로 강사를 잘라냈다.

자외선 라이트 덕분에 사법령이 실려 있지 않은 걸 파악할 수 있었다.

"액체질소에 얼어붙은 동료를 빼서 녹여! 우린 라이칸스로프다! 그냥 얼어붙는 정도로는 죽지 않아!"

라토바가 팬텀의 기습에 당황하는 병사들을 추슬렀다.

하지만 그때였다.

투칵!

지면에서 또 사법령이 검처럼 변해 라이칸스로프들을 강타한다.

끼에에에엑!

사령들이 비명을 지르는 소리가 고막을 찢고 눈과 코, 입에서 피가 흐르게 했다. 라토바조차 그 비명을 듣고 코피를 쏟았다.

팬텀은 반은 인간, 반은 안개로 변한 채로 액체질소차를 지키며 대응한다. 분노한 다른 액체질소 차량이 팬텀을 잡기 위해 다가오고 있었지만… 사방 포위를 위한 지원화기라는 개념으로 액체질소 차량을 운용한 게 화근이었다. 다른 차가 팬텀에게 액체질소를 분사할 만큼 다가오려면 시간이 걸린다.

텅!

팬텀은 한 손으로 비스트 더블을 발사하고 다른 한 손으로 액체질소 차량을 조작해 상황을 완전히 지배하고 있었다.

이 상황은 정말 팬텀에게 유리하다. 이제 라이칸스로프 여단은 손도 발도 못 쓰고 이렇게 팬텀에게 질질 끌려다녀야 하는 걸까?

그럴 리가 없다. 이 정도로 끝날 라이칸스로프 여단이라면 공포의 대상으로 취급받지도 못했을 것이다.

투확!

갑자기 액체질소 차량의 포대가 깔끔하게 수직으로 쪼개지며… 안의 액체질소가 사방팔방으로 뿜어졌다. 팬텀조차 피하지 못하고 그 액체의 일부를 맞았다. 그것만으로 안개로 변한 팬텀의 모습이 흔들리고 일부는 원래대로 돌아왔다.

"역시 안 써보던 무기에 너무 의존하면 안 돼."

액체질소차를 간단하게 쪼개 버린 이는 금발에 가느다란 눈을 가진 젊은 남자였다. 레온 시마노프 중위. 그렇게 알려져 있는 인물이다.

하지만 팬텀은 그를 본 순간 흠칫 놀랐다.

"당… 신은?"

"하!"

레온 시마노프의 눈이 일그러졌다.

그 순간 사방팔방에서 사법령이 질주한다. 팬텀은 안개로 몸을 분리해 두고 그 안개로부터 사법령을 발출하는 기상천외한 방법으로 사법령을 적에게 퍼부어대었다.

하지만 레온 시마노프가 왼손을 뻗었다.

"오너라, 검은 영이여!"

그 순간 이변이 일어났다. 팬텀이 방출한 사법령들이 레온 시마노프의 손아귀 안으로 빨려 들어간다. 마치 욕조의 마개를 빼서 만들어진 소용돌이로 모든 물이 결국 빨려 나가듯… 어떤 방향에서도 사령들이 빨려 들어온다. 그것만이 아니다. 팬텀의 사법령으로 자유를 구속당한 라이칸스로프들의 몸에서도 사령들이 빨려와 레온의 손아귀에 모였다.

"…무슨?!"

라토바 중사도 그 모습을 보고 경악했다.

철컥!

팬텀은 자신의 사법령을 간단히 차단하는 레온에게도 놀라지 않고 침착하게 비스트 더블을 겨누었다.

"드래곤 슬레이어인 성 조지의 유해를 가지고 있나? 재미있군. 그럼… 드래곤을 상대로는 얼마나 잘 싸우는지 볼까?"

레온은 히죽 웃으며 액체질소차에서 뛰어내리며 팬텀에게 일직선으로 날아들었다. 팬텀의 비스트 더블이 불을 뿜는 것과 동시에 레온 시마노프의 양손이 앞으로 뻗어 나왔다. 어둠보다 더 검은… 그러나 자외선 라이트에 비쳐지면 보랏빛으로 보이는 검은 실선이 뻗어나가고… 팬텀의 머리, 다리, 팔이 토막 나서 날렸다.

그리고 안개를 따라 검은 충격이 확산되면서 안개로 변한 팬텀의 몸 전체를 강타했다.

물론 비스트 더블도 레온의 몸통을 날려 버리는 중상을 입혔다. 하지만 레온 시마노프 중위는 아무렇지도 않게 서 있었다. 몸통에 구멍 난 정도가 아니라 몸통이 아예 없어졌다. 그럼에도 불구하고 레온 시마노프의 머리는 원래 있어야 할 높이에 아무런 지지도 없이 둥둥 떠 있다. 재생력이 강하면 종종 피가 중력을 역행해 몸으로 빨려 들어 올라간다. 잘린 팔다리가 땅을 스륵스륵 미끄러지며 몰려와 재생하는 경우도 있었다.

그러나 저렇게 머리가 허공에 떠다니다니? 마치 거울 옷을 입은 광대가 착시현상으로 관객들을 즐겁게 하는 것 같다.

물론 보고 있는 라토바는 전혀 즐겁지 않다. 속이 메슥거린다. 뭐라고 형언할 수 없는 불쾌감이 목덜미를 파고든 전갈처럼 척추를 따라 기어 다닌다.

불쾌감을 느끼고 있는 라토바와 달리 레온은 폭소를 터뜨렸다.

"하하하하! 이거 참 훌륭하군! 성물도 함정이었나?"

"……."

라토바는 조심스럽게 앞으로 걸어 나갔다.

설마 지금 저 한 번의 접전으로 진마 팬텀이 죽었단 말인가?

하지만 확실히 방금 전까지 존재하던 팬텀의 기백이 흔적도 없이 사라져 버렸다. 그리고 레온의 저 부상… 분명히 이쪽의 승리다.

그런데 레온의 표정이 일그러진다.

"정말 재미있군."

"음……."

그제야 라토바는 떨어진 안개들 사이에서 꾸물거리는 뭔가를 발견했다. 그것은 애완동물 먹이로 흔히 쓰는 밀웜, 딱정벌레 애벌레였다. 한눈에 보아도 이 애벌레는 죽어가고 있었다.

"대단하군. 앙리 유이, 팬텀… 재밌는 친구들이야."

레온 시마노프의 상처는 어느새 완전히 재생되어 있었다. 그는 바닥에 떨어진 비스트 더블을 집어 들고 주위를 둘러보았다.

팬텀의 몸이었던 것은 죽은 벌레가 되어 여기저기 흩어져 있었다.

"이건……."

"아, 라토바! 아담카드몬 아낙스에게 연락해 줘. 진마 팬텀과 그 일당은 놓쳤다고. 저택에 가도 잡을 수 없을걸? 이미 아무도 없을 거야."

"…네. 이 벌레에 대해서는 뭐라고 할까요?"

벌레를 매개로 팬텀의 능력을 빌려 팬텀의 의사를 투사시킨 의사체를 만든 것일까? 그렇다면 이것은 앙리 유이와 팬텀이 힘을 합쳤다는 뜻. 이걸 상부에 보고해도 될까?

"아담카드몬 아낙스의 정신 상태를 생각하면 앙리 유이 이야기는 빼는 게 좋겠군. 그냥 우리가 무능해서 놓친 걸로 하지. 아, 내 이야기도 하지 말아줬으면 좋겠어. 대신 이걸 주지. 뭐, 이것만으로도 공이 될 거야."

레온 시마노프는 그렇게 말하고 비스트 더블을 건네주었다. 라토바가 그걸 받아 들자 레온 중위는 라토바의 손을 자신의 손으로 덮고 실눈으로 헤헤 웃어 보였다. 평상시에도 이 작자는 종종 여성들에게 과도한 농을 걸어왔지만… 오늘처럼 혐오스럽고 불쾌하진 않았다.

라토바가 흠칫 놀라며 그의 손아귀에서 자신의 손을 빼내자 레온은 흥미를 잃었는지 미소를 거두고 몸을 돌렸다.

"무능해서 놓쳤다라……."

라토바는 그 말을 곱씹으며 레온 시마노프 중위를 바라보았다.

앙리 유이가 마련한 벌레의 몸을 빌려 의식 투사를 시행했던 팬텀의 몸이 움찔거린다.

다른 이의 혈인 능력을 통해 자신의 의식을 투사하고, 그 몸으로 마법을 쓰고 혈인 능력을 사용한 대가는 매우 컸다.

하지만 팬텀은 그렇게 하지 않으면 살아남지 못하리라는 걸 알고 있었다. 팬텀이 사법을 되찾지 못하면 죽을 거라는 서린의 예언, 그것은 팬텀이 사법을 되찾음으로써 앙리 유이와의 정신적 링크를 되찾고 앙리 유이와 팬텀이 힘을 합침으로써 이 상황에서 일단 살아 도주할 수 있다는 뜻이었다.

"일단 도망치고 있긴 합니다만, 괜찮을까요? 추격자들이 오면 끝장인데요? 괜찮은 걸까요?"

빌헬름이 운전석에 앉아서 랜드로버의 레인지로버 오프로드 사양 차량을 몰고 있다.

그 운전석에서 바라보는 창밖은 암담하다. 사막에 별빛이 쏟아지고 있었다. 텅 빈 별빛의 바다로 달리는 기분은 꽤 낭만적일지도 모른다. 등 뒤에 무시무시한 화력을 갖춘 짐승들의 군대가 쫓아오지 않는다면 말이다.

"안심해. 일단 후미는 차단해 두었다."

팬텀은 그리 말하고 혀를 찼다. 앙리 유이는 테트라 아낙스의 오라클 시스템과 비슷하게 아웃레이지에 감염되거나 그로 인해 발생한 변형 VT인자들에 대해서 통합 제어 능력을 갖추고 있었다. 그야말로 막대한 신성력이다. 신조차 만들어낼 수 있는 힘.

물론 당연히 그 대부분은 아담카드몬 아낙스를 만드는 데 써버렸다. 그래도 그 외에도 상당수의 힘이 남아 있는지 앙리 유이는 강력한 인식 장애술을 펼쳐서 라이칸스로프 여단의 의식을 돌렸다. 적어도 오늘 밤, 그들은 안전하게 도망칠 수 있을 것이다.

"하지만… 어쩌지요?"

에스프리의 생존자들은 겁에 질려 몸을 떨었다.

진마 팬텀조차 탈출하는 게 고작이다. 상당히 강력한 마법과 혈인 능력을 사용한 반동으로 팬텀은 고통스러워하고 있었다. 뱀파이어 사회에서 그가 받는 평가는 거의 최상급. 그런 그가 고작 포위망을 돌파하고 도망치는 것만으로 치른 희생이 어마어마하다.

물론 마법에 대해 잘 알고 있는 이들이라면 남의 혈인 능력에 자신의 혈인 능력을 융합시킨다는 게 얼마나 위험한 일인지 알 수 있으리라. 그러나 에스프리에는 마법에 조예가 깊은 사람이 없으니 당연히 보고 두려울 수밖에.

"…일단은 피신한다. 그리고 아담카드몬 아낙스를 숙청하지."

팬텀은 몸을 떨면서도 단호하게 말했다.

2

아담카드몬 아낙스의 등장은 당연히 마법사들에게 있어서 최악의 사태였다.

생명의 비밀, 그 근본에 도달해 있는 아담카드몬에겐 한 가지 몹쓸 성질이 있었는데 바로 아인소프 오올이다.

물론 엄밀히 말해서 그것이 나쁘다고 할 수 있는 건 아니다. 인류도 보이저호에 문명의 정보를 담아 쏘아 보내지 않았나. 그것만이 아니다. 저 멀리 언제 닿을지도 모르는 미지의 방향을 향해 대형 레이더로 전파를 쏘아 보내고 있다.

'문명을 전달하고 싶다. 다른 문명과 교류하고 싶다.'

'이 거대한 우주에 홀로 존재하는 신의 독생자가 아니라 사람의 아들로서 교감하고 싶다.'

이런 욕망이야말로 인간의 본성인 것이다. 아인소프 오올은 그 욕망과, 인간의 본성과 닮아 있었다.

문제는 그것이 발동되면 그것만으로 현생인류에게 재앙이 될 것이라는 것이다. 아인소프 오올은 강력한 정보이며 그 정보야말로 신성(神性)이다.

아인소프 오올이 발동되면 신성한 파동, 그것이 우주 전역으로 퍼지면서 강력한 정보생명체들이 태어나게 된다. 태초의 영이라 불리는 정보생명체들, 신이라 할 수 있는 존재들이 바로 그것이다. 아인소프 오올에 의해 태어난 외령들은 문명이 번성할 수 있는 곳에서 문명을 일굴 종족의 진화를 촉진시킨다. 그 외령들에 의해 사유의 힘, 정보를 생산할 수 있는 힘을 가지게 된 인간들의 문명 속에서 설화와 신화가 만들어지고 그 정보로부터 악마와 천사가 태어난다. 주술, 민간신앙, 괴담, 징크스… 인간의 영성이 만들어낸 정보, 곧 신성력 속에서 모든 것이 태어난다.

그렇게 하여 성숙해진 문명의 정보를 모아 다시 아인소프 오올을 발동시키는 것이 아담카드몬. 이는 곧 알파요 오메가다.

그것이 현생인류에 닿게 되면?

현생인류 역시 변화한다. 사실상 인류의 종말, 그리고 새로운 진화의 시작이라고 할 수 있었다.

당연히 아무도 자신들이 자의가 아닌 타의에 의해서 변화하길 원하지 않는다.

현생인류의 몰살.

새로운 인류로 변화해서 살아남는 이들이 있겠지만 그때는 이미 인류가 지금의 모습을 유지하지 못할 것이다.

역설적인 일이다. 모든 마법사는 아담카드몬이 가지는 무한의 힘을 가지고 싶어 하면서도 아담카드몬이 아인소프 오올을 발동하는 걸 원하지는 않았다.

그래서 그들은 실베스테르가 조력을 요청했을 때 응하기로 했다.

그러나 누가 어떻게 돕는단 말인가? 앙리 유이는 사법사들의 집단 네크로폴리스의 수장. 테트라 아낙스를 제외하고서는 가장 강력한 마법사 중 하나였다. 그 마법사가 속수무책으로 당할 정도면 솔직히 다른 마법사들은 별 도움이 안 된다. 이미 VT인자라는 강력한 저주에 걸려 있는 뱀파이어들을 인간 마법사가 해코지한다는 건 사실상 어려운 일이고 대부분의 마법사도 결국 뱀파이어 헌터라는 물리력에 의존할 수밖에 없다. 마법보다 총화기나 도검이 훨씬 빠르고 효과적인 것이다.

그러나 총화기와 도검이라면, 지금 테트라 아낙스에게는 물리적 폭력에는 이골이 난 라이칸스로프 여단이 붙어 있다. 볼코프 레보스키 준장이 이끄는 라이칸스로프 여단은 베오울프와 함께 어둠의 세계 제일의 무력 집단 중 하나다. 그냥도 위험한 집단인데 거기에 테트라 아낙스의 지원이 더해지니 그야말로 범에 날개를 단 격이다. 정상적인 법치국가에서 허락되지 않는 각종 중화기를 펑펑 써대는 라이칸스로프 군대를 누가 상대할 수 있을 것인가?

마법사들은 실베스테르에게 지원을 약속했지만 실질적으로 해줄 수 있는 게 거의 없는 실정이었다.

몰타의 수도 발레타에 위치한 유명 관광지, 세인트 엘모 요새로 향하는 산책로가 차도와 만나는 광장에는 노상 카페가 마련되어 있었다. 지중해의 따사로운 햇살과 바람을 맞으며 여유를 즐기기 좋은 곳, 이라고 하지만 솔직히 한국인 입장에서는 그다지 와닿지 않는다. 유럽 대부분이 사실 한국보다 위도가 높다. 한국은 위도에 비해서 겨울에 지나치게 춥고 여름에 지나치게 덥다. 일조량 면에서 보면 이탈리아 반도보다 아래쪽에 있는 몰타도 뭐 그냥저냥… 제주도 같은 느낌? 하지만 기후는 제주도보다도 더 따뜻하다.

"음… 지중해성 기후의 차이가 이런 건가. 아, 진짜 여기 제주도랑 위도가 비슷하네?"

한세건은 휴대폰을 만지작거리며 투덜거렸다.

그때 점원이 걸어와 꽤 비싼 값을 치르고 주문한 그레이프 프루츠 에이드를 탁자 위에 놓았다.

영 부실해 보이는 모습이다. 하지만 이게 6유로로, 봉사료는 따로 붙는다. 상당히 비싼 가격이다.

정말 이 가격만큼의 가치가 있을까?

한세건은 그 음료를 한번 맛보고 혀를 찼다. 음식 맛 가지고 뭐라고 하는 성격은 아닌데… 가격 생각하니 칼 안 든 강도들에게 당한 기분이 들었다.

'…포카리스X트에 레몬 파우더 뿌린 느낌인데. 서현 같은 놈은 보나 마나 맛있다고 하겠지만 내 입맛엔 영 아니군.'

뭐 어쨌거나 중요한 건 그게 아니다. 지금 그는 관광객이 아니니까.

한세건은 힐끔 옆자리를 바라보았다.

실베스테르는 여전히 튀는 긴 은발에 성직자의 복장을 그대로 갖춘 채 다리를 꼬고 앉아 있으며 그의 맞은편에는 몰타기사단이라고도 불리는 성요한 기사단의 표식, 붉은 십자가를 새긴 양복 차림의 남자가 앉아 있었다. 장미십자회의 일원이며 성요한 기사단의 일원이기도 한 남자, 마법사다.

실베스테르는 마법사들, 헌터들의 협력을 받아야 한다고 주장했고 한세건 역시 그에 동의했다. 뱀파이어와 라이칸스로프들의 힘만으로는 어쩐지 미덥지 못하다. 그게 아니더라도 한세건은 인간의 힘에 의존하고 싶었다. 또한 실베스테르는 어떤 확신을 가지고… 몰타로 가면 반드시 아담카드몬 아낙스에 대항할 또 다른 무기를 얻을 수 있을 거라고 말하고 있었다.

그런 실베스테르의 요청에 의해 십자회에서 파견된 이 남자는 마법사나 성기사의 스테레오타입에서 많이 벗어난 모습을 하고 있었다.

'슈퍼 마리오?'

한세건은 배불뚝이 정복 차림의 남자가 연신 수다스럽게 떠드는 걸 보며 혀를 찼다. 차라리 스테레오그램에 부합되는 진중하고 신비로운 인물이면 좋았을 걸 그랬다.

몰타 십자군 기사단은 유서 깊은 요한 성기사단의 후예이며 교황청의 수호자다. 하지만 그 대부분은 마법과 관계없는 일반 공직자이며 교황청은 이미 일반적인 기적을 인정하지 않는다. 정말 기적이 발생한다면 교황청의 이단 심문관들이 모여 기적인지 아닌지 심사하게 되어 있지만 파티마의 성모 이래로 기적 심사를 통과한 것은 단 한 건도 없었다. 아니, 파티마의 성모도 지금에 와서 심사를 받으면 통과하지 못할 것이다. 즉 교황청 자체는 이미 마법과 거리가 먼 조직이 되었다는 것이다.

그러나 그럼에도 불구하고 이곳에는 마법사들이 있다. 문제는 그런 마법사들과의 교섭이 영 신통치 않았던 것이다.

"현재로서 저희들은 최대한의 조력을 하긴 하겠습니다만… 그 최대한의 조력이라고 해봐야……."

슈퍼 마리오 같은 남자가 그렇게 말하면서 길 가는 여행객들을 대놓고 바라보고 있다. 한세건이 그의 시선을 쫓아가 보니 조금 헐벗은 탱크톱 차림의 곱슬머리 여성이 조깅을 하고 있었다.

"……."

대단하다. 이런 상황에서 저런 걸 보고 있다니. 교황청 성기사라는 양반이……. 아니, 뭐 이 경우 성기사라는 건 게임으로 인해서 퍼진 스테레오타입이 있는 거지 몰타기사단에게는 적용되지 않는 거긴 하다. 그러나 아담카드몬 아낙스가 출몰한 이후에도 이렇게 일상을 영위할 수 있다니. 신경이 무슨 고래 심줄로 되어 있나?

한세건은 새삼스럽게 라틴 남성의 정열에 감탄했다. 솔직히 아담카드몬 아낙스가 출몰한 이래 한세건은 뭐가 먹어지질 않아서 고역이었다. 이제 와서 스트레스에 시달려 뭐를 먹지 못하는 것도 우습지만 아담카드몬 아낙스의 존재는 정말 한세건에게 충격을 주었다.

뱀파이어와 타협하지 않겠다. 그놈들에게 인간을 잡아먹는다는 것의 비용을 치르게 하겠다!

한세건은 그 신념 하나로 금욕적으로 매진해 왔다.

그러나 아담카드몬 아낙스라는 적이 출몰하면서 그런 방식으로는 아무것도 해결할 수 없게 되었다. 눈에 보이는 뱀파이어를 족족 죽이는 정도로는 아무것도 되지 않는다. 이런 상황에서 예전 방식을 고수한다는 건 아담카드몬 아낙스에게 승리를 헌납하고 자신은 죽는, 자살행위였다.

물론 그렇게 하는 방법도 있겠지. 뱀파이어든 라이칸스로프든 인간이든 다 엿 먹으라고 판을 뒤엎듯 던질 수도 있겠다. 정신경 쓰고 싶다면 뱀파이어 놈들이 비용을 부담해라! 그렇게 하고 판을 뒤엎어 버리는 건 지금도 유혹적이다.

한세건이 내포하고 있는 자기 파괴의 욕망, 타나토스는 너무 강력해서 매 순간순간 충동을 불러일으킨다.

그러나 자살을 할 거면 진작 했어야 했다.

'아, 이건 서현 그놈의 말인가?'

한세건은 서현을 떠올리고 혀를 찼다. 녀석은 대체 자신에 대해서 뭘 안다고 그런 오지랖을 떨어대는지 모르겠다.

그러나 생각해 보면 서현 그놈이 한세건보다 훨씬 더 심했다. 사람에게 다가온 불행을 정당화할 수는 없지만 서현이 한세건보다 훨씬 더 심각한 상황에 처했었다는 것은 한세건 자신도 인정할 수밖에 없는 일이었다.

'승리해야 해. 자살할 거면 진작 자살했어야 했다.'

생각해 보면 한세건은 자신의 몸과 영혼이 부서지고 인외의 괴물로 변할 때 이미 죽음을 각오했었다.

그날 실베스테르와 김성희는 그를 죽이지 않고 살려두었다. 마음의 상처는 더욱더 깊어지는데 죽이지 않고 몸만 살려두었다. 그리고 테트라 아낙스와의 싸움에서 서린 역시 한세건을 죽이지 않았다.

이 녀석들은 대체 나에게 뭘 바라는 건가?

이 분노가 풍화되어 언젠가 사라지길 바라는 건가?

'모르겠어. 모르겠다.'

한세건은 객관적으로도 주관적으로도 영특하다. 그의 뛰어난 지능과 감수성은 뱀파이어 헌터로서 그를 살아남게 한 최고의 자산이었다.

그렇지만 그 지능과 감수성을 총동원해도 서린이나 실베스테르가 무엇을 기대하고 그를 죽지 못하게 했는지 모르겠다.

'지금 내가 아는 건 아담카드몬 아낙스가 원하는 대로 설치게 내버려 둘 수는 없다는 것. 그것을 막기 위해서라면 모든 지혜, 모든 조력을 쥐어짜야 한다.'

뱀파이어들에게 재앙을 안겨주는 것만을 우선시하던 한세건이 아니다.

얄궂게도 이런 최악의 상황이기 때문에 한세건은 자신을 둘러싸고 있던 아집을 아주 약간이나마 벗을 수 있었다.

'그러나 어떻게? 아니, 그것보다 이 귀한 시간에 실베스테르는 어떤 확신을 가지고 이들과 접촉하는 걸까? 뭘 얻기 위해서?'

한세건은 그런 의문을 품고 실베스테르가 일을 진행하는 것을 지켜보았다.

"13사도회의 원장을 만나고 싶은데."

실베스테르는 대뜸 그렇게 말했다.

13사도회의 원장은 교황청 내 비밀결사의 수장이기도 하다. 상당히 높은 지위에 있는 인물을 건방지게도 파문 신부가 자기 집 개 부르듯 부른다.

"…아, 그게… 마침……."

남자가 당황할 때였다.

뚜벅뚜벅…….

포석이 깔린 길 위로 누군가가 걸어왔다. 그는 한세건과 실베스테르가 앉아 있는 테이블 앞으로 다가오더니 직각으로 좌향좌, 구둣발로 포석 위를 긁으며 몸을 돌렸다.

"…제가 13사도회의 원장입니다."

"주… 주교님?!"

마리오로 보이는 배불뚝이 라틴 남자가 기겁했다.

원래 그가 실베스테르를 심사하고 그다음에 상급자를, 그보다 더 상급자를 만나야 했다. 차례차례 심사를 거쳐야 하는데 그 절차를 13사도회 원장이 직접 파괴한 것이다.

교황청은 마법이나 이능, 이적을 공식적으로 잘 인정하지 않는다. 그러나 교황청의 역사 자체는 오래되었고 과거에는 무수한 이적, 마법, 기적과 관련이 있었다. 그것을 따로 떼어서 관리하는 번외 사도들, 예수 그리스도의 직전(直傳) 제자 12지파가 아니라 번외의 사도들이 모여서 만들어진 이적 전문 마법 결사가 바로 13사도회다.

그 13사도회의 원장은… 남자임에도 불구하고 보브커트를 한 70년대 프랑스 영화에 나올 것 같은 용모를 하고 있었다. 어째 익숙한 모습이다?

"……."

한세건은 테이블에서 일어났다.

한세건의 눈이 망가지지 않았다면, 지금 저건 아무리 봐도 앙리 유이다.

진마 앙리 유이!

이번 일을 벌인 장본인, 아웃레이지를 만들고 인간의 영혼을 착취해서 아담카드몬을 강제로 강림시킨 장본인이 로마교황청 13사도 위원회로 나타나다니?

그러고 보면 이놈의 헤어스타일, 어째 시대착오적이다 싶었는데 저 머리 위에 성직자용 모자를 씌우면 프란체스코 수사회풍의 헤어스타일이 된다. 하얀 바탕에 붉은색 케이프를 두른 주교복을 입고 있으니 그냥 젊은 성직자로 보인다.

"네놈이 설마 성직자였냐?!"

"아니, 저기 관광객도 많으니까 조요오용……."

"이 미친……."

한세건은 총과 도검을 끄집어내려다가 참았다. 여기는 관광객들이 드글거리는 세인트 엘모 요새 앞이다. 이런 곳에서 총격전을 벌일 수는 없지.

놀라는 한세건과 달리 실베스테르는 왠지 알고 있었던 것 같다.

"자, 그럼 자세한 이야기를 들어볼까? 그 몸은 본체인가?"

실베스테르가 앙리 유이에게 물어보자 앙리 유이는 고개를 가로저었다.

"13사도회의 업무를 위해서 따로 떼어놓은 분신일 뿐입니다. 이렇게 말이지요."

앙리 유이가 손바닥을 들어 보이자 그의 손바닥 중심에서 구더기들이 꼬물꼬물 움직이다가 다시 앙리 유이의 몸으로 돌아갔다. 아마도 벌레를 모아서 만든 분신인 것 같다.

'아… 살충제가 있으면 뿌려보고 싶다.'

한세건은 그 모습을 보고 강한 충동을 느꼈다. 그러나 불행하게도 현재 그는 살충제를 가지고 다니지 않는다.

"의사는 확실히 앙리 유이의 것이고?"

실베스테르는 만약을 위해 재차 확인했다.

"네, 물론입니다."

앙리 유이는 만면의 미소를 머금고 푸근한 성직자를 연기하고 있었다. 시대착오적 헤어스타일을 고수한다 했었는데 주교 복장을 하고 있으니 제법 어울린다. 아니, 어울리는 정도가 아니다.

'이런 신분이었기 때문에 그런 모습을 하고 다녔었구나. 괜찮은가, 메이저 종교?'

한세건은 앙리 유이의 모습을 보고 걱정했다.

"이번 일을 실패해서 꽤 낙담하고 있을 줄 알았는데 멀쩡하군. 대단한 정신력이야. 나 같으면 부끄러워서 콧구멍에 딜도 꽂고 자살했을 것 같은데."

"…네?"

실베스테르의 말이 너무나 파격적이라 앙리 유이가 당황했다.

"그만큼 지금 당신 꼬라지가 웃긴다는 뜻이지. 하지만 뭐 자살하지 않고 이렇게 나와주어서 다행이군."

"그럼 여기서는 이야기하기 힘들 테니 자리를 옮겨볼까요?"

앙리 유이가 그렇게 말하자 한세건이 흠칫 놀랐다.

일단 이 녀석이 여기에 있는 것만으로도 싫다. 본능적으로 혐오감이 느껴져서 견딜 수가 없다. 그런데 이 녀석이 가자는 데로 가자고? 세상에… 그런 멍청한 짓을 해야 하나?

실베스테르도 앙리 유이의 말을 듣고 코웃음 쳤다.

"이 자리에서 하지. 뭔가 도움 될 것도 없을 것 같은데? 아, 혹시 그건가? 관광객들 앞에서 콧구멍에 딜도 박고 죽는 모습을 보여주기 그래서?"

실베스테르가 빈정거릴 바로 그때였다.

"주교님에게 말이 지나치군. 파문당한 놈 주제에……."

싸늘한 목소리가 실베스테르의 뒤에서 들려왔다.

에밀 카이히, 아퀴나스의 검이라 불리는 13사도회 소속 이단 사냥꾼이다.

"뭔가 착각하고 있는 것 같은데 나는 파문을 직접적으로 당한 적은 없어. 내가 이 이름을 받았을 때 이미 파문당했을 뿐이지."

실베스테르는 그리 대답하고 돌아보았다.

에밀 카이히의 연금술로 만들어진 의안이 금색으로 타오른다. 주위에 관광객이 있든 없든 상관없이 바로 칠 기세다.

하지만 에밀 카이히, 아퀴나스의 검이라 이름 붙여진 이 이단 심문관도 현재는 무기가 없다. 대신 들고 있는 건 길거리 예능인들이 쓸 법한, 들고 다니는 충전식 블루투스 스피커와 헬륨 봄베다. 관광지에서 사람들에게 풍선을 만들어주고 있었나 보다. 그런 주제에 스피커에서 나오는 음악은 바흐의 마태수난곡이니 전혀 어울리지 않는다. 싸구려 스피커가 풍부한 음량을 표현하지 못하고 째지는 소리를 내는 게 곧이라도 찢어질 것 같다.

아퀴나스의 검, 에밀 카이히가 예수의 12제자 중 한 명인 마태오의 직계 후손이라는 소문이 있다. 만약 그게 사실이라면 이건 뭔가? 마태수난곡은 마태복음에 기록된 예수 그리스도의 수난을 묘사한 곡인데… 자신이 마태오의 후손인 게 자랑스러워 이런 걸 상시 달고 다니는 건가?

'무표정해서 알아보기 힘들지만 혹시 이거 개그라고 하는 건가? 길거리 예능인?'

한세건이 그렇게 의문을 품을 정도였다.

그러나 에밀 카이히 자체는 도저히 농담이 통할 것 같지 않은 인물이다. 특히 인간 같지 않은 무기질의 눈빛이 신경 쓰인다. 저 눈은 현자의 돌을 만들기 위해 만들어진 여러 시제품 중 하나를 의안으로 바꾸어 꽂아 넣은 것이다. 그 결과 에밀 카이히는 신체 내에 계속 마력을 공급받아 그것으로 신체 능력을 활성화시키는 마인이 되었다.

그렇다고 해도 헬륨 풍선으로 실베스테르를 해치진 못할 텐데? 차라리 헬륨 봄베를 들고 휘두르면 좀 위협적이겠는데 풍선을 마치 칼이나 곤봉이라도 되는 양 잡고 있는 모습을 보면 정신이 아득해지는 기분이다.

"자, 그만하십시오, 에밀 카이히."

앙리 유이가 쓴웃음을 지으며 그렇게 말했다. 사법사이면서 13사도회의 원장 주교 자리를 꿰찬 그는 예전 같았으면 이런 상황을 즐겼을 것이다. 오만방자한 성품을 가진 앙리 유이는 이 세인트 엘모 요새에서 관광객과 사람들 모두가 일제히 몰살당하든 말든 전혀 신경 쓰지 않을 것이다. 되레 신경 쓰는 건 자신의 허영심과 명예. 그런 그가 이런 도발을 받고도 반격하지 않는 건 이 자리에 있는 게 벌레로 이뤄진 그의 분신이기 때문일까? 아니면 정말 아담카드몬 아낙스를 소환한 실패를 통해 오만의 함정에서 벗어난 것일까?

"저는 당신들의 도움이 필요합니다. 아담카드몬 아낙스를 그냥 내버려 두면 세상이 엉망이 될 겁니다. 이건 당신들에게도 좋지 않은 결과가 아닙니까?"

아담카드몬 아낙스를 만들어 실패한 것 때문에 앙리 유이는 굉장히 겸손해진 상태였다.

그렇지만 이제 와서 이런 소리를 하다니 가증스럽다.

"어째 굉장히 공손해진 것 같은데, 흡혈귀."

한세건이 짜증을 내며 말하자 앙리 유이가 쓴웃음을 지었다. 뱀파이어로서 자신이 귀족이라고 믿는 자들, 특히 진마들 중에는 인간이 자신을 그냥 흡혈귀라고 부르는 걸 참아주지 못하는 성격의 인물들이 많이 있었다. 앙리 유이 역시 그런 성격을 가지고 있었지만 지금 이 순간 그는 한세건에게 세게 나갈 입장이 아니었다.

"아담카드몬 아낙스에 대항할 방법을 생각해 두었습니다. 당신들은 제 도움이 필요하고 저도 당신들 도움이 필요합니다."

"그건 우리가 결정할 일이지. 지금 당장에라도 네놈을 찢어 죽이고 싶어서 견딜 수 없는 지경인데 입 함부로 놀리지 마라."

"그걸 이해하기에 제가 공손하게 나가는 겁니다. 아니면 평소처럼 시건방을 떨어야 납득하겠습니까? 지금 당신은 제가 어떤 태도로 나와도 마음에 안 드실 텐데요."

확실히 앙리 유이가 말하는 대로였다. 앙리 유이는 지금 평소의 그라면 도저히 있을 수 없는 저자세로 나오고 있었다. 그게 마음에 들지 않는다고 해서 평소의 앙리 유이가 마음에 들었냐면 그건 아니다. 하지만 앙리 유이의 입장에서 생각해 보면 이 이상 뭔가 할 수는 없겠지.

"제가 멍청한 짓을 했다는 걸 깨달았습니다. 전 오만방자했어요. 아낙스를 뛰어넘고 싶어서 오히려 아낙스의 망집에 사로잡혀 있었습니다. 물론 제가 지은 죄를 당신들에게 용서해 달라고 말하진 않을 겁니다. 오만한 사람은 가장 먼저 멍청한 짓을 저지른 자신을 용서할 수 없는 법이니까요."

앙리 유이의 공손한 말투에 한세건의 눈썹이 파르르 떨렸다.

"제가 자신을 용서하지 못하는데 어찌 감히 남에게 저를 용서해 달라 빌겠습니까?"

"……."

한세건은 앙리 유이의 말을 듣고 혀를 찼다.

"전 무슨 일이 있어도 지금 당신의 도움이 필요합니다."

앙리 유이의 평소 오만방자한 태도를 생각하면 이 정도면 거의 애원이라고 해도 과언이 아니었다. 아마 평소의 앙리 유이를 알던 사람이라면 이 정도로 저자세로 나오는 앙리 유이를 보고 감동했을지도 모른다. 하지만 한세건은 앙리 유이의 친구가 아니었다.

"네가 죽인 동경이나 자카르타의 사람들 수만큼 죽어보고 나서 이야기하는 게 어때? 한 천만 명 되나?"

"……."

"멍청한 짓으로 무고한 사람 천만 명 정도 죽이고 자기가 대가리 숙이면 만사형통이라고 생각하는 거면 지나치게 오만한 거야. 대체 왜 네가 용서를 빌면 남들이 용서를 해줘야 하는 거지? 용서를 맡겨두고 다니냐? 죽은 사람 다 살려내고 용서를 빌어도 봐줄까 말까인데!"

한세건이 그렇게 외치자 앙리 유이가 쓴웃음을 지었다.

"아담카드몬 아낙스라면 그 천만 명 다시 살릴 수도 있을 겁니다. 그런 걸 원하십니까?"

"천만 명을 죽여서 만들어진 놈이 천만 명을 되살리면 제대로 굴러갈 리가 없지. 영혼백육이 결여된 채로 사람 머릿수만 채우고 되살렸다 한들 이미 그들의 생명, 존재가 능욕당한 사실은 바꿀 수 없어. 그리고 죽은 사람들이 이제 와서 되살아나면 그 주위 사람들이 느끼는 단차는 어떻게 처리할 거지? 테트라 아낙스 특유의 전원 세뇌로 기만하겠다고? 웃기지 마. 너희들은 죄를 범했고 그 죄는 돌이킬 수도, 씻을 수도 없는 비가역적인 일이다."

"알고 있습니다. 그래서 저는 제가 할 수 있는 최선의 일을 하려 합니다."

앙리 유이는 대꾸할 말이 없어서 쓴웃음을 지었다.

그게 더 마음에 안 든다. 너무 태세 전환이 빠르다. 한세건 자신이 고통 속에서 몸을 불살랐던 것에 비해 이놈은 너무 영악하다. 너무나 빠르게 자신의 죄를 인정하고 반대 방향으로 전환했다.

그게 좋은 거 아니냐고? 천만에. 이 녀석은 심심했던 거다. 대부분의 뱀파이어가 그러하듯 오랜 세월을 미치지 않고 살기 위해서는 목적의식이 필요하다. 앙리 유이는 아낙스를 초월하는 것을 목적으로 살아왔으며 그 목적을 위해 사람들을 얼마든지 죽이고 기만하고 능멸했다. 가장 신성한 영역까지 착취의 손길을 뻗어온 그다.

그런 그는 변함이 없다. 단지 변한 게 있다면 목적을 갈아 끼웠을 뿐이다. 아낙스를 초월하는 목표가 아니라 아담카드몬 아낙스를 처리하는 것을 목표로 삼았으니 그는 한세건에게 집착한다. 사과를 하는 게 자신의 목적에 합리적이기에 사과를 한다. 이런 상대로는 감정을 부딪쳐 봐야 이쪽이 손해다. 사이코패스와 감정싸움을 하는 것만큼 어리석은 짓이 없지. 하지만 한세건은 감정싸움을 환영한다. 도도한 척하는 상대를, 사이코패스처럼 자신의 감정을 지키고 남의 소중한 영역을 짓밟는 놈을 진흙탕으로 끌어들이는 것? 대환영이다!

"목숨을 내놔."

"네?"

"아담카드몬 아낙스를 처리하면 넌 자살해라. 그 조건이라면 협력하지."

"……."

듣고 있던 에밀 카이히가 양손을 들어 올렸다. 에밀 카이히에게서 무시무시한 살기가 방출되면서 그 기세에 놀란 광장의 비둘기들이 일제히 날아올랐다.

"보자 보자 하니까 시건방짐이 골수에 사무쳤구나! 감히 주교님에게 무슨 망발이냐!"

그러나 그 순간 에밀 카이히에게 철컥— 하는 쇳소리와 함께 권총이 겨누어졌다. 실베스테르가 관광지 한복판에서 대뜸 데저트 이글 AE를 꺼내 에밀 카이히의 머리통을 겨누고 있었다.

아담카드몬 아낙스를 만들 때 앙리 유이는 한세건의 동향에 신경 썼다. 그가 공들여 만든 그릇, 강아담보다 이미 일종의 변형 VT인자인 영적 저주, 혼팅에 단련된 한세건의 그릇이 더 뛰어나다. 한세건의 그릇이 아담카드몬을 담기에 훨씬 더 적합했기 때문이었다.

그러나 강아담은 앙리 유이에 대한 애정과 충성심이 있었지만 한세건에게 그런 것은 없다. 있다면 뱀파이어에 대한 증오뿐이니…….

만약 한세건을 그릇으로 아담카드몬이 강림했다면 아낙스가 자신의 과오를 바로잡고 싶어 하는 마음과 합쳐져 뱀파이어들의 지옥이 펼쳐졌을 것이다. 뱀파이어들을 능욕하고, 학대하고 죽이고, 한 번의 죽음으로는 부족해서 다시 살리고 또 죽이고……. 영원히 계속되는 끔찍한 고문과 능멸이 뱀파이어에게 쏟아졌을 것이다.

그래서 앙리 유이는 한세건을 최대한 배제시켰고 강아담을 통해서 아담카드몬 아낙스를 강림시키는 데 성공했다. 하지만 그것은 그가 기대했던 것과는 전혀 다른 결말을 불러 아담카드몬 아낙스는 그의 통제를 벗어났다.

애초부터 앙리 유이로서는 아담카드몬 아낙스를 제어할 방법이 없었다. 테트라 아낙스를 제외하곤 최강의 마법사라고 자부하고 있던 그조차 아담카드몬 아낙스 앞에서는 무력하다.

이제 아담카드몬 아낙스를 막기 위해서는 또 다른 그릇이 필요하다. 실베스테르가 이 위급한 시기에 몰타의 수도 발레타로 찾아온 것은 바로 그도 마법사인지라 이 사실을 깨달았기 때문일 것이다.

그런데 이게 참 여의치 않다. 한세건이 앙리 유이에게 가지는 증오심은 이만저만이 아니다. 아니, 한세건이 아니라도 제정신 박힌 이라면 당연히 그럴 것이다. 앙리 유이는 동경에서, 또한 자카르타에서 무고한 사람들을 도합 천만 명 정도 살해했다. 죽인 사람 수로 치자면 히틀러나 스탈린과 어깨를 나란히 해야 할 지경이다. 그런 미친놈과 손을 잡으라니 아무리 앙리 유이가 예전에 없는 저자세로 나온다고 해도 받아들일 수 있는 일이 아니다.

그리고 그건 앙리 유이도 잘 알고 있었다. 이 녀석은 절대 자신과 손을 잡지 않는다. 뭔가 파격적인 것을 제안하지 않으면 말이다.

'힘으로 제압할까?'

앙리 유이는 그런 생각도 해보았지만 곧 머릿속에서 지워 버렸다. 힘으로 제압하고 강제로 한세건에게 신성력을 퍼부어서 그를 외령과 흡사한 존재로 만든다 해도 그럼 그 후에는?

그렇지 않아도 뱀파이어를 증오하는 마음으로 가득 차 있는 녀석이다. 아담카드몬 아낙스가 뱀파이어를 죽여대고 있는데 거기에 동조하지 말라는 법이 없다. 아담카드몬 아낙스가 이대로는 인간조차 멸할 것이니 그를 우선적으로 제거해야 한다는 확실한 목적을 부여하지 않으면 안 된다.

그렇다면 어떻게든 설득해야 하는데 이 녀석들이 내건 조건이 황당하다. 자살을 하라고?

"난 너 같은 놈들을 잘 알고 있지. 넌 지금 속죄를 하려는 게 아니야. 그냥 최우선 목표를 바꿨을 뿐이야. 아담카드몬을 만들어 아낙스의 위업을 능가하고 밤의 제왕이 되겠다는 것에서 이제 아담카드몬 아낙스에 대항하기 위해 가장 최선의 선택을 하는 것뿐이지. 네가 정말 속죄하고 싶다면 목숨도 응당 내놓을 수 있을 거다. 그게 아니라면 넌 단지 우리를 이용하는 것에 지나지 않지. 안 그래?"

한세건이 그렇게 말하자 앙리 유이가 코웃음 쳤다. 앙리 유이의 속에서 분노가 이글이글 타오른다. 이 미친한 놈이, 감히 수천 년을 살아오며 지혜를 축적한 그를 넘겨짚어?

물론 이건 한세건이 일부러 도발한 것이다. 이런 데 넘어가 줄 수는 없지.

"전 일이 꼬인 걸 바로잡으려는 겁니다. 그게 당신들 인류에게도 도움 되는 것이고요. 그런데 당신은 절 능멸해서 일을 망치고 싶은가 보군요. 아니면 뭡니까? 전 인류가 죽을 판에 함께 죽자고 끌고 들어가려는 겁니까? 과거에 무슨 일이 있었든 지금 이 순간 인류에게 필요한 것은 아담카드몬 아낙스를 제지하고자 하는 저이지 당신의 부당한 복수심이 아닙니다."

앙리 유이의 말은 달변이었다.

하지만 애석하게도 한세건에게는 아무런 감흥을 주지 못했다.

"우선 네놈이 인정해야 한다는 건 네놈은 사이코패스라는 거야."

"네?"

"간만에 화끈하게 실패해서 이제야 뭔가 정서적인 자극을 받고 깨달은 것 같지만 너 같은 놈의 정서 발달은 아직 걸음마 뗀 애 수준이다. 왜 이게 논리적으로 옳은데, 힘을 합쳐서 아담카드몬 아낙스부터 막는 게 옳은데도 내가 설득당하지 않는지… 미칠 것 같지?"

"……."

한세건은 정확하게 앙리 유이를 꿰뚫어 보고 있었다.

앙리 유이는 언제나 자신을 알아주는 건 팬텀뿐이라고 생각하고 있었지만 그건 큰 오산이었다. 한세건은 뱀파이어를 적으로 보고 있었고 그럼 당연히 적에 대해서 이해력이 높아야 했다. 뛰어난 감수성으로 적의 심리를 예측하고 그들의 생각 영역으로 들어간다. 그렇게 함으로써 한세건은 뱀파이어를 사냥하고 살아남을 수 있었다. 즉 지금 이 순간 한세건은 놀라운 통찰력과 감수성으로 앙리 유이가 진정 원하는 것이 무엇인지, 그가 무슨 생각을 가지고 자신을 설득하려 하는지 이해하고 있었다.

"난 너희들 상대로는 합리적인 존재가 아니야. 그렇기 때문에 살아남을 수 있었고 그렇기 때문에 이 자리에 서 있다. 애초에 합리적으로 생각하면 뱀파이어 사냥꾼이 되느니 그냥 교통사고나 화재 당했다고 생각하고 살았을 거야. 알겠어? 합리로는 날 설득할 수 없다."

'이놈이 감히 내 앞에서 허세를 떨어?'

앙리 유이는 한세건의 말을 허세라고 생각했다. 먼저 마법사들에게 연락한 것은 실베스테르였다. 한세건 역시 뱀파이어들보다 아담카드몬 아낙스를 먼저 처리하겠다고 동의했기 때문에 이곳에 와 있을 것이다.

그런데 이제 와서 허세를 부리다니? 그러나 대체 왜? 앙리 유이가 당황하는 사이 한세건이 말을 이어나갔다.

"너는 지금 합리적으로 인간을 생각해 주는 척 말하지만 결국 그 이면에는 네 욕심을 채우기 위한 마음이 앞설 뿐이지. 이쪽의 감정을 전혀 이해하지 못하고 있어. 너 같은 사이코패스에게 설득당해서 네놈의 세 치 혀에 날 설득했다는 트로피를 안겨주느니 난 차라리 전 인류가 다 뒈지는 길을 택할 거다."

"지금 저를 협박하는 겁니까? 제가 아담카드몬 아낙스를 강림시키고 많은 사람을 죽인 것에 대해서 미안한 마음이 없다면 이렇게 저자세로 나오지 않을 거라는 건 당신도 알고 있을 텐데요?"

"너무 잘나셔서 그 대가리 살짝 숙이는 것만으로도 천만 명의 죽음을 갈음할 수 있다고 믿나 보군. 대단해."

한세건이 빈정거리며 박수를 쳤다.

그러자 더 이상 참지 못하겠는지 앙리 유이가 자리에서 일어났다.

에밀 카이히와 실베스테르도 서로의 경계를 늦추지 않고 천천히 움직였다.

"비스트, 미안하지만 지금 전 분신만으로도 상당히 강력한 존재입니다. 성요한 기사단도, 이 발레타의 경찰들도 전부 다 제 편이고요. 여기서 당신과 제가 대낮부터 맞붙게 된다고 해도 당신은 날 죽일 수 없어요. 난 분신에 불과하고 대신 이 관광지의 무고한 사람들이 죽을 겁니다. 그 무고한 핏값은 누구 책임일까요? 모르긴 해도 당신 몫으로 청구되는 양이 꽤 많을 거라고… 단언하겠습니다."

나에게 시비 걸면 여기 사람들이 말려 들어가 죽을 테고 그건 네 책임이다.

앙리 유이는 그렇게 말하고 있었다.

'여전하군, 쓰레기 같은 뱀파이어 자식. 역시 이 새낀 사이코패스야. 절대로 살려둬선 안 될 놈이군.'

한세건이 그렇게 생각했을 때였다.

—잠깐.

갑자기 앙리 유이의 품에서 다른 이의 목소리가 들렸다.

—우선 내 친구의 무례함을 사과하지.

"팬텀인가?"

실베스테르는 앙리 유이의 품에서 들리는 목소리를 듣고 혀를 찼다. 진마 팬텀, 또 다른 뱀파이어 군주, 앙리 유이의 동문인 자가 말하고 있었다. 아마 지금 상황을 녹음기, 혹은 전화기로 전달해서 듣고 있었으리라.

훌륭한 선택이었다. 앙리 유이는 대체 무슨 생각으로 이번 살육의 주최자이면서 직접 머리를 들이밀었는지 모르겠다.

물론 실베스테르가 그와의 만남을 요청했지만 이렇게 직접 바로 튀어나오라고는 하지 않았다. 다른 말 잘하고 감정도 풍부하고 사려도 깊은 놈으로 일단 협의를 도출해 낸 뒤 나왔어야 하는데 바로 나와 버리니 원…….

"또 다른 뱀파이어일 뿐이군. 제안은 뭐지?"

―나와 그의 VT인자를 반씩 감쇠시키겠다.

"뭣?!"

앙리 유이가 그 말을 듣고 기겁했다.

VT인자는 그냥 농축시키면 농축되는 물질이 아니다. 강력한 저주이자 정보이고 어떤 의미에서는 신성한 신의 파편이기도 하다. 외령 릴리쓰의 계보를 잇는 정보, 그것을 절반이나 감쇠시키면 다시 회복하는 데 수백 년은 걸린다.

하지만 한세건의 반응은 싸늘했다.

"자살을 하랬더니 들고 나온 게 고작 그건가?"

―내가 묻고 싶군. 아담카드몬 아낙스가 죽고 난 후 자살을 하지 않는다면 어떻게 강제할 셈이지?

"적어도 자기 입으로 내뱉었던 말을 씹어 먹었다는 걸 알게 되겠지. 지금 이 순간 굴욕에 부들부들 떨면서 자기 자존심에 난 상처에 민감해하는 모습도 볼 수 있었고. 그거 알아? 지금 이 자식이 네~ 죽겠습니다~ 라고 했다면 설령 그게 거짓말이라 해도 난 그러려니 했을 거야. 비굴하게 거짓말을 하면서라도 지금 상황을 해결하고 싶어 하는 의지가 보였을 테니까. 하지만 천만 명이나 헛되이 살해한 놈이 자기 자존심 먼저 챙기는 모습을 보이는데 이런 놈을 어떻게 믿으라는 거지?"

물론 한세건은 만약 앙리 유이가 자살하겠다고 했다면 그건 그것대로 비난하고 코웃음 쳤을 것이다.

하지만 이런 말은 효과적이다. 자신이 선택의 기로에서 잘못 선택했다는 인식을 주면 그들은 사실 이 선택지를 던진 놈이 잘못했다는 것보다는 자신들의 잘못된 선택에 얽매이고 만다. 자책의 함정이다. 프라이드가 높은 놈일수록 걸리기 쉬운 함정이고 안됐지만 뱀파이어들의 진마라면 100% 걸리고 만다.

'…이빨 터는 게 아주 수준급이군. 자, 어쩔 거냐, 뱀파이어들?'

그 모습을 보며 실베스테르는 실소를 머금었다.

—내 제안은 아담카드몬 아낙스의 출몰에 대해서 나와 앙리 유이가 책임지고 각자 VT인자의 절반씩을 차출해 그대에게 넘겨주겠다는 거다.

"앙리 유이가 그걸 지키지 않을 텐데?"

—그렇다면 내 목숨을 주지. 나 역시 진마이니 그대로서는 받아들일 만하지?

"……."

"뭣?!"

팬텀이 목숨을 내놓겠다는 말에 앙리 유이가 당황했다.

그 모습을 보고 한세건이 쯧 하고 혀를 찼다. 천만 명이나 무의미하게 살해한 미친놈이 고작 친구 한 명이 죽는 것도 아니고 자살하겠다고 말하는 것에 놀라다니. 애초에 이 사태가 해결되고 난 이후, 팬텀이 안 죽겠다고 뻗대면, 안면몰수하고 말을 바꾸면 그때는 어떻게 하란 말인가? 이런 가벼운 말장난에 앙리 유이가 사색이 되다니?

—단언하건대… 내가 내 목숨을 저울에 올린 순간, 앙리 유이는 반드시 자신의 VT인자 절반을 그 혈액과 육신에 담아 내놓을 것이다. 이것이 우리의 교섭 조건이다, 한세건.

"……."

이제 한세건의 말문이 막힐 차례였다.

저 자신만만함을 뒷받침하는 근거는 없다. 없는데도 불구하고 한세건은 팬텀이 한 치의 거짓도 없는 진실을 말하고 있고 앙리 유이는 정말 저 약속을 지킬 수밖에 없다는 걸 깨달았다.

"과연 그 어떤 달변가보다 더 뛰어나군, 팬텀. 좋아, 교섭 성립이다."

실베스테르가 대신 답하고 총을 거두었다.

에밀 카이히가 흠칫 놀랐지만 앙리 유이는 에밀 카이히를 제지했다.

일단 교섭은 성립되었지만… 한세건과 앙리 유이, 둘 다 이

교섭을 탐탁지 않아 하고 있었다.

"네놈들, 감히……."

앙리 유이도 호인의 가면을 벗어던졌다. 애초에 어울리지 않는 가면이었다. 최악의 학살자가 인간에게 꼬박꼬박 예의를 지키다니.

"웃기는군. 천만 명의 무고한 사람을 해친 놈이 자기 친구의 목숨이 저울에 올라오자 안색이 바뀌다니."

한세건도 앙리 유이를 보고 짜증을 냈지만… 팬텀의 호쾌한 거래를 존중하는 의미로 받아들이기로 했다. 이 거래를 통해서 진마들의 명예를 훼손하고 앙리 유이에게 정서적 고통을 준 것, 일단은 이 정도로 넘어갈 수밖에.

"자, 그래서. 이제 뭘 해야 하지?"

3

서린과 서현, 그리고 한니발과 아르곤은 알제리의 수도 알제에서 이스탄불을 경유해 캐나다 몬트리올행 비행기에 올라탔다. 목적지는 뉴욕이지만 뉴욕행 비행기를 탈 경우 민항기를 격추시킬 수 있다는 것을 염두에 두어야 한다. 서린은 그렇게 주장했다.

"뉴욕이나 캐나다나 마찬가지인데… 왜 캐나다는 격추시키지 않을 거라고 확신하지?"

한니발이 그런 질문을 했다.

"애초에 이놈은 플라자 호텔로 오라는 것 자체를 일종의 과제로 제시하고 있는 거야. 단번에 편하게 붕 날아오는 꼴은 참지 못할걸?"

서린이 그렇게 대답하자 한니발이 혀를 찼다.

"미친. 성의 같은 걸 보여준다고 적들의 침입을 허락하다니 그게 말이 되냐? 나라면 그 어떤 성의를 보이든 말든 격추할 수 있으면 다 격추시켜 버리겠……."

"게임 마스터라는 건 말이지, 적절한 난이도를 제시해야 하는 법이야."

"게임 마스터?"

"아담카드몬 아낙스는 뱀파이어나 다른 이들에게 시련을 주고 시험해 보고 그들의 내면을 관찰하려는 거야. 적절히 난이도를 조절하려는 거지. 그러니까 캐나다 정도는 괜찮지 않을까?"

서린이 그렇게 말하자 서현이 혀를 찼다. 테트라 아낙스의 수장이었던 녀석이 수백 명의 목숨이 걸린 일을 '괜찮을까? 아님 말고~' 식으로 말하는 것은 불안하게 했다.

"아니라면 여기 탄 사람 수백 명이 함께 대서양에 떨어질 거야. 우리들이야 대서양에서 헤엄이라도 쳐서 건널 수 있겠지만… 여기 사람들은 다 죽는다?"

서현이 그렇게 말하자 한니발이 질렸다는 듯 서현을 바라보았다. 그가 바라보고 있는 게 과연 그 이사카 베르게네프가 맞나 의심스럽다. 민항기가 격추당해서 사람들이 죽는 걸 걱정하다니?

“이 자식, 그게 무슨 소리야? 사람들이 죽는 걸 신경 쓰다니. 인간 놈들은 어차피 십중팔구 죽어 마땅해. 자이나교 입장에서 보면 대부분의 사람은 아힘사를 지키지 못한 대죄인뿐이라고! 그리고 그거 알아? 인간 아이큐는 평균 100이야! 130을 넘어도 씨발, 말하는 금수 새끼 수준인데 130 넘는 놈들이 4%밖에 없다고!”

“…어쩌라고?”

서현은 한니발의 고함에 짜증을 냈다.

“싫으면 베오울프랑 손잡고 오든가. 왜 날 따라와?”

“…아니, 또 싫다는 건 아니고… 그냥 말이 그렇다고.”

한니발이 투덜거리는데 목소리가 잦아든다.

“형이 사람들 목숨을 신경 쓰다니 장족의 발전이군.”

“사람을 죽여서 얻어지는 것도 없는데 죽일 필요가 없잖아. 무의미한 감정이나 피를 보고 싶지 않아. 대서양 헤엄치는 것도 싫다.”

서현은 그렇게 말하면서도 비행기 좌석에 앉아서 안전벨트를 조였다.

“그런데 실베스테르는 왜 발레타로 향했지? 한세건과 함께? 마법사들에게 조력을 얻는다 하지만 앙리 유이도 마법사들 사이에서 먹어주는 인물 아니었나? 그도 손발을 못 쓰던데?”

아르곤이 궁금해하면서 비행기에 앉아 주위를 둘러보았다. 늘 헤엄치거나 화물칸에 숨어들어 오는 신세인지라 일반 여객항공기의 승객용 공간에는 처음 들어왔기 때문이다.

"정말 음식도 주고 영화도 보여주고 그런단 말이지? 여기?"

"……."

"아, 미안. 그래서 실베스테르는 왜 이제 와서 마법사에게 조력을 구하지?"

"뭐, 이제 와서 누구도 아담카드몬에게 마법으로 직접 대항할 수는 없겠지만 그럼에도 불구하고 한 가지 방법은 있지."

"어떤 건데?"

"아담카드몬과 유사하게 외령 집합체를 하나 더 만드는 거야. 그릇은 이미 있어. 그릇에 채워 넣을 게 좀 부족하긴 하지만 그만큼 비어 있는 몫을 나나 형이, 그리고 다른 이들이 맡아줘야지."

"…설마?"

"그래. 세건 형에게 외령을 때려 박는 거지. 아이러니하게도 가장 인간이고 싶어 하는 사람이 가장 인간에서 벗어난 괴물이 되는 거야."

"하지만 그럼 그다음에는? 아담카드몬 아낙스도 컨트롤이 되지 않았잖아?"

서현은 그런 의문을 제기했지만… 누구도 그것에 대해서 대답할 수 없었다.

第28夜

시련의 문

1

아담카드몬 아낙스는 현재 그에 의해서 벌어지는 모든 일을 관측하고 있었다. 신적인 존재가 되어 생명에게 시련과 시험을 부여하고 그들이 어떻게 반응하는지 감시한다. 이 얼마나 오만하고 사악한 죄악인가?

그러나 이것이 바로 테트라 아낙스가 그동안 저질러 온 죄이다. 죄라는 것은 관성이 있어서 일단 한번 저지르기 시작하면 그다음에는 쭉 갈 수밖에 없다. 기호지세(騎虎之勢), 호랑이 등에 올라타면 일단 끝까지 갈 수밖에 없다. 그 끝에 결국 파멸이 있다는 걸 알고 있다고 해도 말이다.

과거 테트라 아낙스는 그런 마음으로 점점 타락해 갔다. 타락의 독이 영혼에 스며들어서 결국 죽음까지 당하고 말았지.

하지만 이번에는 좀 사정이 다르다. 아낙스의 기억과 그의 자아를 가지고 있지만 이번엔 다른 본질을 가지고 있다.

아담카드몬, 인류 문명의 시작이자 끝인 모든 인간의 아버지로서의 본질이 아낙스와 함께한다. 타락의 독보다 더한 마(魔)가 본질로 주어졌기에…….

아담카드몬 아낙스는 그야말로 마왕이다.

"하하."

그 마왕의 입가에 웃음이 떠올랐다.

할로겐등이 비추는 고급스러운 바에는 그와 테트라 아낙스 삼인방만이 있었다.바를 관리하는 바텐더가 없지만 술잔을 들어 올리자 자연히 술이 차오른다.

이 안에서 아담카드몬 아낙스는 마왕으로서 세상을 관조하고 있었다.

그냥 관조만 하는 게 아니다. 사실상 세상 전체를 손아귀에 쥐고 있는 것이나 마찬가지다. 이곳에서 그가 손가락을 한 번 까딱이면… 비셔스 바이러스, 그러니까 아웃레이지의 독이 퍼져 나간다. 그가 지정한 뱀파이어가 타락하면서 커럽티드가 되고 그 주변으로 엑토플라즘을 뿌리며 아웃레이지의 정보가 확산되면 도시 전체가 지옥으로 돌변한다. 이 세상에 고통을 주면서 시험한다.

무수한 사람이 생존하고자 하는 욕망에 져서 돌이킬 수 없는 과오를 저지른다. 자신이 살기 위해 남을 희생시키고 도망치는 사람들, 이 혼란을 틈타 약탈하는 이들이 있다. 그런 반면으로 남들을 구하기 위해 위험을 감수하고 더러는 그 때문에 목숨을 잃는 자들이 나왔다.

숭고함과 졸렬함은 동전의 앞뒤 양면과 같아서 평상시 평범의 범주하에 있던 사람들도 성자와 악인으로 분화한다.

그 모습을 지켜보면서 아담카드몬 아낙스는 혀를 차고 있었다.

사람들을 시험에 들게 하다니 이 얼마나 끔찍한 죄업인가. 씻을 수 없는 죄업이지만 아낙스나 아담카드몬이나 그를 이루고 있는 모든 것이 이것이 악업이라는 걸 알면서도 동의한다. 그의 손으로 세상에 재앙을 불러오는 것에 동의하는 것이다. 그만큼 성자였던 아낙스의 자아는 황폐해져 있었다.

"자… 오고 있군, 오고 있어."

그 시험 대상 중 하나, 서린이 다가오는 걸 그는 알 수 있었다. 테트라 아낙스의 눈앞에서 감출 수 있는 것은 아무것도 없으니… 설령 전대 테트라 아낙스이며 여전히 강력한 예지 능력을 가지고 있는 서린이라 해도 그의 시선 앞에서는 무방비하다.

서린도 그것을 알고 있기에 아담카드몬 아낙스에게 관측당할 것을 전제하고 있었다. 그런데 이건 뭔가?

"대서양을 건너서 몬트리올로, 거기서 버스를 타고 올 셈인가? 뭐, 약간은 게임의 룰을 이해한 것 같지만 너무 쉽게 가려고 하는 것 같은데?"

그는 서린과 그 일행의 접근을 느끼고 코웃음 쳤다. 바로 뉴욕으로 오지 않은 점은 나름 인정해 줄 만하지만 그래도 몬트리올이라니?

너무 가깝다.

"안됐지만 요격시켜야겠군."

아담카드몬 아낙스는 부하들에게 명령했다. 그러자 베이런이 반문했다.

"드론을 보낼까? 몇 대나? 여객기는 미사일 한 방이면 무조건 격추인데 너무 많이 보낼 이유는 없겠지?"

베이런은 내심 적은 수의 드론을 내보내길 원했다. 암람 미사일이 발사되면 거대한 여객기는 도저히 피할 방도가 없다.

그러나 터보 팬 엔진을 장착한 드론으로는 역시 터보 팬 엔진으로 고고도 항행을 하고 있는 여객기를 추격하기가 쉽지 않다. 추력 대비 중량이 낮으니 드론이 훨씬 민첩하게 움직이지만 이미 한창 속도 붙어서 날아오고 있는 여객기 역시 만만치 않다. 여객기야 항로가 고정되어 있는 게 대부분이니 공항 인근에서 격추시키면 되겠지만 그때쯤 되면 격추시킨다 해도 이미 그들은 육지에 들어올 터……. 무고한 인간들만 죽일 게 아닌가?

그러나 아담카드몬 아낙스는 즉시 명했다.

"드론 10기에 암람을 두 발씩 달아서 출격시켜."

도합 20발의 대공미사일?

베이런은 내심 신음했다. 한 발만으로도 여객기의 죽음을 부르기에 충분한 무기가 오늘 밤 대서양 하늘 위를 수놓을 것이다.

대서양을 건너 이스탄불에서 몬트리올 국제공항까지 가는 터키 항공 비행편은 대단히 괴로웠다.

더군다나 이코노미석이다. 서현이나 아르곤, 한니발은 다들 체격도 커서 이코노미석에 타는 것은 민폐가 아닌가? 항공사에게 무언의 시위를 하는 게 아닌가 걱정될 지경이었다. 이놈들이 몸부림이라도 치면 항공기용 시트가 부서질 테니 말이다.

그러나 셋 다 요 며칠 강행군을 한 덕인지 실신한 듯 잠에 빠져들었다. 서린도 자다 깨다, 자다 깨다 하면서 좁은 비행기 안에 구겨져 앉아 있었다.

그렇게 얼마나 지났을까? 서린이 욕설을 내뱉으며 눈을 떴다.

"망할. 미친 아담카드몬!"

"윽? 뭐야?!"

서린이 몸서리치며 일어나자 서현도 깜짝 놀라 깼다. 아르곤과 한니발 역시 깨어나면서…….

뚜둑…….

비행기 의자의 시트가 부러졌다.

"헐."

놀란 아르곤이 자신의 시트를 보고 어깨를 으쓱해 보였다.

갑자기 이 남자들이 소란을 피우자 스튜어디스가 찾아온다.

당황한 아르곤은 부러진 비행기 시트의 부품, 그러니까 팔걸이를 한니발에게 떠넘겼다.

"이걸 네놈 얼굴에 쑤셔 박는다?"

한니발이 어이가 없어서 그렇게 말했지만 지금은 이런 실없는 싸움을 할 때가 아니었다.

"드론! 드론이 접근하고 있어!"

"뭐? 거리는?"

서현이 그리 묻자 서린이 혀를 찼다.

"400킬로미터 전방이야. 곧 당도해! 젠장, 역시 몬트리올은 너무 가까웠나?"

"몬트리올이랑 뉴욕? 엄청 먼데? 대체 어디로 가라는 거야, 그럼?"

서현이 반문하자 한니발이 물어보았다.

"처음 전제가 잘못된 거 아냐?"

아담카드몬 아낙스가 뉴욕에 오라고 한 것은 어디까지나 그를 따르는 뱀파이어들뿐이고 다른 이들은 시험하고 말고 접근하면 격추시키는 게 아닐까?

그런 의문을 제기하자 서린이 고개를 가로저었다.

"아니… 아니야. 분명히 아담카드몬 아낙스는 지금 우리들이 몬트리올에 도착하는 것도 그렇게 내켜 하지 않고 있어."

"그럼 그거 어때? 자카르타에서 나올 때 서린이 무인기를 격추시켰잖아?"

아르곤이 물어보았다.

"지금은 그때랑 달라요! 수 킬로미터 밖에서 미사일을 쏠 텐데… 그때는 드론 항모가 가까워서 드론이 가까웠지만 지금은 시야 밖에서 날아오는 초음속 미사일에 유린당해야 한다고요!"

"젠장. 그럼 헤엄을 쳐야 하나? 우리야 안 죽겠지만 여기 이 사람들을 죽게 할 수는 없잖아?"

아르곤이 그런 생각에 발을 동동 구를 때였다.

서현이 아르곤에게 손을 내밀었다.

"뭐야?"

"그 부러진 의자 줘."

"응?"

아르곤이 별생각 없이 자신이 부순 비행기 시트를 조각조각 주워서 건네주자 스튜어디스가 그 모습을 발견했다.

"아… 아니, 손님, 지금 이게 무슨……."

"의자가 너무 약하더군요. 클레임 넣진 않을 겁니다만 다음부터는 주의해 주세요."

아르곤이 그렇게 말하다 문득 물어보았다.

"혹시 땅콩 남은 거 있어요?"

"……."

한편 서현은 시트에 걸쳐져 있던 모포를 꺼내서 몸에 둘렀다.

"그럼… 미사일을 막아볼까?"

준비를 끝냈다 생각한 서현은 그리 말하고 심호흡을 했다. 갑자기 서현의 모습이 기내에서 사라져 버렸다.

대서양 위… 상공 8,000미터.

대기 온도 영하 32도 속을 날고 있는 보잉 747기 외벽에 모포를 몸에 두른 회색 머리칼의 청년이 나타났다.

그는 부서진 비행기용 의자를 모포로 감싸 붙잡은 채 주위를 둘러보았다.

[형?!]

"난 텔레파시 능력 안 쓸 거야. 네가 좌표를 내게 쏴줘!"

서현은 동생 서린에게 그렇게 요청했다. 그러자 미사일의 위치가 서현의 머릿속에 차례차례 떠올랐다. 그뿐만이 아니다. 허공에 갑자기 빛 무리가 생기더니만… 미사일의 위치와 접근 거리를 마치 HUD(Head—up Display:계기류의 표시를 전방으로 내비치는 비행기 등의 장치)로 보는 듯 선명하게 보여주고 있었다. 숫자가 지속적으로 빠르게 줄어들고 있는 걸 보니 거리가 가까워지는 모양이다.

[괜찮겠어, 형?! 너무 무모한 짓 같은데?]

"민간인들을 죽게 할 수는 없지!"

공기가 희박해서 라이칸스로프인 그도 숨쉬기 힘든 곳이다. 게다가 초고속으로 날아가고 있는 중이라 숨이 차다. 보통 같으면 단번에 튕겨 날아갈 것이다. 서현처럼 전자기력으로 비행기 외벽에 붙어 있지 않다면 말이다.

"자, 그럼… 와라!"

서현은 미사일을 탑재한 드론과의 거리가 가까워지길 기다렸다.

"놀랍군."

아담카드몬 아낙스는 여객기 밖으로 튀어나온 서현의 객기에 감탄했다.

문제는 저게 그냥 객기가 아니라는 것이다. 서현이 튀어나온 것만으로도 여객기 안에 타고 있는 사람 전원의 생존율이 1% 밑에서 80% 이상까지 올라갔다.

즉 저 녀석은 확실하게 미사일을 막을 수 있는 힘이 있다.

"결과를 이미 알면서 발사해야 하는 것도 못 할 짓이군."

아담카드몬 아낙스는 서현의 반응을 기다리며 미사일을 발사할 준비를 했다. 아직 거리가 접근하지 않아서, 미사일을 유도할 만한 거리 안에 여객기가 들어오지 않아서 쏠 수가 없었다.

현재 이 드론에서 암람을 발사하고 명중시키는 방식은 다음과 같다.

드론에 장착된 레이더가 표적을 확보하고 그 표적을 향해 미사일을 발사하면 이후 미사일에 장착된 능동 레이더가 작동을 시작… 확보한 표적의 변화를 캐치하면서 자율적으로 날아가 인근에서 폭발하게 되어 있었다.

파이어 앤 포겟(Fire&Forget) 방식의 암람이라고 해도 일단 초탄을 발사할 때까진 레이더 거리 안에 끌어들여야 했다.

암람에 달려 있는 액티브 레이더는 배터리로 작동하는 것. 배터리는 당연히 소모된다.

즉 초기 유도는 암람 미사일의 레이더가 아니라 드론이나 초계기의 레이더로 해줘야 한다.

그리고 드론에 달려 있는 레이더는 그렇게 고출력이 아니다. 미군이 드론을 운용할 때는 초계기의 서포트를 받으면서 운용하게 마련. 테트라 아낙스는 그에 대응하기 위해 전자전용 드론을 따로 만들어서 함께 보내고 있지만 초계기에 비하면 그 레이더 도달 거리는 짧다.

미사일과 드론들의 레이더 감지 거리에 여객기가 들어오는 게 먼저인가, 아니면 서현이 뭔가 이상한 짓을 성공시켜서 이 공격을 막는 게 먼저인가?

그런 승부가 벌어지고 있는 셈이었다.

그때 마침… 드론의 레이더에 여객기가 잡혔다.

"전탄 발사!"

테트라 아낙스의 부하들이 한때 그들의 주인이었던 서린이 탄 여객기를 향해 미사일 발사를 승인했다.

한 발만으로도 고사천사(告死天使:죽음을 전하는 천사)의 역할을 수행하기에 충분할 터인데…….

다섯 발의 고사천사가 하늘을 질주한다.

이 우주에서 문명이 살아남기란 매우 힘든 일이다.

맥시코 유카탄반도에 떨어진 운석 한 방에 공룡들의 시대는 끝났다.

K—T 멸종.

거대한 운석이 하늘에서 떨어져 전 지구를 뒤흔들고 대륙의 일부를 바다 밑으로 수장시키는 위력을 발휘할 때, 문명의 힘으로 그것을 막아내기란 불가능에 가깝다.

그보다 더 전, 페름기 대멸종은 어떠한가?

이 우주는 절대로 인간이나 생물들에게 자비로운 곳이 아니다.

정보생명체들, 외령 릴리쓰는 그래서 문명 주체에게 초월적인 생명력과 강대한 초상 능력을 부여하고 싶어 했다.

물론 모든 것은 그렇게 완벽하게 만들 수는 없다. 인간의 사유의 힘을 위해 다른 생물에 비해서 더 많은 당류를 필요로 하는 민첩하지 못한 신경계를 주었듯… 하나를 주려면 다른 하나를 깎아야 하는 법이다. 전방위에 완벽하게 뛰어난 존재를 만든다는 것은 불가능하다.

그러나 릴리쓰는 자신의 욕망을 이기지 못했다. 또한 숙주의 욕망도 이기지 못했다. 사랑하는 마음을 참지 못하고 그녀는 서현을 만들어내었다.

완벽한 복합 능력자를 만들어낸 대가로 그녀는 향후 400년 이상 힘을 비축하지 않으면 현세에 다시 출몰하지 못할 것이다.

즉… 외령 릴리쓰가 자신을 깎아가면서 만든 서현이야말로 이 월야에서 가장 무시무시한 능력자라고 할 수 있었다.

"걸렸군."

서현은 너무나도 간단히 자신이 만든 더미를 향해 발사된 암람 미사일들을 보고 쓴웃음을 지었다.

서린이 가상으로 만들어주는 인터페이스는 훌륭하다. 각 미사일과 드론의 위치가 수치화되어 보이고 그 숫자가 맹렬히 줄어드는 게 보인다.

하지만 각도가 어긋나 있다.

서현이 진마 세피아의 수류 위상 변경 능력을 사용해서 구름을 응결시키고 거기에 헥토르의 전하 능력을 덧씌워 레이더파를 적절하게 반사하는 더미를 만든 것이다.

보잉 747기만 한 크기로!

덕분에 암람들은 허망하게 엉뚱한 곳으로 날아갔지만 제2파가 문제다.

"이런!"

"더미입니다!"

레이더 관측병들이 기겁했다.

그들이 여객기라고 생각한 것은 잠깐 동안 앞으로 전진하나 싶더니 공중에 멈춰 버렸다.

고정익기인 보잉 747기가 공중에 멈출 수 있을 리 없다.

무슨 헬기도 아니고 광동체 여객기가 하늘에서 정지해 있을 리가… 즉 이건 적들의 함정이다.

그렇지만 대체 무슨 능력이란 말인가?

테트라 아낙스의 정보 조작 능력이라면 레이더를 잘못 봤다는 가짜 정보를 주입시켜서 이런 상황을 만들 수 있겠지만 현재로서는 그들이 테트라 아낙스다. 서린의 능력이 아무리 대단하다 하더라도 아담카드몬 아낙스가 수호하고 있는데 거짓 정보가 주입될 리 없다.

즉 저 더미는 진짜 레이더파를 반사하는 것이다.

자, 이제 어찌할 것인가?

물론 아직 15발의 암람이 남아 있다. 단 한 발만 보잉 747기 근처에 날아가도 저 거대한 여객기는 수백 명의 승객과 함께 차디찬 대서양으로 곤두박질칠 것이다.

상대가 무슨 능력을 써서 그들을 교란시켰는지 모르지만 저런 능력은 필시 힘을 소모할 터다.

"다시 다섯 발씩 제2파를 준비한다!"

레이더 관측병의 상사가 그리 말할 때 다시 레이더에 또 다른 여객기가 잡혔다.

보잉 747만 한 크기의 레이더 반사체, 그러나 이것도 가짜일 가능성이 있다만……?

"발사!"

하지만 상위 뱀파이어는 아랑곳하지 않고 발사를 명했다.

다시 드론에서 암람들이 발사된다!

뱀파이어나 라이칸스로프가 가지는 능력 중 가장 초장거리에 영향을 미치는 것은 단연코 테트라 아낙스의 텔레파시다.

어디서든 지구 전역에 적용되는 그 능력에 비해 물리력을 전달하는 능력은 다들 지극히 짧다.

아르곤의 동결 능력이나 아그니의 발화 능력은 최대 200미터 정도가 한계다.

아이러니컬하게도 마법사들에게 더 고등 능력으로 인식되는 텔레포트는 사거리가 더 길었지만 그렇다 해도 1킬로미터를 넘기 쉽지 않다.

유다와 자인, 두 진마를 무리 없이 흡수한 사혁이 강력한 텔레포트를 선보인 적은 있지만… 그렇다 해도 이 상황에서 쓰기엔 지나치게 짧다.

지금 이 보잉 747은 초속 240미터로 항로를 따라 날고 있었다. 자인의 텔레포트 정도의 거리라 해도 2초쯤 지나면 따라잡힌다.

하물며 상대는 최고 속도에 도달 시 음속의 두 배가 되는 공대공미사일……. 상호 간의 상대 속도를 생각해 보면 초속 1킬로미터에 달할 것이다. 텔레포트 도달 거리의 약 두 배인 1킬로미터를 벌린다 해도 일 초면 그 이득이 상쇄된다.

그러나… 서현은 이미 수 킬로미터 앞에 더미를 만들어낼 수 있었다. 서린의 도움이 있기 때문이었다.

서린이 먼 거리까지 의식을 확장시켜 주고 그곳에 전자기력을 행사한다.

하지만 이것은 서현의 힘도 극심하게 소모하게 했다. 게다가 적들도 이제 속아 넘어가지 않을 것이다.

"이제부터는 직접적인 물리력을 행사해야겠군!"

서현은 심호흡을 하면서 아르곤이 부쉈던 기내 의자의 파편을 들어 올렸다.

그중 금속으로 된 볼트와 너트를 뽑아서 움켜쥐자 서현의 손아귀에서 쇠들이 녹아내려 원형의 구슬로 변화했다.

파군의 현무강탄이다. 아마 24계통 뱀파이어가 가진 능력 중 물리력을 행사하는 종류로는 가장 긴 유효사거리를 자랑하는 것이리라. 산조차 부수는 위력을 가지고 있으니까 당연한 결과다. 유효사거리가 짧으면 산조차 날려 버리는 위력을 함께 맞아야 한다. 자기 능력에 자신이 맞아야 하다니, 그런 바보 같은 능력이 또 어디 있겠는가?

"흡!"

서현이 현무강탄을 쏘자 철과 니켈로 만들어진 쇠구슬이 날아간다.

문제는 현무강탄의 속도다. 초속 240미터의 비행기 위에서 다시 초속 120미터 이상으로 발사한다. 그 결과 초음속으로 현무강탄이 날아간다 해도 미사일들에 접근하기는 쉽지 않다.

여기서 서현의 복합 능력이 빛을 발한다.

"연속 텔레포트를 쓰겠어! 정보 제어 부탁해!!"

서현은 서린의 정보 제어를 믿고 시야 밖을 향해 보이지도 않는 쇠구슬들을 텔레포트시켰다.

서린이 즉시 그 구슬들에도 마커를 붙여주었다. 통합 정보 제어 능력을 활용한 인간 레이더라고 할까?

덕분에 서현은 쉽게 구슬들을 제어해 날아오는 암람 미사일들 앞에 현무강탄을 보냈다.

암람 미사일들이 일제히 폭발하며 미사일 마커들이 지워졌다.

"좋아!"

서현은 환호성을 질렀다. 죽음의 칼날들 사이를 곡예로 빠져나간 기분이다.

물론 이런 걸로 기뻐하면 안 되겠지. 이런 걸로 기뻐하는 거야말로 아드레날린 중독자의 말로 아닌가?

그러나 지금 이 일격으로 수백 명의 사람을 구할 수 있었다면 순수하게 기뻐해도 되겠지.

서현은 이 순간 자신이 살아 있어서 다행이라고 생각했다. 비록 그 손이 수없이 많은 피로 더럽혀져 있다고 하더라도 이 순간만큼은!

[굉장해, 형! 그런데 카타볼릭은 괜찮아?]

한세건을 한두 입 먹긴 했지만 이렇게 능력을 복합적으로 마구 써댈 만큼 회복될 리가 없는데?

그러나 서현은 코웃음 쳤다.

"지금 카타볼릭이 문제냐! 다음 간다!"

서현은 다시 현무강탄을 준비했다.

그러나 그때였다.

우우우웅!

갑자기 하늘에서 무지갯빛 전광이 번쩍인다. 오로라가 일렁이나 싶더니만 서린이 만든 마커들이 일제히 사라진다.

아담카드몬 아낙스가 직접 개입한 것이었다.

"아… 이런 망할 놈! 치사하게 이게 뭔 짓이야?!"

서현은 어이가 없어서 혀를 찼다.

서린의 정보 능력은 아주 우수하지만 역시 아담카드몬 아낙스의 것에 비하면 태양 앞의 반딧불이 신세다. 아담카드몬 아낙스가 이렇게 나오면 손쓸 방도가 없다. 마하 2로 꽂히는 암람을 아무런 위치 정보도 없이 그냥 막을 수 있을 리가 없지 않은가?

"너무하는 거 아닙니까? 시험이라고 했습니다! 이미 이것만 해도 엄청난 제약인데! 상대가 시험을 잘 이겨내는 걸 보고 난이도를 변경하다니요?!"

베이런은 아담카드몬 아낙스가 직접 개입하는 것을 보고 기겁했다.

그러자 아담카드몬 아낙스는 어깨를 으쓱해 보였다.

"유능한 플레이어가 있으면 난이도를 좀 높여주는 것도 나쁘지 않지."

"하지만 모든 게임은 난이도에 비례하는 포상이 있어야겠지요. 그 포상은 뭡니까?"

"몬트리올에서 접근해 오는 걸 허락해 주지."

아담카드몬이 그렇게 말하는 사이 드론들이 제3파를 발사했다.

"엿 같은 게임이군. 과금한 거 다 환불해 달라고 하고 싶다!"

서현은 아담카드몬 아낙스가 그들의 활약을 엿보고 난이도를 긴급 수정 했음을 단번에 눈치챘다.

짜증 나는 놈이다.

차라리 처음부터 적극적으로 손을 써서 다 죽이든가 하지 사람 살살 약 올리는 것도 아니고 하는 걸 보고서 난도를 올리다니.

[어떻게 하지?]

"EMP 쇼크웨이브로 전 전자 기기를 다 마비시킨다!"

해가 동쪽에서 떠오르는 게 당연하지 뭐 그런 걸 물어보냐는 식으로 서현이 대답했다.

확실히 그런 게 가능하다면 드론에게는 아주 즉효약이다. 원격적으로 조종되며 레이더 장비의 영향을 과하게 받는 드론에게 이 이상 가는 즉효약이 없을 터…….

그러나 그런 게 보통은 가능하지 않다. 수십 킬로미터 반경에 영향을 주는 EMP 쇼크웨이브를 만들려면 전술 핵폭탄이 필요할 거다.

물론 헥토르의 전하 능력을 사용하면 전술 핵폭탄에 비해서는 훨씬 적게 EMP 쇼크웨이브를 만들 수 있을 테지만 그렇다 해도 소모가 지나치다. 사람을 먹지 않아서 카타볼릭 상태인 서현이 이렇게 연거푸 능력을 사용하는 건 절대 좋지 않을 텐데… 여기서 강력한 EMP 쇼크웨이브라니?

[그렇게 강력한 EMP 쇼크웨이브를 일으킬 수 있어? 하고 난 뒤에 형은 어떻게 되는 거야?]

"반쯤 죽겠지 뭐! 가급적 지향성으로 만들 테지만 너무 가깝기 때문에 재수 없으면 이 여객기의 자동항법장치도 다 망가질 거야. 얼른 빨리! 수동 조작 할 각오 하라고 해줘!"

서현은 그렇게 말하고 힘을 끌어모으기 시작했다.

미사일 공격이 제3파까지 진행되는 동안 비행기와 드론은 이제 매우 가까워진 상태다.

거리가 가까울수록 EMP 전자 펄스의 위력은 증대되니까 적은 소모로도 막을 수 있을 거다.

그러니까 지금 이 상황은 매우 합리적인 선택의 연속이다. 서현이 민간인들을 지키려고 작정한다면 말이다.

한니발은 그게 마음에 들지 않았다.

"죽든 말든 내버려 두고 차라리 대서양에서 보트를 젓는 게 낫겠다! 왜 그러는 거야?"

만약 한니발이 서현 신세라면 지금 이 여객기 안의 인간들을 죄 잡아먹고 대서양 바다 위를 달려 횡단하는 쪽을 선택할 것이다.

굳이 사람을 지키려고 이 커다란 보잉 747을 통째로 지킬 필요가 없다.

물론 서현이 한니발 같은 놈이었으면 애초에 카타볼릭으로 고통받지도 않았으리라.

"쉿. 그보다 기장에게 연락해서 전자 기기 다 끄라고 해요!"

아르곤은 한니발의 고집을 무슨 애들 칭얼거림 다루듯 대하고 스튜어디스에게 지시를 내렸다.

서현이 지향성으로 EMP 쇼크웨이브를 발출하겠다고 하지만 현재 기기들에 악영향을 끼치지 말라는 법이 없다.

자동항법장치와 GPS가 망가졌을 때 수동 비행으로 조작하는 건 보통 힘든 일이 아닌 데다가 이 아담카드몬 아낙스가 하는 짓을 보면 굉장히 사디스틱한 난이도를 좋아하는 것 같다.

이 위기를 벗어난다 하더라도 그다음에 또 다른 짓을 하지 말란 법이 없다.

"아, 네……."

놀란 스튜어디스는 왠지 모르게 아르곤의 말을 들어야 한다고 확신했다.

암람이나 드론이 눈에 보이는 거리에 있는 건 아니지만 기장이나 승무원은 갑자기 레이더에 나타난 무인기들에 당황하고 있었다.

이 승객들이 그걸 알고 있다면 이들의 조언 역시 들어둘 가치가 있으리라.

스튜어디스가 기장에게 연락하자 기장은 더 들어볼 것도 없다는 듯 즉시 모든 전자 기기를 껐다.

그와 거의 동시에 서현의 EMP 쇼크웨이브가 방출되었다.

우우우웅!

구름들 사이로 전기불꽃이 번뜩인다.

당연히 기내에 있던 사람들 모두가 무슨 일이 밖에서 벌어지고 있다는 걸 눈치챘다.

"…진짜 대단하군."

서현이 발휘하는 힘은 진마 아르곤에게도 강한 인상을 주었다.

수 킬로미터 밖에서 쏴대는 미사일에 대항해서 이런 짓을 할 수 있다니…….

자, 이제 문제는 과연 지향성으로 발출하는 데 성공했냐는 건데…….

비행기 안의 등이 꺼졌다 켜진다.

그리고 아무 손상 없이 기내의 불빛이 회복되었다. 지향성 EMP 발출에 성공한 것이다.

당연히 전자항법장비도 손상을 입지 않았다.

그럼 이제… 미사일과 드론은 과연 어떻게 되었는가?

아르곤이 그걸 궁금해할 때였다.

지지지직!

장기간 비행을 견딜 수 있도록 비행기 내에는 엔터테인먼트 시스템이 설치되어 있었다.

그 엔터테인먼트 시스템의 가장 큰 모니터는 현재로서는 꽤 구형인 샤프제의 액정 프로젝터였는데 그 프로젝터 스크린에 호박색 눈을 가진 젊은 남자의 모습이 떠올랐다.

이 비행기에 미사일 공격을 감행한 장본인, 아담카드몬 아낙스였다. 그는 다리를 꼰 채로 앉아서 박수를 치고 있었다.

—대단하군. 솔직히 이렇게나 버틸 줄은 생각도 못 했다.

아담카드몬 아낙스가 칭찬한다?

즉 서현은 이번 일전으로 모든 드론과 미사일들을 막아내는 데 성공한 것이다!

"하… 저게 아담카드몬 아낙스인가? 예전 테트라 아낙스랑 너무 면상이 다른데?"

한니발은 과거의 테트라 아낙스, 고든을 떠올리고 혀를 찼다.
"무슨 일이지요? 이제 와서?"
서린은 아담카드몬 아낙스에게 물어보았다.
그러자 아담카드몬 아낙스는 화면 너머로 서린을 바라보며 말했다.

—이번 게임은 너희의 승리다. 몬트리올 공항에서 비행기를 타고 샌프란시스코로 이동해서 거기서 육로로 뉴욕으로 온다면 너희가 무사히 샌프란시스코 공항에 도착할 동안은 내버려 두지.

"하… 개소리는 개집에 들어가서 하시지? 이미 서현이 너희들의 병기를 무력화시켰어! 그런데 이제 와서 왜 그런 제안을 받아들여야 하지?"
한니발이 그렇게 외쳤지만 아담카드몬 아낙스는 어깨를 으쓱해 보였다.

—테트라 아낙스의 기억을 가지고 있다면 내가 말하는 게 단지 허풍이 아니라는 걸 알고 있겠지? 어때?

"물론 테트라 아낙스의 기억 덕분에 당신이 지금 우리를 추가적으로 공격할 수 있다는 건 알겠습니다. 하지만 부끄럽지 않나요? 계속 드론으로 공격했다면 모를까 도중에는 직접 손을 대던데요? 플레이어들이 너무 잘하니까 억지로 난이도를 조정한 모양새였다고 생각되는데 설마 부정하진 않겠지요? 아니면 뭔가 다른, 납득이 갈 만한 해명이 있나요?”

서린이 게임 난이도 변경에 대해서 항의하자 아담카드몬 아낙스는 어깨를 으쓱해 보였다.

—인정하지. 솔직히 말해서 예상 밖으로 너희들이 강했다. 아니, 그 릴리쓰의 아이가 강했다고 해야 하나? 그래서 부득이하게 난이도를 조정할 수밖에 없었다.

“그렇다면 이 게임이 공정하지 못한 게임이라는 것도 인정해야 하겠군요. 그래서 공정하지 못한 게임을 벌이면서 저희들이 그 판에서 계속 놀아나야 할 이유는?”

서린이 물어보았다.

분명히… 게임의 난이도를 강제로 조정하는 자와 교섭해야 할 이유는 없다.

지금 하는 말도 말장난에 불과할 수 있기 때문이다.

—내가 부정을 저질렀다 해도 그대들이 사람들을 지키고자 한다면 내 제안에 따르는 게 이득이라는 걸 알 텐데?

아담카드몬 아낙스는 뻰뻰스럽게도 그렇게 말해왔다.

“글쎄요.”

서린은 머리를 굴려보았다.

만약 아담카드몬 아낙스가 다시금 다른 공격을 감행한다 하더라도 현재 드론과 미사일들은 죄다 떨어진 상태다.

'남은 공격 도구는 미 해군의 지대공 미사일 사이트에 의한 공격일 터. 그러나 그건 쓰기엔 부담이 너무 커.'

아무리 테트라 아낙스라고 해도 이걸로 터키 항공 민항기를 격추시키면 그 피해는 결코 만만치 않다. 미국의 군부와 행정부 곳곳에 플렉스 재단의 로비를 받은 이들이 포진해 있는데 그들에게 불씨가 떨어질 수 있기 때문이다.

애써서 사람들을 키우고, 정부 요소요소에 박아 넣었는데 이제 와서 그들을 망칠 건가?

'물론 아담카드몬 아낙스는 궁극적으로는 모든 인간을 파멸시킬 것이다. 하지만 아담카드몬의 관측이라는 건 꽤 오래 걸리는 일이야. 지금부터 벌써 그렇게 기반을 파괴할 이유는 없지. 이건 허세다.'

서린은 그렇게 생각하고 강하게 나가기로 마음먹었다.

그러나 그때 아담카드몬 아낙스가 말했다.

—무엇보다 지금… 저 릴리쓰의 아이는 너무 체력을 소모했어. 비행기에서 떨어졌다. 이제 내가 다시 공격하면 어떻게 막을 셈이지?

"뭣?! 서현이 추락했어?"

그 순간 한니발이 경악하고 창문에 달라붙었다.

창가에 앉아 있던 다른 승객들이 갑자기 달려들어서 그들 위로 올라와 창문에 머리를 처박는 한니발에게 분노했지만…….

"아가리 닥쳐! 찢어버린다?!"

한니발이 격노하며 비행기 시트를 잡더니… 맨손으로 가볍게 찢어버렸다.

전부 다 꿀 먹은 벙어리가 될 수밖에 없었다.

평소 한니발의 성격을 생각하면 자신에게 눈을 부라린 것만으로도 사람들을 찢어 죽였을 테지만, 지금 그는 서현이 추락했을지도 모른다는 소리를 듣자마자 추락하는 그를 찾기 위해 눈을 굴리느라 정신이 없다.

사람들을 찢어 죽이는 건 그다음의 일이다.

"윽……."

서린도 당황해서 서현을 찾으려 했지만… 아담카드몬 아낙스가 정보 통제를 걸자 서린의 능력으로는 서현을 찾을 수가 없다.

'서현 형이 그렇게 쉽게 추락할 리가 없어. 설령 추락해도 안 죽을 거다. 종단속도라는 게 있으니까 아무리 높은 데서 떨어져 봐야 괜찮을 테고, 대서양 위로 떨어지면… 그러나 카타볼릭 상태일 텐데 과연 괜찮을까? 무엇보다 저놈은 잔악무도해! 내가 아낙스의 일부를 가지고 있기에 알 수 있다!'

서린은 짧은 시간 동안 뇌세포를 풀가동해 생각에 잠겼다.

그러는 사이 한니발은 벌떡 튀어나와 성큼성큼 걸어갔다.

"문짝 열겠다!"

"뭣? 하지 마. 지금 고도가 얼마인 줄 아냐? 이 상황에서 문을 열면 끝장이야. 기압 차로 산산조각 날걸?"

아르곤이 말렸지만 한니발은 막무가내였다.

"당신 능력으로 에어 록을 만들어! 그럼 내가 문을 열어도 내부 압력은 유지되겠지! 그다음에 닫으면 되잖아! 내가 밖으로 나가서 서현을 구조하겠다!"

"…아니, 그……."

아르곤은 할 말을 잃었다.

'보통 그렇게까지 하나? 여기서 뛰어내려서 서현을 어떻게 확보할 건데? 아니, 그리고 서현 당사자가 너에게 구출당하는 걸 선호할까? 절대 아니라고 보는데? 여기서는 서현을 위해서라도 내가 말려야겠지?'

아르곤은 그렇게 생각하며 한니발의 앞을 가로막았다.

"안 비켜?"

한니발은 아르곤이라도 가차 없이 후려갈길 기세였다.

그때 서린이 외쳤다.

"콜!"

—음? 무슨 뜻이지?

아담카드몬 아낙스가 어깨를 으쓱해 보였다.

"그 딜 받겠습니다. 샌프란시스코행 비행기를 타지요!"

—교섭 성립이군. 잘했어.

아담카드몬 아낙스가 박수를 치고 화면에서 사라졌다.

화면은 다시 평상시의 모습, 영화 채널로 돌아왔다.

그리고…….

[서린… 히… 힘이 다했어. 못 들어가겠다.]

서린의 머리에 서현의 목소리가 들리기 시작했다.

텔레포트로 나갔던 서현은 이제 그 힘을 다 탕진해서 비행기 몸체에 납작 들러붙어 있을 수밖에 없었다.

그것도 힘이 다해서 떨어질 지경이었다.

"어쩔 수 없군."

한니발은 정말 문을 열고 밖으로 뛰쳐나가 서현을 구해 올 셈인지 비행기 문에 달라붙었다.

스튜어드들이 놀라서 그를 막으려 했지만 그 순간 한니발의 발차기가 스튜어드들의 몸을 관통할 기세로 발사되었다.

턱!

아르곤이 양 바지 주머니에 손을 넣은 채 발을 들어서 한니발의 옆차기를 걷어 올렸다.

직격당하진 않았지만 그 공기압만으로도 스튜어드들이 놀라 엉덩방아를 찧을 정도였다. 그걸 간단히 막아내는 아르곤도 놀랍다.

"다… 당신들! 공항에 도착하면 신고할 거예요!"

"소, 소란을 피우시면 항공법 위반으로 실형을 살 수도 있습니다!"

승무원들이 소란을 피우는 한니발과 아르곤을 보고 놀라서 경고했다.

승무원들을 지키자고 나선 아르곤 입장에선 약간 억울했다.

"지금이라도 얼른 저놈을 회수하지 않으면 힘이 다해서 바다로 떨어질 거야!"

한니발이 그렇게 말하자 아르곤이 혀를 찼다.

"비행기 밖으로 나가서 붙어 갈 수 있어? 설마 악력으로 외벽을 우그러뜨리면서 갈 생각은 아니겠지?"

"……."

한니발에게 뭔가 특수한 능력이 있긴 하지만 이 바깥에서 비행기에 손상을 주지 않고 이동할 방법은 없으리라.

유리로 된 건물 외벽에 붙어 갈 수 있는 빨판 같은 장비가 있다면 시도해 볼 수 있겠지만 그런 빨판 장비는 공기가 희박한 고고도에서는 접착력이 약해지는 데다가 초속 240미터로 비행하는 비행기 외벽의 유속은 엄청나다.

복합 능력자인 서현이나 동결 능력자인 아르곤이라면 어떻게 나가서 걸을 수 있겠지만 한니발에겐 무리다.

"젠장, 그럼 당신이 하면 되잖아?"

"난 비행 중인 비행기 문을 열어서 승무원과 승객들을 괴롭히고 싶진 않아."

"그럼……."

"대신 재밌는 걸 보여주지."

아르곤은 그렇게 말하고 한숨을 내쉬고 서린을 돌아보았다.
“할 수 있겠어, 서린?”
“약간은.”
“그럼… 부탁해.”
아르곤이 그렇게 말하자 서린이 눈을 감았다.
테트라 아낙스에게서 빠져나오긴 했지만 서린은 고든—아낙스를 흡수한 덕분에 혼자서도 충분한 주문 연산 능력을 가지고 있었다.
그가 주문 연산을 시행하는 동안 아르곤이 비행기 바깥쪽에 납작 붙어 있는 서현을 향해 손을 뻗었다.
스으으윽!
비행기의 벽면을 투과해서 서현이 바닥으로 떨어졌다.
“컥!”
서현이 비명을 지르고…….
아르곤은 자랑스럽게 그 모습을 보여주고 모자를 벗었다.
“짜잔!”
“…….”
‘뭐가 짜잔이야?’ 라고 쏘아주고 싶었다.
그렇지만 한니발은 지금 이것의 의미를 잘 안다.
아르곤이 지금 보여준 것은 또 다른 혈인 능력… 투과 능력인가?
“…능력이 하나 더 있었군?”
한니발은 그 모습을 보고 혀를 찼다.

복합 혈인 능력, 바꿔 말하자면 복합 VT인자다. 베오울프의 사장으로서 앙리 유이와 거래를 해본 한니발은 마법사들이 이 복합 VT인자에 얼마나 신경을 많이 쓰는지 잘 알고 있었다.

하지만 예상보다 별로다.

'고작 이 정도라면 마법사들이 왜 그렇게 혈안이 되어 있는지 모르겠는데?'

이론상 VT인자는 릴리쓰나 다른 외령들의 파편이다. 말하자면 마법과 초상 능력은 물론 인류의 비밀까지 담겨 있다고 할 수 있었다. 신을 향해 오르는 24개의 계단, 그렇게 표현하는 이도 있었다.

그런 것치고는 확실히 별로다.

서린이 컨트롤하지 않으면 쓸 수 없는 걸로 봐서 두 성질의 VT인자가 어떤 반응에 의해서 전환되는 방식일 터. 이러면 능력을 여러 개 가지고 있어봐야 의미가 없다.

뭐, 그래도 그 덕분에 서현을 무사히 회수할 수는 있었지만 말이다.

"괜찮나?"

"죽을 것 같아."

"안 되겠군. 자, 한 입 먹어."

"……."

서현은 자신의 얼굴에 팔을 들이미는 한니발을 보고 고개를 돌렸다.

"어서! 카타볼릭 상태잖아."

"아니, 그 뭐라고 해야 하나. 잠깐, 웨잇 어 모멘트. 그게… 말이지."

서현이 고개를 돌리며 외면한다.

"뭐 하자는 거야? 얼른 먹어서 회복해야지."

"아니, 생각해 보니까 상태가 매우 호전되는 분위기야. 굳이 안 먹어도 될 것 같아. 나 다이어트하고 있어."

서현은 말도 안 되는 핑계를 대며 한니발을 거부했다.

"하긴 형이 좀 군살이 붙었지."

서린이 그리 말하고 서현과 한니발 사이에 섰다.

덕분에 한니발도 서현에게 더 이상 강요할 수가 없었다.

그날 처음으로, 서현은 자신에게 동생이 있어서 다행이라는 생각을 하게 되었다.

"사기당한 기분인데."

몬트리올 공항 대합실에 내려선 서현은 투덜거리며 햄버거들을 쌓아두고 먹고 있었다.

카타볼릭 상태를 회복하기 위해서는 인간을 먹는 게 즉효지만… 극심한 상태가 아니면 일반 음식을 많이 먹는 걸로 회복할 수 있었다.

그렇지만 다 햄버거라니… 취향이 적나라하다.

"뭔 사기?"

서린이 반문하자 서현이 짜증을 냈다.

"난 충분히 버틸 수 있었어. 그런데 아담카드몬 아낙스가 내가 떨어졌다고 블러핑을 해서 이런 거래를 유도했다며? 이게 사기지 뭐겠어?"

"아냐, 형. 난 형이 안 떨어졌다고 생각했었어."

서린이 고개를 가로저었다.

"그럼 왜 그 거래를 받아들였는데?"

"거기서 내가 배짱을 부렸으면 아담카드몬 아낙스는 아예 판을 엎고 대공미사일 샤워를 퍼부어줬을 거야. 드론에서 발사하는 암람 대공미사일 따위와는 비교도 안 되는 골치 아픈 무기지."

서린이 그렇게 말하자 그것도 기분이 나쁘다.

즉 아담카드몬 아낙스가 직접 입에 올리지 않고 무력행사를 암시한 것만으로 지레짐작해서 기었다는 뜻인데 매우 기분 나쁘다.

아담카드몬 아낙스, 사전적인 의미의 신에 가장 가까운 존재라는 놈이 하는 짓이 마피아 뺨친다.

'알아서 기라고 협박했단 말이지? 마피아 뺨치고 사채업자 등골 빨아먹을 자식이로군. 이런 놈이 과연 진짜 그 아낙스란 말인가?'

뱀파이어가 아닌 종족들에게는 동의하기 힘들겠지만 테트라 아낙스가 뱀파이어들의 사회를 유지하기 위해 한 짓은 어쨌든 고귀한 사명이었다.

자신의 이익보다 사명감을 앞세우던 놈이 이런 짓을 하다니?

"뭔 아낙스가 그 모양이야? 고든이 되기 전엔 꽤 괜찮은 인물이었다면서? 지금 하는 짓은 너무 노골적인 야바위꾼일 뿐이잖아?"

서현은 아담카드몬 아낙스에 대해서 폄하했다.

"아담카드몬 아낙스는 절대 선하지 않을 거야. 원래 아낙스는 엄청난 통찰력을 가지고 있는데도 거의 엄마 마음으로 굽어살펴 줬거든. 생각해 봐. 사람이 행동 자체는 올바른 사람일지라 하더라도 순간순간은 나쁜 마음을 먹을 수 있어. 그렇지? 당장 야한 거 보면 사람의 마음이 동하잖아."

"그건 그렇지."

한니발이 동조했다. 그러자 다들 한니발을 물끄러미 바라보았다.

"…뭐, 왜? 어쩌라고?"

"아니, 그냥. 하여튼 사람이 매 순간순간 나쁜 마음을 먹더라도 당연히 그들에겐 이성이 있고 도덕률이 있어서 그걸 제어할 수 있지만 아낙스는 그들이 나쁜 마음을 먹는 순간을 매번 보게 된다고. 평상시 준엄한 사람이 자위행위하는 모습을 적나라하게 보는 입장이라고 해야 할까? 그런 와중에 허물도 포함해서 사람들을 박애의 정신으로 대하는 건 보통 힘든 일이 아니지. 그게… 끝난 거야."

"그럼 이제 엄마 마음이 끝나서, 한계에 달해서 참다못해서 벌을 주겠다 이건가? 아, 젠장. 샌프란시스코면 미국 서해안이지? 서해안에서 동해안에 있는 뉴욕으로 오라고? 미국 횡단이라… 미쳤지."

테트라 아낙스가 장악하고 있는 미국을 좌우로 횡단하는 건 엄청난 강행군이 될 것이다.

테트라 아낙스의 군대, 그들의 병력, 그의 영향력, 그 모든 것이 집중된 곳이 미국이다. 게다가 이 미국은 문명국가 중에선 가장 총화기 규제가 느슨한 곳이다.

시에라리온이라든가 수단, 그런 파탄 국가를 제외하곤 말이다.

"안심해. 대신 이쪽에도 합류할 동료가 있으니까."

서린이 단언했다.

"에스프리… 라든가?"

서현이 반문하자 아르곤이 혀를 찼다.

"다 죽었을 리 없어. 내 클랜원들은 틀림없이 살아 있을 거야."

"…천국에서?"

한니발이 아르곤에게 반문했다.

2

둠스데이 프레퍼…….

파멸의 날에 대비하는 이들은 미국에 특히 많다.

이는 미국이 프론티어의 나라이기 때문이다. 그들은 네이티브 아메리칸들을 몰살시키고 나서 허허벌판인 신대륙을 차지하고는 울타리를 치고 그것을 자신의 영토로 삼았다. 중앙정부의 절대력보다 자신의 손에 들린 엽총과 사냥개를 믿던 이들이다.

언젠가 총체적인 문제가 다가올 때 그들은 자신들의 손으로 이 문제를 해결하려 했다. 이는 자주성… 이라기보다는 공권력과 사회시스템에 대한 불신이라고 해야 좋으리라.

그런 이들에게 아웃레이지, 아니, 대외적으로 비셔스 바이러스라고 알려진 질병의 발생은 세계 멸망의 징조처럼 보였다.

이미 미국 전역에서… 상대를 좀비, 그러니까 비셔스 바이러스 감염자라고 오인한 총기 사고가 끊이지 않고 일어나고 있었다.

행정력과 경찰력에 심각한 누수가 발생하고 있었다.

결국 미 행정부는 국가재난사태를 선포하고, 재난대책위원회의 회장으로 플렉스 재단의 이사장인 아담 하퍼를 영입했다.

아담카드몬 아낙스가 준전시체제에 들어간 미합중국 전 주에 강력한 영향력을 행사할 수 있게 되었다.

샌프란시스코 공항의 검색대는 검역 작업이 한창이었다.

써멀 카메라가 혹시 어떤 열병을 겪고 있을지 모르는 이들에 대해서 세밀한 조사를 시작했다.

여권에 비셔스 바이러스가 발생한 지역의 출입국 기록이 남아 있는 자들은 특수 격리동으로 가서 세심한 조사를 받아야 했다.

비셔스 바이러스의 끔찍한 위력에 두 손, 두 발 다 든 질병대책본부와 국가재난대책본부는 플렉스 재단에 애원했고 플렉스 재단은 막강한 재력을 풀어 치안과 검역을 돕기 시작했다.

감염자가 폭도로 돌변한다는 점에서 비셔스 바이러스의 검역 작업은 필연적으로 무력을 동원해야 했다. 동경도와 자카르타에서 폭도들의 힘은 경찰은 물론 군대까지 파괴하였으니 폭도들을 검역하고 제압하기 위해서는 당연히 그 이상의 힘이 필요했다.

그 결과 비셔스 바이러스를 막겠다는 플렉스 재단은 강력한 무장 병력을 검역을 위해 필요한 거의 모든 곳에 깔아 넣을 권리를 얻었다.

사실상 사병 집단의 배치를 허가받은 셈이었다.

지금 샌프란시스코 공항도 그러했다. 본래 공항 경비대가 있게 마련이지만 그들보다 더욱더 강력한 장비를 가진 특별 검역부대가 배치되었다. 엑소 스켈레톤 아머, 20밀리 체인 건, 로켓 런처, 연발 샷건, 대전차미사일 등등 외계인이 쳐들어와도 허망하게 당하지 않을 정도의 장비다.

한 기업의 사설 병력이라고 하기엔 지나치게 과잉한 화력을 보고 공무원들은 내심 혀를 내둘렀다.

"망했군."

검역대의 무장 상태를 본 서현은 투덜거렸다.

아무리 테트라 아낙스가 사람들의 인식을 마음대로 조종한다 해도 가만히 있는 사람을 어떻게 무력으로 배제할 것인가?

그렇게 안일하게 생각했었는데 그들을 비셔스 바이러스 감염자로 지목하기만 하면 끝날 것이다.

저런 노골적인 중화기로 포진하고 대기하고 있다니? 공항 안에서 끝장낼 셈인가?

"뭐, 덤비면 죽이고 뚫고 나가야지."

한니발은 아무렇지도 않게 그렇게 말하고 복도에 준비된 소화기를 향해 걸어갔다.

상대가 어떤 무장을 가지고 있어도 저런 소화기나 맨손이면 충분하다는 걸까? 다른 이가 한다면 지나친 자신감이나 오만함이라고 하겠지만 한니발이라면 이야기가 다르다.

그러나 서린이 그런 그를 제지했다.

"자자, 기다려 봐요. 벌써부터 그러지 말고."

만약 불도 안 났는데 한니발이 소화기를 뜯어낸다면 저 검역대의 병사들이 저능아가 아닌 이상 당연히 제지에 나설 것이다. 즉 한니발이 소화기를 드는 시점에서 전투가 개시된다.

일단 모두의 의견을 듣지 않고 바로 전투 개시를 하다니 어디서 배워먹은 버릇인가?

"그렇게 노골적으로 움직이지 말고 우선 대화를 하자고. 나는 아무리 테트라 아낙스의 부하라 해도 일단 다들 자유와 박애 정신을 가지고 있다고 믿어."

"누가 히피 아니랄까 봐 공기에서 마리화나를 연성하고 계시는구만. 그런 게 가능할 리가 있나."

서현이 어이가 없어서 코웃음 쳤다.

아담카드몬 아낙스는 이미 완전히 테트라 아낙스의 조직을 장악했다. 미합중국의 여러 요인들은 플렉스 재단의 이사장이 이렇게 급격하게 변했는데도 원래부터 아담카드몬 아낙스가 이 사장이었던 것처럼 행동하고 있다.

닥쳐보지 않으면 모른다고 해서 지뢰밭으로 뛰어 들어갈 필요는 없는 법이다.

"내 클랜원들은 마리화나를 열심히 피우긴 했지만 난 효과 없던데."

아르곤이 그렇게 투덜거렸지만 나가려던 발걸음을 멈췄다.

"일단 뚫고 나간다 하더라도 그다음에는 어떻게 하려고? 어떤 방식으로 탈출할지 이야기해 두자고."

서린이 그렇게 말할 때였다.

서린의 전화기가 울렸다.

"아… 팬텀이다."

"팬텀? 진마 팬텀?"

"쉿."

서린은 조용히 하라고 손가락을 세우고 전화를 받았다.

본래 팬텀은 금융회사의 오너로서 뉴욕에 거처를 두고 있었다. 하지만 아담카드몬 아낙스는 뉴욕의 플라자 호텔을 실험의 결전장으로 삼았다.

최종시험장까지 오는 게 일단 시험의 일부……. 당연히 뉴욕에 살고 있던 이를 내쫓아야 할 필요가 있었다.

만약 팬텀이 눈치 없이 계속 뉴욕에 남아 있었다면 척살 1순위가 되었을 것이다. 모하비사막으로 사법서를 옮긴 것은 사법서가 폭주해 대도시의 사람들을 해치고 저주가 퍼져 나갈까 봐 두려워서 한 일이지만 결과적으로 그것이 팬텀의 목숨을 구했다.

문제는 그다음의 행보다.

아담카드몬 아낙스의 시험에 응해서 그의 휘하의 세력이 되든, 아담카드몬 아낙스를 실각시키고 다시 서린을 테트라 아낙스의 수장으로 만들든, 어느 쪽을 선택하더라도 뉴욕에는 가야 한다.

그럼 팬텀이 이들을 이끌고 함께 뉴욕으로 진군해야 하는가?

팬텀은 그래선 안 된다고 생각했다.

우선 지금 그는 무력한 아웃로들과 에스프리의 생존자를 거두고 있다.

이들을 그의 결정, 그의 싸움에 끌어들여선 안 된다. 그러니 그들을 안전한 곳으로 피신시킬 의무가 있었다.

그리고 외국에 있는 다른 뱀파이어들에 비하면 여전히 팬텀은 가깝다. 비행기를 타든, 육로로 이동하든 현재 팬텀은 뉴욕에 물리적으로 가깝다.

만약 지금 이 순간 일직선으로 뉴욕으로 향하면?

그럼 아담카드몬 아낙스의 모든 포화가 팬텀에게 쏠릴 것은 당연하다.

아담카드몬 아낙스의 잔혹한 손속을 본 바로는… 팬텀이 설령 친테트라 아낙스적인 뱀파이어라 해도 가만두지 않을 것이다. 하물며 아담카드몬 아낙스가 제거하려 했던 이들을 구조한 지금에서야 더 말할 것도 없다.

이미 아담카드몬과 적대한다면 그 적대 세력을 규합해 행동을 함께해야 한다.

하지만 빌헬름은 약간 회의적이었다.

“뜻은 알겠지만 지금 서린에게 전화를 하는 건 위험합니다. 만약 서린이 이미 제거당했다면… 그에게 전화를 거는 건 아담카드몬 아낙스에의 반역 행위입니다. 노골적인 반기로 보이겠지요.”

“아담카드몬 아낙스의 지금 공격은 노골적인 말살 행위가 아닌 건가?”

“…슬프게도 주눅 든 이는 매 순간순간, 자신의 숨통을 바로 조이기 전까지 숨죽이게 마련이지요. 사람이든 뱀파이어든 최악의 상황이 자신의 방문을 두들기기 직전까지 이불에 머리를 파묻고 엉덩이만 내놓는 걸 좋아하거든요.”

빌헬름은 10대 소년의 모습을 하고 있지만 나치 치하를 겪어본 인물이다. 강력한 권력이 얼마나 쉽게 개인을 비굴하게 만들고 그것이 어떻게 사람을 타락시키고 조종시키는지 경험상 잘 알고 있었다.

물론 팬텀은 그런 비굴함을 받아들일 생각이 없었다.

“마스터인 나를 너무 쉽게 보는구나, 빌헬름. 마음에도 없는 소리를 하고.”

팬텀이 그리 말할 때였다.

“저…….”

에스프리의 생존자 뱀파이어가 수첩을 하나 꺼내 보였다.

"혹시 괜찮으시다면 이 번호로 연락해 보십시오. 전 전화기가 없어서."

"음? 이 번호는?"

빌헬름이 반문하자 에스프리의 생존자가 머리를 긁적이며 답했다.

"에스프리에 가담한 진마, 창영과 정야의 전화번호입니다. 그들도 합류한다면 분명히 팬텀 님의 힘이 될 것입니다."

3

진마 창영과 정야, 그들은 원래 창운과 진야라는 진마를 계승한 인물이었다.

이들 두 진마는 진야의 능력인 계속되는 윤회에 의해서 고통받고 있었다.

그들의 소망은 그 윤회의 굴레에서 벗어나 완전한 죽음을 맞이하는 것. 하지만 테트라 아낙스가 보호해 주지 않는 아웃로 뱀파이어인 그들은 다른 뱀파이어들의 먹잇감으로 여겨졌고 그로 인해서 혈풍이 일어났다.

이 혈풍을 잠재운 것은 바로 아르곤이었다. 그는 창영과 정야를 자신의 혈족으로 받아들여 에스프리의 신분을 주고 아웃로 뱀파이어가 아니게 해주었다.

창영과 정야도 아르곤의 친절에 고마워했었다.

그러니까 에스프리의 정체를 알기 전엔 말이다.

창영은 커다란 돌출형 보닛을 가진 트랙터가 들어오는 걸 보고 지시등을 흔들었다.

트랙터가 트레일러를 뒤로 밀고 들어오자 리프트들이 움직여 안의 물건들을 끄집어내기 시작했다.

"하… 내가 설마 이런 세계적인 대기업에서 일하게 될 줄이야."

창영은 쓴웃음을 지으며 모자를 고쳐 썼다. 월마트의 정규 직원들을 위한 유니폼과 모자다.

세계적인 대기업이긴 하지만 그 말단 직원의 처우가 좋냐면 절대 아니다.

차라리 맥도날드 쪽이 몸이 편하다고 할 정도로 처우가 안 좋은 일자리다.

뱀파이어 24군주, 밤의 귀족이라는 자가 사회 최하층의 일을 하고 있는 셈이다.

뭐, 창영이야 원래부터 자신이 귀족이라는 자각은 전혀 없었다. 본래 그는 실패한 체대생이었다. 태권도 선수 출신으로 한때 국가 대표 상비군이었지만 잦은 부상에 시달려 결국 국가 대표가 될 수는 없었다. 태권도장을 차리거나 독립하기엔 집안에 돈이 없었다.

그러니까 이제 와서 만리타향에서 택배 상하차, 아니, 월마트 물류 센터에서 일하는 것에 대한 부담감은 적었다.

어차피 신체 능력은 넘쳐난다. 아무리 힘든 일이라 해도 그에게는 문제가 되지 않았다.

그러나… 다른 뱀파이어들은 이렇게 말하곤 했다.

'거 판타즈마고리아 같은 데 갔으면 연봉으로 백만 달러는 줬을 텐데… 최소한의 품위 유지비로 말이지.'

'…….'

그 사실을 알게 된 순간 창영은 갑자기 기분이 나빠졌다.

게다가 그런 주제에 아르곤이 뱀파이어 세계에서 가지는 위상은 대단하다. 진마 아르곤이 영입한 클랜원을 빼내 가는 행위는 제정신 박힌 뱀파이어라면 그 누구도 하지 않는다.

즉… 사실상 클랜원에게 거의 아무 지원도 해주지 않는 이곳에 한번 들어오면 나갈 방법이 없었다.

뭐, 아르곤이야 일종의 수행자에 가까워서 가난을 즐긴다. 옛날 인도의 수행자들은 깨끗한 옷을 입는 것조차 죄악이라고 여겨서 벗고 다니거나 분소의(糞掃衣:세속 사람들이 버린 헌옷을 주워다 만든 가사)를 입고 다녔는데… 아르곤의 옷 대다수가 사실상 분소의나 다름없었다.

창영도 그런 아르곤의 삶의 방식을 비난할 생각은 없다. 남자다 보니까 그 역시 아르곤처럼 사는 것에 거부감은 없다.

그러나… 여자인 정아는 어떻게 되는가?

현재 정아는 패밀리 레스토랑의 웨이트리스를 하고 있었다.

웃기는 일이다.

인간일 때도 가난했는데 뱀파이어일 때도 가난하다. 빌어먹을 테트라 아낙스는 돈이 썩어날 지경이라는데도 아르곤의 비호를 받는 그들은 그 혜택을 누리지 못한다. 분류상 아웃로가 아니라 정식 클랜인데도 말이다.

'뭐, 가끔 울화가 치밀어 오르긴 하지만 그래도 아르곤을 탓할 상황은 아니지. 다만 정야에게 고통을 주고 싶지는 않은데…….'

급료 자체는 나쁘지 않지만 역시 넉넉한 삶을 지내기에는 부족하다. 월마트 이 악랄한 놈들은 주주총회에서는 항상 슈퍼볼 뺨치는 돈지랄을 하면서도 정작 자신들의 직원들에게는 인색하다.

그런 생각을 하고 있을 때였다.

"음?"

창영은 전화기가 울리는 걸 느꼈다.

못 보던 번호다. 대체 누굴까?

"아, 영어 아직도 덜 늘어서 곤란한데."

어이없게도 영어보다 스페인어가 더 빨리 늘고 있었다. 근무지에 미국인보다 멕시코 출신이 많기 때문이다.

창영이 전화기를 들자… 세련된 목소리의 한국어가 들려왔다.

—창영… 씨가 맞으십니까?

"실례지만 누구시죠?"

—로우 깁슨… 이라고 합니다.

"……."

팬텀! 그 순간 창영은 모자를 고쳐 쓰고 자세를 바로 했다.

음성 통화일 뿐이니 전화기 너머의 상대가 그를 볼 수 있을 리 만무하건만, 그는 옷매무새를 고쳤다.

진마 팬텀의 휘하에 들어갔었다면 어땠을까?

하루에도 몇 번씩 그런 망상을 한 적이 있었다.

특히 근무지에서 그가 실수를 해, 배상을 해야 한다고 급료에서 선공제를 하는 경우라도 생기면 그날은 하루 종일 그런 망상에 사로잡힌다. 차라리 흡혈로 다 죽여 버리고 자유로운 악당이 되어 살고 싶다는 생각까지 해본 적이 있었다.

스스로도 '아, 이건 우울증이로구나' 하고 진단을 내릴 정도로 우울한 상황이다 보니 만약 다른 계파에 가입했었더라면 하는 망상으로 도피하지 않으면 그 스트레스를 견디기 힘들었던 것이다.

그런데 갑자기 팬텀이 자신에게 전화를 하다니 이런 일이 있을 수 있나?

—당신들의 도움이 필요합니다.

"도움이라고 하시면?"

—에스프리의 모하비 캠프가 테트라 아낙스에게 습격당했습니다. 현재 에스프리는 테트라 아낙스의 적입니다. 저도 그렇고요.

"네?"

—새로운 테트라 아낙스는 이 세상에서 모든 뱀파이어를 최대한 학대하고 지워 버릴 셈입니다. 메일을 보낼 테니까 그쪽에서 합류하도록 합시다.

"잠깐?"

창영이 뭔가 더 자세히 물어보고 싶어서 전화기를 붙잡았지만 전화가 갑자기 끊기고… 통화권 이탈이 떴다.

"엿 같은 버라이즌! 갑자기 왜 이래?"

당황한 창영이 전화기를 허공에 높이 치켜들고 '전파 수신의 여신상' 자세를 취했다.

자유의 여신상처럼 전화기를 높이 드는 자세를 취했지만 전화는 되지 않고 대신…….

갑자기 사방팔방에서 서치라이트가 밝혀졌다.

월마트의 화물 집하장을 방탄 처리된 험비가 질주하며 에워싼 것이다.

"하… 아 좋아. 울고 싶었는데 잘되었다. 아주 뺨을 때리는구나."

창영은 그 모습을 보고 혀를 찼다.

싸구려 노동자로서 매일매일 우울한 일상을 살아온 그에게 이 일상을 파괴하라고 무장 집단이 덤벼든다면 오히려 환영할 일이다.

"너그들 다 뒈졌다."

창영은 테트라 아낙스의 병력들에게 사형을 언도했다.

정야의 사정도 창영에 비해서 그다지 나을 게 없었다. 낮에는 일반 레스토랑에서 웨이트리스를 하고 밤에는 스포츠 바에서 웨이트리스를 한다. 뱀파이어의 체력, 완력, 생명력을 가지고 써먹는 게 고작 파트타임 잡 두 개를 하는 것이라니…….

스스로 생각해도 어이가 없지만 그녀가 뱀파이어로 각성한 이후 그녀를 노리는 이가 너무 많으니 대안이 없었다.

정야의 능력은 전투에는 그리 큰 영향을 주지 못하지만…….

그녀의 VT인자는 비교할 수 없이 높다.

반면 그녀 자신은 전투에 익숙하지 않다. 어느 한곳에 오래 정착해 있으면 적이 나타날 수 있다. 그나마 지금은 에스프리의 다른 뱀파이어들이 그녀를 위한 안전망이 되어준다. 창영 역시 그녀를 위해 언제나 촉각을 곤두세워 그녀를 지키는 데 힘이 되어준다.

다만 이 일자리에서는 별로 큰 도움이 안 된다.

"어이, 아가씨. 내가 한 잔 사지. 아가씨 덕에 딴 것 같은데 이 행운을 좀 나눠주고 싶거든."

배불뚝이 노인이 히죽 웃으면서 술을 권한다.

스포츠 바는 주로 PPV(Pay per view:유료 스포츠 경기)를 틀어주고 일반적으로 스포츠 베팅 티켓을 파는 주점이다.

이 노인은 그 도박에서 작은 승리를 거둬서 기분이 좋은 모양이다.

적당히 취기도 오르고 돈도 손에 쥐니 갑자기 자신의 남성적 매력에 대해 자부심을 느끼는 것일까?

손녀뻘 아가씨에게 술을 사겠다고 한다.

"근무 중이라서 안 돼요. 마음만 받지요. 감사합니다."

정야는 그리 답하고 한숨을 내쉬었다.

"마음만 말고 다른 것도 좀 받아주지그래. 하하하하."

"크아하하하하."

노인네가 농을 걸자 그 노인과 함께 온 다른 사람들이 일제히 폭소를 터뜨린다.

'이럴 줄 알았지. 당신들 농담 정말 재미없거든?'

정야는 한숨을 내쉬었다.

남존여비, 가부장제가 득세하고 있는 한국에서 태어난 그녀는 한때 '미국에 와서는 좀 사정이 양호해지지 않을까?' 하는 그런 헛된 희망을 가져보았다.

하지만 사람 사는 곳은 어디나 마찬가지인 법인지 미국이라고 해도 뭐 딱히 다르진 않았다.

그나마 다행인 건 너무 진상을 떨면 홀 매니저가 그 고객을 추방시켜 버린다는 것이다. 한국 같았으면 자영업자들이 너무 힘들어서 아무리 진상 고객이라고 해도 그 고객의 돈 몇 푼, 매상 얼마가 아까워서 직원들의 감정이 마모하도록 방치했을 것이지만… 그렇다고 해서 이런 농지거리가 유쾌하진 않다.

정야가 얼굴이 굳어진 채로 테이블을 닦자 이들은 더더욱 기세등등해졌다.

아마도 그들 중 몇몇이 자신들의 유머 감각으로 정야를 웃길 수 있을지 없을지 내기하고 있음에 분명했다.

'너희들은 즐겁겠지, 그 내기의 대상이 된 자는 귀찮단 말이다. 최저 시급을 받고 있는데 너희 같은 놈들이랑 농지거리를 나눌 정신적 여유가 있겠냐?'

라고 짜증을 낼까 말까… 망설이던 바로 그때였다.

갑자기 바의 문이 열리고 인근 상점가에서 핫도그를 파는 흑인 청년이 뛰어 들어왔다. 정야를 지키기 위한 에스프리의 일원이었다.

그가 놀라서 외쳤다.

"저, 저기, 정야 씨! 큰일이야! 에스프리가 습격당했어!"

"네? 누구에게……."

"아! 여기 오고 있어! 큰일이야!"

그 순간 헬기 로터 음이 들리기 시작했다.

—IDC 질병통제국에서 알려 드립니다. 현재 긴급 감염원으로 특정되는 사람이 있으니 여러분은 건물 안에서 대기해 주시길 바랍니다.

헬기에서 감정이 절제된 건조한 목소리가 대형 스피커를 통해 외친다.

그리고 TV에서도 특별 방송이 시작되었다. 캘리포니아 주지사가 비셔스 바이러스를 근절하기 위해 주 방위군을 동원하고 연방질병통제국에 주 내의 검역 작업을 위임하는 위임장을 써줬다는 내용의 방송이다.

즉 캘리포니아 주 내에서 연방질병통제국, 테트라 아낙스가 실질적인 권력, 무력의 정점에 올랐다는 뜻이기도 하다.

비셔스 바이러스는 실존하지 않는 질병이니… 이 병에 걸렸다고 누군가를 지목하고 환자로 만드는 건 테트라 아낙스에겐 일도 아니다. 원래부터 테트라 아낙스가 세계를 지배할 수 있는

데도 하지 않고 있다는 건 알았지만…….

이건 뭐, 단번에 세계 정복이 끝난 게 아닌가?

"어, 어쩌지요?"

위기를 알리기 위해 뛰어들었던 흑인 청년이 공포 때문에 다리 힘이 빠져서인지 허우적거리고 있었다.

두두두두두!

총성이 울려 퍼진다.

—거리로 나오시면 검역 작업에 방해됩니다.

헬기 위에서는 무덤덤한 목소리가 그렇게 말했다. 총격을 퍼부으면서 저렇게 무덤덤하게 말할 수 있다니 사이코패스가 아니고서야…….

덕분에 저놈이 사이코패스라는 사실과 비셔스 바이러스를 근절하기 위해서 무력 사용이라도 불사하겠다는 뜻이 확실하게 전달되었다.

"망할… 미친놈이네. 도시 한복판에서 뭐 하는 거야?"

"그 비셔스 바이러스인지 뭔지 때문이잖아? 그거 걸리면 완전히 좀비 되던데……."

"아무리 그래도 지금 저 말은 그냥 닥치고 나오지 말라는 거잖아?"

스포츠 바에서 노닥거리던 이들도 불안 때문에 엉거주춤한 자세로 서 있었다.

다른 손님들은 바 테이블 밑으로 기어 들어가거나 의자를 엄폐물로 기어 들어가기도 했다.

'그래, 적어도 저 작자들은 조용해졌군.'

정야는 테트라 아낙스의 만행이 적어도 저 남자들의 농지거리를 중지시켰다는 건 높이 평가했다.

그러나 어째야 하지?

비셔스 바이러스가 앙리 유이가 만들어낸 아웃레이지를 말하는 것이라는 사실을 알고 있는 입장에서 보면 저들이 비셔스 바이러스로 위협하는 건 그냥 공갈에 불과하다.

진짜 목적은 정야 자신일 것이다.

"퇴근하겠습니다, 매니저."

"아… 그러면 고맙긴 하지만."

어차피 더 이상 영업하긴 텄다.

그런데 근로자가 알아서 타임카드를 끊고 나가겠다면 매니저 입장에선 말릴 이유가 없다. 조금만 더 생각이 깊었으면 무장한 병사들이 에워싸고 있는 도시에서 타임카드 끊고 퇴근하겠다는 사람이 이상하다는 것쯤은 알 수 있었을 텐데 말이다.

하지만 이 대도시에서 제각각의 인종이 모여 살 때는 무관심이 최고의 미덕이지.

정야는 라커 룸으로 가서 옷을 갈아입고 자신의 핸드백 안에 있는 낡은 브라우닝 하이파워 권총에서 탄창을 꺼내 탄 수를 확인해 보았다.

이런 부실한 무기로 저놈들을 상대할 수 있을까?

어림도 없을 거다. 방탄복만 입어도 이런 건 무용지물이고 인간보다 괴력을 가진 뱀파이어의 근섬유는 이미 방탄복 수준으로 질기다.

정야는 진마이니 신체 능력 또한 굉장하지만 그렇다 해도 그녀가 이 권총 한 자루 믿고 뛰쳐나가는 건 자살행위다. 그녀의 혈인 능력은 전투와는 전혀 관계가 없다.

'자, 어쩌지?'

그런 생각을 하고 있을 때였다.

두두두두두!

밖에서 총성이 울려 퍼졌다.

—검정 도요타 크라운! 즉시 정차하시오! 계속 움직이면 비셔스 바이러스 감염자로 간주하겠소! 젠장!

헬기에서 확성기로 경고가 울려 퍼진다. 깜짝 놀란 정야가 뒷문을 열고 나가보니 검정색 도요타 크라운 한 대가 도로 위를 질주한다.

그녀와 창영이 중고차 시장에서 1,000USD에 구매한… 다 썩어가는 중고차가 총알로 구멍이 숭숭 뚫리고 있었다.

언젠가 폐차하려고 마음을 먹고 있긴 했는데… 매번 어떻게든 굴러가니까 그냥 타고 다닌 물건이다.

그래도 남들에 의해서 구멍 뚫리는 걸 보니 마음이 아프다. 맨날 결정적으로 고장 날 때마다 에스프리의 뱀파이어들이 인근 폐차장에서 부품을 주워 와 수리를 도와주는 바람에 차마 버릴 수 없던 차였다. 그리 좋은 차는 아니지만 미운 정 고운 정 다 든 게 폐차 신세가 되는 걸 보니 가슴이 아프다.

에스프리 뱀파이어들 손재주가 아무리 좋다고 해도 설마 저 모양이 된 차를 되살릴 수 있는 건 아니겠지? 가슴이 아프다고 했지만 별로 살리고 싶진 않다.

이 기회에 제발 새 차를…….

"창영?!"

"지금 간다, 정야!"

창영은 자신에게 쏟아지는 기관총 세례를 피하며 혈인 능력으로 돌풍을 일으켰다.

헬기가 기우뚱하고 기울어지더니 인근 송전탑에 대가리를 들이받고 자빠진다.

헬기를 그렇게 떨어뜨린 창영이 타이어로 도로 위에 스키드 마크를 남기며 회전해 정야 앞에 차를 정확하게 멈춰 세웠다.

"타시지요, 아가씨!"

"하하… 어떻게 된 거야?"

"테트라 아낙스가 제대로 미친 모양이야. 팬텀과 합류하자. 어이, 시클리. 이거 운전할 수 있겠어?"

"하, 할 수 있습니다만."

시클리라 불린 에스프리의 흑인 뱀파이어가 반쯤 고물이 된 도요타 크라운을 보며 혀를 찼다.

"잘 부탁해. 난 간만에 이 울분을 좀 풀어보지. 월마트 노동자의 울분이다, 씨발것들아!"

창영은 그렇게 외치며 차에서 뛰쳐나오고 차량 뒤쪽 트렁크에 꽂아두었던 소방용 도끼를 손에 들었다.

"…아, 네……."

시클리는 쓴웃음을 지었다.

비록 저 테트라 아낙스의 뱀파이어들이 완전무장 했지만 이쪽도 진마가 둘. 게다가 창영이 가진 능력은 상당히 강력한 전투형 능력이다. 대기압을 자유자재로 조절하는 창영의 능력 앞에서 헬기나 비행체는 추락하기 위해 존재하는 거나 다름이 없다.

창영과 정야는 추격자들을 토막 내버리고, 무사히 팬텀과 합류할 수 있었다.

하지만 테트라 아낙스의 병력은 사실상 인간과 뱀파이어 전역에서 얼마든지 뽑아낼 수 있는 것이니 그들이 추격자를 따돌렸다 해서 테트라 아낙스, 아담카드몬 아낙스의 위치에는 단 한 순간의 흔들림도 없었다.

여전히 아담카드몬 아낙스는 이 세계 전부를 압살할 수 있는 초월적인 위치에서 세상을 굽어보고 있는 것이었다.

—그렇게… 해서 이들과 합류했습니다. 꽤 괜찮은 친구들이더군요. 진작에 교분을 나눌걸, 너무 아르곤에게 맡겨두었던 모양입니다.

팬텀은 창영과 정야가 자신과 함께하고 있다는 사실을 서린에게 알렸다.

"다행이군요. 아르곤도 좋아할 겁니다."

—그대야말로 무사해서 다행입니다, 테트라 아낙스, 아니, 서린. 당신이 테트라 아낙스가 되었을 때는 사실 걱정을 많이 했었는데 당신 말고 그가 테트라 아낙스가 되니 그 걱정이 기우였다는 걸 알게 되었습니다. 역시 당신이 최고의 테트라 아낙스였어요.

"칭찬 감사합니다만 그런 건 나중에 여유 있을 때 다시 들려주세요. 지금 저희는 공항에서 테트라 아낙스의 병력을 맞닥뜨리게 되었으니까요. 이거 어떻게 해야 할까요?"

서린이 대답하다 문득 생각나서 물어보았다.

"그래도 전화한 걸 보니 혹시 사법을 되찾았나요?"

—…여전히 테트라 아낙스의 힘은 가지고 있나 보군요, 서린.

"뭐, 예지력이랑 상관없는 통찰이에요."

—아, 그리고 혹시 아르곤도 함께 있습니까? 창영이 안부를 묻는데?

"바꿔 드릴까요?"

서린이 물어보자 팬텀이 전화기 너머로 미소를 짓는 게 느껴졌다.

—본인이 바꿔달라고 하지만 이 감동을 전달하기 위해 나중에 직접 만나게 하는 편이 낫겠군요. 여하튼 고생하셨습니다.

"저야 뭐, 적당히 고생했을 뿐이지요. 저보다는 제 형이 더 고생했어요."

—아르곤은?

"아르곤이야 놀고 있고요."

"아… 검역이 짐 찾기 전에 있어. 풍선껌 금단증상이! 아아악."

굳이 아담카드몬 아낙스가 공항에 자신의 병력을 깔아두지 않았다 해도 아르곤은 틀림없이 일반 검역에도 걸릴 게 분명했다.

"…들리지요?"

—네, 알겠습니다. 그러면 검역은 그냥 돌파하세요. 국내선 C3으로 차량을 준비하겠습니다.

팬텀은 그렇게 말하고 전화를 끊었다.

"흠, 어쩔 수 없군. 폭력은 그렇게 좋아하지 않지만."

서린은 한숨을 내쉬고 고개를 끄덕였다.

"밀어버리죠."

"명령하지 마라, 응?"

한니발은 그렇게 말하면서 소화기를 향해 접근했다.

과연 화재도 나지 않았는데 벽에 걸린 소화기를 건드리는 한니발을 본 병사들이 당황하면서 소총을 겨누었다.

"꼼짝 마!"

"지금 뭐 하는……."

그러나 그 순간 이미 일반 승객들 사이에 섞여 들어가 있던 서현이 그들 옆으로 뛰쳐나와 가볍게 소총을 빼앗아 턱을 쳐올려 머리통을 부숴 버리고 빙글 몸을 돌려 옆자리에 있는 병사에게 총격을 가했다.

"컥!"

"꺄아아악!"

총성과 비명 소리가 울려 퍼진다.

일반인들은 놀라서 일제히 바닥에 엎드리고, 너무 충격을 받아서 정신을 못 차리는 아줌마는 서린이 달려들어 그녀를 강제로 바닥에 엎드리게 했다.

“이런 젠장… 저것들은!”

엑소 스켈레톤 슈츠를 입고 있는 이가 서린과 그 일행을 알아보았다.

하지만 그 순간 그가 멈칫했다. 엑소 스켈레톤 슈츠를 입을 정도면 테트라 아낙스의 시스템 안에 들어와 있는 자, 그의 눈앞에 테트라 아낙스의 수장이던 서린이 있는 것이다.

하지만 그의 지금 주인은 아담카드몬 아낙스. 그렇다면 눈앞에 있는 자는 누구지?

“아… 으으아… 아아악!”

엑소 스켈레톤 슈츠를 입은 병사가 머리를 감싸 쥐고 괴로워한다.

서현은 그가 고통스러워하든 말든 아랑곳하지 않고 오히려 이 기회에 그를 제거하기 위해 손을 치켜들고 주먹을 움켜쥐었다.

“하지 마! 형!”

“음?!”

엑소 스켈레톤의 노출 부위에 주먹을 꽂으려던 서현이 손을 멈췄다.

“웃기지 마. 아담카드몬 아낙스는 그렇게 호락호락한 놈이 아니야. 지금은 착란을 일으키지만 곧 멀쩡해져서 아랑곳하지 않고 덤벼들걸?"

"그런다 해도 그가 우리 위협이 되진 않잖아. 내가 걱정하는 건 그의 목숨이 아니라 형의 마음이야."

"내 마음은 이런 뱀파이어 하나 죽인다고 상처받을 만큼 말랑말랑하진 않다만?"

"그래서 취하지도 않는 술을 마시며 어디 처박혀 있었지."

"…우리 그 이야기는 나중에 하자, 응?"

서현은 동생이 자신의 약점을 파고들어 오자 흥 하고 코웃음 치며 바닥에 떨어진 소총들을 차올려 아르곤과 한니발, 서린에게 건네주었다.

"으……."

일반 공항 직원이 손을 부들부들 떨며 워키토키를 붙잡았지만 서현이 총을 겨누고 싱긋 미소를 짓자 워키토키를 머리 위로 들어 올리며 어색한 미소를 지었다.

"망했군. 이제 확실히 범죄자가 되어버렸어. 이 신분도 못 쓰겠군."

서현은 아쉬움의 한숨을 내쉬었다.

언제나 범죄자로 살다가 아주 잠깐 깔끔한 신분으로 살아봤는데 그게 이렇게 끝장날 줄이야…….

서린과 서현 일행이 공항의 세관을 무력으로 강행 돌파 하고 나와보니 캐딜락 리무진 한 대가 공항 터미널에서 대기 중이었다.

팬텀과 빌헬름, 그리고 창영과 정야가 차량에 대기하고 있었다.

"상당히 조용히 돌파했군요."

팬텀은 박수라도 쳐줄 기세로 서린과 서현의 돌파력을 칭찬했다.

공항은 마약이나 금지 물품들이 이동하지 못하도록, 또한 테러리스트나 범죄자들이 이동하지 못하도록 막는 하늘의 관문이다. 당연히 일단 틀어막으면 중세의 성문 빰치게 완벽하게 상대를 감금하고 방어할 수 있다.

그 관문을 관운장 오관 돌파하듯 돌파했는데도 이곳에선 총성조차 들리지 않았다. 뱀파이어의 유별난 청력을 감안하면 이들이 얼마나 손쉽게 관문을 돌파했는지 알 수 있었다.

"아, 창영과 정야. 무사해서 다행이네."

아르곤은 무사히 살아 있는 자신의 클랜원 둘을 보고 반가움에 손을 들어 보였다.

정야는 미소를 지으며 화답했지만 창영은 윽 하고 놀랐다. 서현을 보고 놀라고 있는 것이다.

하긴 그러고 보면 이들은 적으로 만났었지?

서현이 이 세상을 핵의 불꽃으로 정화하려 했을 때 창영은 서현이 이끄는 라이칸스로프 군단과 격돌했었다.

"아, 일단 같은 배를 타게 되었어. 서로 인사를 나누고 지난 일은 잊지그래?"

아르곤이 그렇게 말하자 한니발이 비웃었다.

"그런다고 지난 일이 잊어지겠냐?"

하지만 한니발의 비웃음과 달리 서현은 창영에게 손을 내밀어 악수를 청했다.

"과거의 일은 미안하군. 지금 나를 온전히 믿어달라고 하진 못하겠지만 난 아담카드몬 아낙스를 막기 위해 최선을 다할 거야. 그것만은 믿어주면 좋겠군."

"그렇다면야……."

창영도 서현의 손을 맞잡고 악수를 나누었다.

그걸 보고 있던 한니발이 흥 하고 코웃음을 내치고 차 안에 들어가 앉았다.

아르곤도 한니발을 뒤따라 들어오다 창영과 다리가 부딪혔다. 캐딜락 에스컬레이드를 개조해서 만든 이 리무진은 안이 상당히 넓은데도 말이다.

"왜 그래?"

"에스프리들이 얼마나 끔찍한 꼴을 당했는데 그 마스터라는 작자가 어디 있다 이제 오는 거야?"

"아, 그건 미안하지만… 불가항력이잖아."

아르곤은 이번 일에 대해서 그렇게 변명했다.

그가 있든 없든 테트라 아낙스가 공격을 감행해 오면 에스프리만이 아니라 그보다 더한 클랜이라 해도 살아남을 수 없었을 것이다.

"그런 걸 이야기하는 게 아니야."

"그럼?"

"팬텀이 재력을 과시하는 걸 보고 그러더라고요."

정야가 왜 창영이 화가 나 있는지 말해주었다.

"응?"

"캐딜락 리무진을 그냥 카드로 사버리더라니까? 뭔가 느끼는 바가 없나? 불쌍한 에스프리 뱀파이어들은 고생만 죽어라 하다 그렇게 죽다니, 너무해……."

창영이 그렇게 말하자 차의 문을 열고 들어가려던 아르곤이 흠칫 놀랐다.

"아담카드몬이 카드를 안 막아뒀나? 계좌 동결이라든가 그런 거 순식간에 할 수 있잖아?"

팬텀은 아예 자기 명의의 은행을 소유하고 있는 인물이다.

그런 인물을 상대로 일반적인 은행 계좌 동결이 가능할까?

하지만 아르곤은 너무나 당연하게 가능하다는 식으로 말했고 심지어 팬텀도 빌헬름도 그것에는 동의하고 있었다. 아담카드몬 아낙스는 팬텀의 계좌를 전부 동결시킬 수 있다. 이건 마치 해가 동쪽에서 떠오르는 것이나 마찬가지의 사실이다.

"테트라 아낙스 몰래 여러 가지 금융 보안장치를 해둔 비밀 계좌를 썼습니다."

빌헬름이 마술의 비결을 설명하며 운전석에 앉았다.

이렇게 작은 소년이 운전대를 잡아도 되나?

그런 생각이 불현듯 들었지만 어차피 그들은 이제 곧 비셔스 바이러스 감염자로 온 지역에 수배될 처지다.

빌헬름이 운전하는 것 정도야 아무런 문제도 아니지.

그보다는 비밀 계좌를 썼다는 정도로 아담카드몬 아낙스를 속일 수 있을 리 없는데?

“그 정도로 아담카드몬 아낙스가 모를 리 없잖아? 서린도 알고 있을걸?”

서현이 서린에게 확인차 물어보았다.

“아, 뭐, 알고는 있지만.”

서린이 설명했다.

“정확히 말해서 현재 아담카드몬 아낙스는 일종의 게임을 진행하고 있어요. 이 정도로 고생해서 노력하는 모습을 보여주면 알면서도 속아주는, 뭐 그런 게임 운영적인 면이 있다 이 말이죠. 팬텀과 빌헬름의 재산 은닉 노력이 꽤 적절해서 이 정도는 속아주자, 그런 식으로 나온 것 같아요.”

“으웩… 내가 미사일을 요격하는 걸 보고 난이도를 높인 주제에 말이지? 이 정도면 봐주자는 마음이 그때는 안 들었나?”

무인기들의 공격에서 대형 여객기를 지키는 짓은 서현에게 꽤 심각한 고통을 안겨주었다. 지금도 아직 컨디션이 온전하지는 않다.

“내 살을 먹으라니까 그러네. 재생된다.”

“…저리 치워.”

서현은 자신에게 몸을 던지는 한니발을 외면했다.

서린은 그 모습을 보고 피식 웃으며 말했다.

“뭐, 흔한 일이야. 그는 정말 터키 항공 비행기를 대서양에 떨어뜨릴 셈이었어. 형이 그걸 막자 고집을 부렸지만 결국 형이 이겼지."

"그럼……."

"형이 그 비행기 안에 있던 한 200명 정도 되는 사람 모두를 구한 거야. 그건 자부해도 돼."

서린이 서현의 공로를 인정해 주었다.

"아… 200명인가. 얼마 안 되지, 그건."

서현은 머쓱해져서 코를 쓱쓱 문질렀다.

사람을 구했다는 사실은 기분이 좋지만 여전히 그의 과오가 공로보다 훨씬 크다.

이 정도 가지고 으쓱해지거나 기뻐해서는 안 된다는 걸 스스로 알고 있는데도 기쁘다.

'흠… 꽤나 괜찮은… 인물이군.'

팬텀 역시 차에 앉으며 서현의 그런 표정을 지켜보고 있었다.

한때 전 세계를 핵의 불꽃으로 태우려 했던 미치광이 용병대장, 소년병 집단의 리더였던 이다. 그런 자가 사람을 구한 것으로 기뻐하는 인물이었던가? 이런 모습을 보면 역시… 사람은 변하지 않지만 그럼에도 불구하고 변할 수 있는 존재라는 희망을 느낀다.

팬텀 자신도 그렇지 않은가?

사법의 힘은 과거 그의 영혼을 점점 좀먹고 타락시키는 것이었다. 하지만 지금은 그 힘을 완전히 통제 가능하다.

'앙리 유이가 억울한 죽음을 당했다거나 하면 어찌 될지 모르겠지만 적어도 지금의 나는 이 힘을 완벽히 통제할 수 있군.'

팬텀은 쓴웃음을 지었다.

서린의 예지는 역시 정확했다.

캐딜락 에스컬레이드를 개조해 만든 리무진의 안은 광활해서 한니발처럼 덩치가 커다란 이도 무난하게 수납 가능했다.

빌헬름이 그 거대한 차를 몰면서 지나가는 사이 팬텀이 차량의 냉장고를 열고 수혈 팩을 꺼냈다.

“일단 필요한 만큼 가져오긴 했는데 부족할지 모르겠군.”

“아니, 뭘 또 이런 걸… 그래서 이 차를 카드로 질러 버렸다… 이건가?”

아르곤은 수혈 팩을 받으며 혀를 내둘렀다. 중고차로 샀어도 어지간한 사람 두세 명 연봉 정도는 들어갔을 것 같은데 이걸 일시불로 구매했단 말인가?

“아마도 총격을 받을 테니까. 괜히 렌트나 리스를 해서 보험사를 괴롭게 하면 미안하지.”

팬텀이 그렇게 답했다.

“이 세상에서 월스트리트의 늑대를 걱정해 주는 것만큼 바보짓은 없는데, 아, 팬텀 당신도 그쪽이었지.”

아르곤은 그렇게 말하며 자신을 흘겨보는 창영의 시선을 받아냈다.

“왜 자꾸 그래? 아까 전부터?”

“아니, 당신을 만나고 나서 다른 뱀파이어들이 돈을 쓰는 걸 보니까 너무 화끈해서 말이야. 화상을 입을 것 같아.”

"그래? 날 만나서 다행이군. 화상 입을 일이 없으니까."

아르곤은 알면서 능청을 떠는 건지 태연스럽게 받으며 미소를 지었다.

해맑은 미소에 창영이 화도 못 내고 어이가 없어서 피식 웃어버렸다.

그러자 아르곤이 따라 웃는다.

"하하."

"아, 웃지 마. 기분 풀린 거 아니니까."

창영은 짜증을 내면서 말하다 서린과 서현을 바라보았다.

"당신이 새 테트라 아낙스… 였던가? 난 창영, 이쪽은 정야야. 음… 아, 한국인인데 이런 식으로 자신을 소개하니까 정말 이상하군. 하지만……."

창영은 신음했다.

인간일 때의 기억은 물론 지금도 선명하다. 그러나 그 자신이 이미 과거의 그것과는 전혀 다른 존재가 되었다는 걸 확실히 느낄 수 있었다.

"이 VT인자라는 걸 다들 무슨 세균처럼 말하는데… 맞아. 이건 영혼에 오는 질병이야. 그 결과 뱀파이어라는 게 되어버리니까 나는 나 자신을 이해하지 못하겠어."

"괜찮습니다. 처음엔 누구나 다 그러니까요. 적어도 당신은 지금 아담카드몬 아낙스에 대해서 반대하고 있는 거지요?"

"그야 대뜸 공격해 오니까 그렇지. 회유한다면 넘어갈지도 모르겠어."

창영이 고개를 절레절레 저었다.

"그건 적어도 우리가 그 뉴욕 플라자 호텔에 도착하고 나서의 일이잖아요?"

정야가 그렇게 말하고 혀를 찼다.

"우리를 이렇게 학대하고서 그다음에 우리를 받아주겠다고 해봐야 믿을 수가 없군요. 아담카드몬 아낙스인지 뭔지 신적인 존재라고 해도 그자는 틀림없이 재앙신에 불과해요. 역시 당신이 다시 테트라 아낙스가 되어야 해요, 서린."

"아, 네. 하하, 노력해 보겠습니다."

서린이 그렇게 말하자 창영이 은근한 어투로 청탁했다.

"대신 잘되면 우리도 좀 구제를……."

"구제요?"

"하아… 온 동네방네 잡스러운 뱀파이어들에게 노림당해서 심적으로 몰려 있던 친구들 거둬다가 이런 매도를 당해야 하다니."

아르곤이 그다지 않게 생색을 내며 혀를 찼다.

에스프리 모두가 그의 뜻에 동조하지 않는다는 건 그도 알고 있었다. 그렇지만 이렇게 직접적으로 반대하니까 역시 좀 충격이다.

'아니, 그것도 뭐, 살아 있어야 말이지…….'

에스프리의 뱀파이어들이 아담카드몬 아낙스의 공격에 의해 몰살 가깝게 당하고 남은 이들은 팬텀이 시내 호텔을 빌려 그곳에 맡겨두었다고 한다.

그렇다고 해도 생존자는 극소수. 에스프리가 더 이상 유지될 수 없는 수준까지 떨어졌다. 사실상 아르곤이 뱀파이어들 사이에서 추구하던 이상이 붕괴한 것이다.

'남의 피를 마셔야 하는 뱀파이어지만 최대한 적은 자원과 적은 희생으로 인류와 공존한다.'

'적은 소비에서도 행복할 수 있기를…….'

아르곤의 이상은 이런 것이었지만 그 실험은 성과가 나오기도 전에 테이블째로 엎어져 버렸다.

'이런 상황이면 창영이나 정야가 좀 위로라도 해줘도 되지 않겠는가? 여기서 아예 쐐기를 박아버리다니 매정한 것들. 이래서 머리 검은 짐승은 거두면 안 된다고 했던가?'

아르곤이 그런 생각을 하며 창밖을 보고 있는데…….

저 멀리서 서치라이트가 고가도로 위를 훑는 게 보였다. 헬기와 무장 밴 차량이 길을 막고 있었다.

"아… 또 시작이군. 역시 그냥 보내줄 리가 없지."

아르곤이 쓴웃음을 지었을 때였다.

"마… 마리아?!"

서린의 목소리가 파르르 떨렸다.

第29夜

탐랑

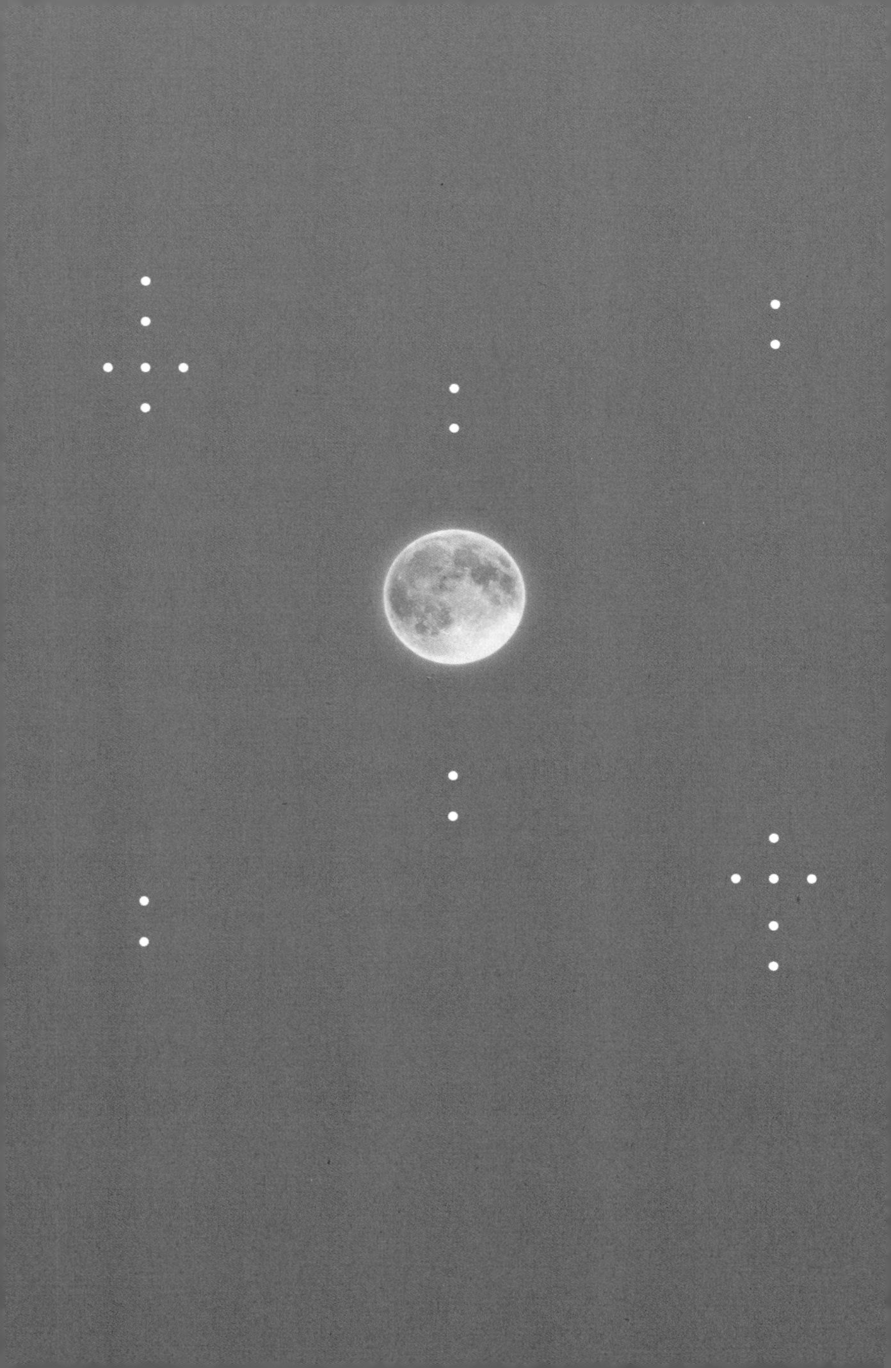

1

홍콩에서 발병한 비셔스 바이러스가 끝 간 데 없이 번지고 있었다.

일국양제를 지지하는 홍콩에서는 어지간한 상황이 아니면 절대 중국에 지원을 요청하지 않을 것이다. 중국의 군대, 공권력이 홍콩에 들어오게 되면 일국양제의 기반이 흐트러질 수 있기 때문이었다.

그러나 현재 홍콩 경찰력으로는 도저히 이 상황을 통제할 수 없다. 사방팔방에서 감염자들이 속출해 좀비와 괴물들이 들끓는데 이미 경찰 화기로 감당할 수 있는 수준이 아니다.

결국 홍콩은 어쩔 수 없이 계엄을 선포하고 말았다. 선전 인근에 주둔해 있던 군대가 들어와 이 사태를 수습하려고 했지만… 그 결과 오히려 군용 무기를 든 구울과 뱀파이어들을 양산하는 결과가 되었다.

이미 홍콩과 인접한 선전시도 지옥으로 변해 있었기 때문이다.

진마 아그니는 라오스의 부유한 지주 집안의 자식이었다.

프랑스의 동인도회사가 인도차이나반도에 들어왔을 때 그의 아버지는 이제부터는 프랑스의 시대라고 믿고 아그니를 프랑스로 유학까지 보냈다.

당시 유럽은 낭만적인 공산주의자들의 시대였다.

아그니가 그 낭만적인 이상에 취해 조국에 돌아왔을 때 그는 동년배의 인간들과는 비교할 수도 없을 만큼 거대한 체구, 큰 키, 좋은 골격을 가지고 있었다.

아그니가 원래부터 큰 체격을 가지고 있었다?

물론 그렇지만 그것만은 아니다. 영양실조가 다른 사람들의 육신을 작게 만들었던 것이다.

지식인이던 청년 아그니는 분개했다.

민중을 위해 싸우리라.

정의를 위해 헌신하리라.

청년 아그니는 고귀하고 숭고한 존재가 되고 싶었다. 가난한 민중들을 위해, 고통받는 사람들을 위해 싸우고 계몽하고 그들에게 더 나은 문명을 맛보게 해주고 싶었다. 다시 위대한 문명을 건설하고자 했다.

그러나 혁명은 실패했다.

농민들은 지주의 아들, 인종조차 다를 정도로 잘 먹고 잘 큰 아그니가 하는 말을 절대 귀담아듣지 않았다.

그들이 보기에 아그니는 피만 그들과 같은 프랑스인이었다.

서구 열강의 물을 먹고 들어온 착취자.

알지도 못할 서구 열강들의 헛소리를 믿고 떠드는 자.

실제로 아그니는 혼혈아이기도 했다.

자, 금수저를 입에 물고 태어나 프랑스 유학까지 다녀온 엘리트가 민중의 삶을 어찌 알겠는가?

당장 굶주린 자들에게 이상이란 얼마나 헛된 울림이었는지…….

결국 아그니의 혁명은 실패했고 그는 동지들의 손에 총칼을 맞고 정글 속에 버려졌다.

만약 아그니가 뱀파이어로 되살아나지 않았다면 그저 한 이상주의자의 실패담이 되었을 뿐이리라.

그러나 아그니는 정글에서 발견한 등신불을 훼손하고 그 정수를 흡수해 뱀파이어로 되살아나 살아남았다.

자신을 배신한 사람들을 증오하긴 했지만 아그니는 이 힘을 아직 더 좋은 세상을 만드는 데 쓸 수 있을 것이라고 믿었다.

그리고…….

그는 캄보디아의 크메르 루주에 가담했다.

킬링 필드를 겪으면서 아그니는 자신의 이상이 실패했고 이 세상에 이상 따위는 없다는 걸 절실히 믿게 되었다.

이 세상에 진실이 있다면 폭력과 고통뿐이다.

힘, 힘이 있어야 한다.

피를 마시고 힘을 늘려야 해.

그런 강박관념이 아그니를 지배했다.

아르곤이 그를 가지고 놀린 것은 사실이다.

사실이었기에 아그니가 진심으로 분노했던 것이다.

그러나 그 작은 도발이 이미 악의 길로 치닫는 아그니를 돌려세우진 못했다.

그런 그에게 홍콩에 닥치는 파멸은 분명히 즐거운 일이었을 것이다.

그랬어야 했는데…….

온 사방 천지에 죽음이 뿌려지고 불이 타오른다.

고급스러운 명품들의 디스플레이 숍들이 부서지고 약탈당한다.

뱀파이어인지 구울인지 이 기회에 편승한 폭도인지 알지 못할 것들이 거리를 파괴하고 불태운다.

이런 모습을 아그니는 좋아했다.

온 세상에 공평하게 엿을 먹이는 거 좋지.

그동안 문명의 안전지대에서 꿀을 빨고 있던 자본주의의 돼지들에게… 진흙탕 맛을 맛보여 주고 허례허식이 제거된 인간의 민낯이 얼마나 추잡한 것인지 보여주는 것.

이 엿 같은 세상에서 제정신을 유지하고 사는 놈이야말로 진정한 악이다.

이 고통을 그들에게 안겨주고 싶다. 이 삶이 이렇게나 고통스러울 수 있다는 걸, 너희들은 삶을 찬양하는 게 아니라 마땅히 신에게 증오를 퍼부어야 한다고 가르쳐 주고 싶었다.

"세상을 끝장낼 기세로군. 좋아. 아주 좋은데……."

평상시라면 이런 상황을 기뻐했을 것이다. 그랬을 텐데…….

왜 이렇게 기분이 나쁠까?

"아저씨……."

아그니의 혈족, 아그니가 처음으로 받아들인 클랜원인 소녀가 당혹스러워하고 있었다.

멀쩡한 감성을 가진 사람이라면 당연히 지금 이 도시가 불타는 모습을 좋게 받아들일 수가 없다.

특히나 이 소녀는 번화한 도시를 매우 좋아했었다. 오리엔탈 만다린 호텔도 번쩍번쩍하고 예쁘다고 좋아했었지.

하지만 이 소녀 때문인가?

그것만은 아니다.

절대 아니다.

외려 아그니는 아담카드몬 아낙스를 생각하고 있었다.

현재 가장 사전적 의미의 신에 가까운 존재.

그게 마음에 들지 않는다.

그것의 존재가 모든 생명을 고통받게 할 것은 믿어 의심치 않지만 마음에 들지 않는 건 마음에 들지 않는 거다.

그런데 이 여자애가 지금 뭐라고 했지?

"아저씨라고 부르지 마라. 오빠라고 불러."

아그니는 그렇게 대답하고 달려드는 구울들을 헬기 로터 블레이드를 휘둘러 깔끔하게 토막 냈다.

"…뻔뻔한 새끼."

보고 있던 헤카테가 어이가 없어서 혀를 찼다.

파군은 그런 둘을 보고 미소를 지어 보였다.

"어쨌거나 진마 아그니, 저희들을 돕겠습니까? 아무래도 우리들은 아담카드몬 아낙스에 대항해서 협력해야 할 것 같군요."

"아니, 뭐, 언니들이 그렇게 애원하는데야……."

아그니는 평상시의 그답지 않게 파군의 협력 요청을 받아들였다.

"애원 안 했거든?"

헤카테가 그렇게 말할 때였다.

쾅!

갑자기 그들이 있던 곳에 섬광이 번쩍이고 폭발이 일어났다.

그리고 그에 뒤이어 초음속의 충격파가 건물 유리창을 흔들었다.

헥토르는 자신의 전하 능력을 사용한 코일 건의 위력에 흡족해했다.

"역시 진정한 영광된 이의 힘답구나. 찬양할지어다, 아낙스의 은혜여!"

앙리 유이가 가르쳐 준 것이지만 말이다.

"상대는 진마이니 이 정도로 죽을 리 없습니다."

엑소 스켈레톤 아머를 입은 테트라 아낙스의 병력들은 헥토르가 기습으로 진마들을 공격한 것을 보며 혀를 찼다.

“괜찮다! 이 죄업의 도시를 다 불태워서라도 그분께 저항하는 어리석은 놈들을 말소할 것인즉!”

헥토르는 다시 코일 건을 연거푸 발사했다.

엄청난 위력의 탄환이 대기를 찢어발기고 오존 냄새를 사방팔방에 풍기면서 날아가 대폭발을 일으킨다.

독한 오존의 냄새에 모두들 얼굴을 찌푸렸다.

물론 그들이 얼굴을 찌푸린 것은 오존 때문만은 아니다. 비록 지금 헥토르와 함께 행동을 하고 있지만 다들 그를 별로 좋아하지 않는다.

이 정도면 좀 본인도 눈치를 채고 행동에 주의해야 할 텐데 모르는 건지 모르는 척하는 건지 모르겠다.

‘아, 같이 행동하다가 우리가 암 걸리겠다. 언제부터 아낙스 빠돌이였다고 하는 말마다 주옥같다, 진짜.’

‘뱀파이어인데 암 걸리면 커럽티드지 말이야.’

‘광기의 헥토르라더니 주변 사람 미치게 만드는 재주는 탁월하군. 아주 주옥같네, 주옥같아.’

테트라 아낙스의 호위병인 뱀파이어들은 다들 이심전심, 염화미소의 경지를 터득했다.

오라클 시스템이 작동해서 그런 것도 있지만 다들 표정만 봐도 안에서… 서로서로의 목소리가 텔레파시처럼 들려온다.

그때 이번엔 반대로 그들을 향해 홍콩의 상징, 2층 관광버스가 날아온다.

아무리 진마라도 저 버스를 아예 통째로 수백 미터를 날리진 못할 텐데?!

"파군이군!"

파군이 현무강탄의 능력을 응용해서 저 거대한 버스를 집어 던졌음에 틀림없다.

헥토르는 그걸 보고 날아오는 버스를 향해 코일 건을 방출했다.

파군의 능력과 헥토르의 코일 건이 격돌했다.

화악!

결과는 헥토르의 코일 건의 승리였다.

헥토르가 발사한 코일 건이 단번에 버스를 두 동강 내버렸다. 플라스마화한 탄체가 버스를 거의 녹여 버리듯 잘라 버리고 하늘로 날아가는 모습은 그야말로 장관이었다.

"윽!"

파군이 그 순간 휘청거렸다.

그녀가 물건을 움직이기 위해서는 의념이 물체에 연결되어야 한다. 그녀는 그 의념을 조작해서 물질의 구조나 강도를 끌어올릴 수 있다. 금속 구슬, 철이나 니켈로 된 물질에는 특히 그녀의 의념이 잘 반응해서 다른 물질보다 더 신기한 것을 할 수 있지만 어찌 되었든 중요한 것은 그녀가 움직이는 사물에는 그녀의 의념이 깃든다는 것이다.

그걸 다른 뱀파이어의 혈인 능력으로 파괴당하면 정신적 타격이 온다.

몸이 당하는 것보다는 낫다. 아무리 강한 의념을 불어넣었어도 그 물질이 부서질 때 파군이 느끼는 충격은 스웨터를 벗다가 갑자기 정전기가 터졌을 때 정도?

그렇지만 목숨이 걸린 전투 중에는 치명적인 허점이 될 수도 있다.

"그냥 집어 던지기만 해! 뭘 끝까지 능력을 걸고 있어!"

"하지만……."

파군은 헥토르가 가진 능력의 무서움을 잘 안다. 수면형 뱀파이어라 해도 전기 관련 능력은 엄청나다. 수면형 뱀파이어라 무식한 게 다행이지만… 그래도 저 코일 건이란 능력은 까다롭다.

저런 녀석을 상대로 고작 정전기 불꽃에 몸 사려서야 쓰겠는가?

'아, 그러고 보니 아그니는 내가 의념을 불어넣은 현무강탄을 실패하면 매우 큰 상처를 입는 줄 알지?'

당연히 파군은 아그니를 잠재적인 적으로 보고 자신의 능력에 대해서 역정보를 심어두었다.

그래서 지금 자신을 걱정해 주는 것인가?

그거 참 고마운 일이다.

파군은 내심 실소를 머금었다.

그때 그녀의 귓가에 헥토르의 외침이 들려왔다.

"자, 와봐라! 내가 가장 영광된 자리에 합당한 자이며 너희들 같은 미개한 원숭이들은 내 적이 되지 못한다는 걸 여기서 증명해 보이겠다! 황인!"

"…아, 망할. 난 백인인데. 아니, 여기서 대꾸하면 나도 저 새끼처럼 인종차별주의자가 될 것 같아. 하여튼 수준 떨어뜨리는 데는 뭐가 있구만."

헤카테는 짜증을 내다 문득 아그니를 바라보았다.

아그니도 아주 의욕 충만이었다.

"하… 잘됐군. 저 새끼가 여기 와 있고 내 적이란 말이지? 아주 잘됐어!"

"…너도 저놈이 싫으냐? 젠장, 기분 나빠."

헤카테는 자신이 아그니와 동조하는 부분이 있다는 사실에 소름이 돋았다.

하지만 지금 이 순간은 헥토르가 명백하게 아그니보다 더 싫다.

"어쨌거나 이쪽엔 진마가 셋……. 헥토르의 능력이 아무리 강해도 우리들의 적은 아닐 겁니다. 다만……."

침사추이 대로 한복판에 코일 건으로 무장한 헥토르와 중화기 부대가 대기하고 있다.

이곳을 일직선으로 돌파하는 건 자살행위다. 그렇다고 인근 건물로 우회하러 들어서면 아웃레이지에 오염된 괴물들이 드글드글하다.

"까고 있네!"

아그니는 코웃음 치며 빌딩에 발화 능력을 퍼부었다.

건물들의 골격을 유지하고 있는 철근이 급격히 산화하며 침사추이의 쇼핑몰들이 무너져 내린다.

그것을 엄폐물로 삼아 파군이 질주한다.

파군의 영기가 마치 촉수처럼 뻗어나가며 길거리에 주차되어 있는 차량들, 아그니가 부숴서 쓰러뜨린 건물 외벽들에 들어갔고 주위 물건들이 살아 있는 것처럼 움직이기 시작한다.

"흠!"

헤카테도 나가려 했지만 그 순간 헤카테에게 한 소녀가 휙 날아들었다.

"어이! 언니는 이 아이나 데리고 좀 있어줘. 여자애들에게 특히 잘했지?"

"뭐?"

"저 병신 상대는 우리 둘이서 충분하다는 거야! 인종차별자에게 아시안인 우리 둘이 엉덩이를 차주면 특별히 더 굴욕적이지 않겠어?! 당신은 백인종이니까 빠져 있어!"

아그니는 신이 나서 앞으로 달리며 계속해서 연거푸 건물을 파괴했다.

"아니, 잠깐……."

헤카테는 자신의 품에 안긴 어린 소녀를 확인하고 당황했다.

"하… 동양인 둘만 움직인다라… 미개한 종족 놈들이 가지는 오만함이란… 손에 잡힐 듯하군."

헥토르는 질주하는 파군과 아그니를 보며 코웃음 쳤다.

'아니, 그건 아니지…….'

'아무리 생각해도 댁이 제일 오만한데?'

'뱀파이어 주제에 인종차별주의자라니. 오 마이 갓. 우리에게

인종이 의미가 있던가?'

테트라 아낙스의 병력 삼인조는 헥토르의 오만방자한 말을 듣고 기가 막히고 코가 막히는 신비한 경험을 느끼고 있었다. 특히 그들은 평상시 테트라 아낙스의 지배 체계하에서 사고만 치고 다니는 아그니를 끔찍하게 싫어했다.

아그니의 능력인 발화 능력은 분자 단위에서 산소와 사물을 결합시키는 급속 산화 능력. 게다가 그 안에 잠들어 있는 포텐셜은 더더욱 어마어마하다.

빨리 아그니를 죽이고 그의 VT인자를 거두어 다른 사람에게 주어야 한다는 의견이 있었다. 계승자처럼 제약이 걸려 있는 뱀파이어에게 주면 테트라 아낙스의 골칫덩이도 사라지고 오히려 충실한 수하가 늘어난다.

하지만 이전의 테트라 아낙스, 고든은 그것을 거부했다.

그리고 서린 역시 거부했다.

수장이 거부하니 아그니 척살령은 내려지지 않았지만 아웃로 뱀파이어가 나대면 나댈수록 고통받는 건 실무 부대라 테트라 아낙스의 뱀파이어들은 다들 아그니를 끔찍하게 싫어했다.

그런데… 신기하게도!

지금 이 순간 모두는 헥토르보다 차라리 아그니를 응원했다.

물론 아그니가 그들의 목을 베고 가차 없이 죽이려 들긴 하겠지만 말이다.

'아, 난감하네. 헥토르가 이기는 꼴을 봐줄 수도 없고 그렇다고 우리가 죽어줄 수도 없으니.'

'파군은 말이 통하니 그녀에게 빌어볼까?'

'아, 안 돼! 생각만 할 뿐이지 몸과 주 의식은 이미 전투에 임하고 있어! 젠장.'

본래 아낙스는 뱀파이어지만 피를 필요로 하는 존재는 아니었다. 정확히 말하면 일반적인 뱀파이어처럼 수를 늘릴 수 있는 존재가 아니었다.

그가 가진 VT인자, 예지와 정보의 힘은 그 자체로 이미 신성력에 가까웠다. 그것이 담긴 피를 다른 이들에게 마시게 해보아도 능력은 옮겨지지 않고 뱀파이어가 되는 일도 없었다.

하지만 아낙스는 곧 다가올 파멸의 시대를 막기 위해 스스로 VT인자를 타락시키고 변이시켰다.

그 결과 일반적인 뱀파이어처럼 피를 마셔야 하고 대신 수를 늘릴 수 있는 힘을 손에 넣었다.

테트라 아낙스의 탄생, 그리고 오라클 시스템의 탄생이었다.

테트라 아낙스 병력은 가용 혈인 능력 대다수를 오라클 시스템에 보탤 수 있게 되어 있다. 본래 그것은 오라클 시스템을 통해 힘에 부치는 테트라 아낙스의 정보 능력을 보좌하기 위한 것이었다.

하지만 지금 아담카드몬 아낙스는 그것을 정신 학대의 도구로 쓴다. 살아 있는 모든 것, 뱀파이어와 인간, 라이칸스로프를 막론하고 모든 것을 능욕하고 고통스럽게 한다. 또한 그들에게 지고의 쾌락을 안겨주고 그 영혼을 쾌락과 고통, 타락과 구제로 완전히 흡수한다.

이 압도적인 힘을 아담카드몬 아낙스는 클랜원들에게 보여주었다.

모든 테트라 아낙스의 클랜원들은… 실신해 버렸다.

그들의 의식이 집결된 오라클 시스템 안에서 그들은 아인소프 오올을 간접 체험 했다. 영적인 정보를 압축하고 기록하는 과정, 그들의 삶, 인생, 즐거움과 고통, 모든 것이 압축되어 있는 정보의 세계……. 그 안에 잠깐 의식이 옮겨진 것만으로도 그들은 고통에 절규했다. 사랑하는 가족들을 부당하게 잃는 감정, 평생 꿈꿔왔던 일에서 좌절하는 체험 등… 압축된 정보 안에서 극단적이고 강렬한 감정 사이를 지나며 자신의 일이 아닌데도 마치 지금 자신이 겪는 것처럼 생생하게 느낀다. 사실은 자식도 없는데 자식을 잃는 부모의 마음을 겪고 부귀공명을 얻은 독재자가 되기도 하고… 즐거움과 고통 사이를 매번 수없이 오갔다.

이 고통에서 벗어날 수만 있다면 악마에게 영혼이라도 팔 수 있겠다고 애원했을 때 아담카드몬 아낙스는 그들을 끄집어내었고 테트라 아낙스 클랜원 전원을 사실상의 수족으로 삼아버렸다.

그들은 절망했다.

눈앞에 있는 것은 그들이 상상할 수 있는 한 가장 잔혹한 신이다. 설령 그가 '아인소프 오올'을 발동해 현세를 끝낸다 해도 그들을 기다리고 있는 것은 그야말로 '만유의 지옥'이다. 쾌락과 고통, 고결함과 정염이 함께 불타오르는 무한지옥이라는 걸 모두가 깨달았다.

그래서 그들은 헥토르보다 아그니를 더 응원한다. 설사 아그니가 그들의 목을 벤다 하더라도 이 끔찍한 마신에 대항하는 자라면 응원하고 싶다.

하지만 그런 마음과 별개로… 그들은 아그니와 파군을 향해 그레네이드 런처를 연사했다.

'아, 쏘기 싫은데 어쩔 수 없네.'

'아니, 평소에 아그니가 깐죽거리긴 했지. 쏘고 싶긴 하잖아. 솔직해지자고.'

'그래도 이 순간은 쏘기 싫다는 게 내 진짜 마음이지.'

'하지만 저 시건방진 진마에게 쓴맛을 보여주는 것도 좋아해. 젠장, 그래. 인정했다. 좋으냐?'

'어.'

테트라 아낙스의 병사 삼인은 아담카드몬 아낙스가 보여주는 크나큰 절망에 아예 정신줄을 놓았는지 거의 넋을 잃고 방아쇠를 당기기 시작했다.

"하! 감히 내게 중화기를?"

아그니는 코웃음 치며 날아드는 그레네이드 탄환을 향해 혈인 능력의 장벽을 펼쳤다.

발화 결계!

접근하는 모든 것 중… 나이트로기(—NO2)가 붙어 있는 것을 급속 산화 시키는 아그니의 지향성 능력이다. 총화기나 폭약을 못 쓰게 만드는 이 능력 덕분에 한세건이나 다른 이들이 아그니가 앙리 유이에게 가담했다는 이유만으로 얼마나 조심해야 했던가?

그런데 테트라 아낙스가 감히 중화기로 그를 상대하려 하다니 오만하다.

'네놈들의 화기로 자폭해서 죽어버려라!'

그렇게 생각했는데…….

"어라?"

아그니는 자신의 발화 능력의 포커스가 빗나가는 느낌을 받았다.

그 잠깐이면 충분하다. 그레네이드들이 떨어지며 폭발을 일으켰다.

"꺄악!"

파군이 비명을 지르며 차량 뒤로 몸을 숨겼다.

"뭐 하는 거야! 저 병신이!"

헤카테가 짜증을 냈지만 그녀는 아직 손을 대지 않았다.

아그니와 파군이 이 정도로 당할 리는 없다.

하지만…….

"속도를 잃었군!"

아그니와 파군의 돌진 속도가 느려진 틈을 타서 헥토르의 코일 건이 불을 뿜었다.

섬광이 날아와 대로 한복판에 꽂힌 순간 대폭발이 일어났다.

직접 명중시킨다기보다는 간접 효과라도 충분하다는 걸까?

오만방자하지만 사실이다. 직접 맞으면 몸 전체가 증발될 것은 일목요연! 직접 맞지 않더라도 근처에 있는 것만으로도 복사열과 충격파로 타고, 찢어질 지경이다.

"으웩……."

아그니는 차량을 잡고 들어 올려서 충격파를 흘려보냈다. 그래도 속이 울렁거린다. 보통 사람이라면 내장이 찢어져 죽었을 거다.

실제로 아그니와 파군 주위에는 침사추이의 주민들과 관광객들, 이제는 구울과 뱀파이어, 커럽티드들로 변화한 이들이 있었는데… 헥토르가 코일 건을 발사할 때마다 추풍낙엽으로 쓸려나간다.

덕분에 저것들을 대비할 필요는 없다. 구울들이나 커럽티드들은 근처에 오지도 못하고 유탄에 맞아 녹아나고 있었다.

"젠장. 테트라 아낙스가 뭔가 하는군. 저 세 놈 무장, 장난 아닌데! 내 능력을 방해해!"

그것만으로도 파군과 헤카테는 지금 이 상황을 파악했다. 테트라 아낙스 쪽의 무기에 마법이 걸려 있다. 아그니의 혈인 능력에 바로 당하지 않도록 걸린 마법들이라니?

"어이! 파군 언니! 현무강탄은 어때?!"

"위력은 자신 있지만… 탄속이 느려서 근접하지 않으면 맞힐 자신이 없습니다."

파군의 현무강탄은 손으로 던지는 구슬이라고 생각하면 상당히 빠르지만 그래도 비실비실한 권총탄보다 느리다. 그리고 탄

속이 떨어지면 명중률이 떨어지는 건 상식이다.

물론 현무강탄은 끝까지 조작이 가능한 무기다. 의념을 불어넣은 채로 조작하면 마지막의 마지막 순간에 꺾여서 명중한다.

그러나 그러려면 쭉 시야에 표적을 확인해야 가능한 일이다.

"…근접하라고?"

코일 건을 방출하는 헥토르와 저 그레네이드 런처들 사이로?

"안심하세요. 육탄전도 불사할 생각입니다. 그리고 제 봉술, 철선술은 파군성의 이름을 자처하기에 부끄럽지 않은 정도는 됩니다."

파군도 그렇게 말하고 옆에 있는 가로등을 뽑아서 겨드랑이에 끼웠다. 차이나 드레스를 입은 여성이 봉계의 무기를 겨드랑이에 끼우고 있으니 정말 옛날 무협 영화를 연상시키지만 이 경우는 무협 영화보다는 괴수 영화에 가깝겠지. 수백 킬로그램이 넘을 쇠기둥을 한 팔로 컨트롤하는 미녀라니…….

"뭐, 괜찮겠지. 그럼 가볼까?!"

아그니는 그리 말하고 다시 힘을 끌어 올렸다.

"육탄전을 벌일 셈이로군. 감히 나에게? 어리석긴."

헥토르는 길거리에 늘어선 큰 철봉을 손에 쥐는 파군의 모습을 보며 실소했다.

"지금까지 날 육탄전으로 능가한 놈은 단 하나도 없다! 그런데 감히 나에게 육탄전을 걸 셈인가?! 무슨 생각인지 모르지만 역시 멍청하고 진화 덜 된 황인종답군! 너희들을 쓰러뜨려 위대한 아낙스의 선택받은 군장으로서 가슴을 펼 수 있는 공을 세워야겠다."

'어이, 볼코프 레보스키 주먹 한 방에 피떡이 된 건 기억에서 지워 버렸냐……? 대단하다, 대단해.'

'하…….'

'주옥같다. 거 입 다물고 그냥 싸우면 안 되나?'

보고 있던 이들이 한숨을 내쉬었다.

하지만 헥토르가 괜히 입을 나불거리는 건 아니다.

파군이 차량을 연거푸 띄워 올려 동시에 던진다.

차량이 제각각의 궤도로, 도저히 코일 건 한두 번으로 요격하기 힘든 코스로 날아들자 헥토르는 놀랍도록 기민한 움직임으로 그것들을 다 피해 버렸다.

그 순간 차량의 그림자에서 아그니가 튀어나왔다. 파군이 물건을 던질 때 그 물건에 붙어서 간격을 좁힌 것이었다.

"역시 진마가 되기엔 자부심이 부족한 놈들이군! 둘이서 협공이라니!"

"저기… 너 지금 네가 무슨 소리 하는지 모르지, 숏다리?"

아그니는 짜증을 내면서 앞으로 도약하는 것과 동시에 차량에서 뜯어낸 문짝을 휘둘렀다. 마치 원반던지기의 원반처럼 차량 문짝이 날아가 헥토르를 노리지만 헥토르는 그것을 피해내며 외려 아그니에게 철편을 휘둘렀다.

바지지지직!

철편의 끝에서 전기불꽃이 튄다. 맞으면 아그니라 해도 숯 검댕이 될 판이다.

아그니는 코웃음 치며 발화 능력을 펼쳤다.

아그니와 헥토르의 능력은 서로 상쇄되었다.

두 능력은 반발하면서 서로의 공격을 밀어낼 수 있기에 아그니는 헥토르가 자랑하는 전격 공격도 막아낼 자신이 있다. 그리고 일단 붙기만 하면 팔다리 길고 체격 큰 아그니가 헥토르보다 훨씬 육탄전에 유리하다. 아그니야 렛웨이의 고수이기도 하고… 설령 헥토르가 뭔가 무술이나 검술을 했다 치더라도 필름 카메라나 캠코더 같은 동영상 촬영 장비가 없어서 서로서로의 기술을 영상으로 남겨 파악할 수가 없는 고전 무술만 배웠을 놈 따위는 두렵지도 않다.

영상 기기가 있고 없고의 차이는 무술의 역사에 큰 변화를 주었다. 그 이전 시대 놈 따위에게, 신체 조건도 더 열악한 놈 따위에게 질 리가 없다!

아그니는 그렇게 자부했지만 한 가지 그가 간과하고 있는 게 있었다.

지금 이들에게는 아담카드몬 아낙스의 가호가 걸려 있다. 앙리 유이의 발화 능력의 포커스를 빗나가게 하는 바로 그 마법이!

“어라?!”

아그니의 능력은 빗나가고 헥토르의 전기는 가차 없이 날아든다.

놀란 아그니가 그제야 피했지만 평소 아그니가 하고 다니는 도금된 금목걸이가 전기불꽃에 맞았다.

"크아악! 씨발!"

아그니가 펄쩍 뛰며 발화 능력을 연거푸 펼쳤다.

하지만 헥토르는 바람 소리가 날 정도로 상체를 움직여 능력의 발화점을 피했다. 아니, 사실은 다 맞았을 것이다. 아그니의 발화 능력의 반응 속도는 너무 빨라서 그걸 피하려면 저 정도 움직임으로는 어림도 없다.

문제는 아담카드몬 아낙스의 가호! 저 마법 결계 때문에 발화 능력이 미묘하게 빗나간다.

"어떠냐."

헥토르는 마치 자신이 잘해서 피해낸 것처럼 말한다.

"켁… 다 맞혔거든, 원래? 애초에 내가 맞은 것도 안 맞을 거였는데……."

"다들 그렇게 말하곤 하지. 자신의 실력이 나쁜 게 아니라 그때그때 사정이 나쁘다고. 그런 변명을 하는 것 자체가 네가 부족한 놈이라는 증거다. 뭐, 유색인종치고는 괜찮았다만… 내가 시범을 보여주지."

이번에도 헥토르의 전격이 아그니를 강타했다.

마치 스턴 건에 맞은 사람이 튕겨 나가듯… 아그니의 몸이 튕겨 나가 그와 함께 날아왔던 마쯔다 3 차량에 충돌했다. 아그니의 발화 능력과 달리 헥토르의 전격은 인접하면 유도되어 자동 명중 하기 때문이다.

그게 아니더라도 능력 상쇄를 믿고 덤벼들었던 아그니로서는 헥토르의 전격 공격을 막을 수단이 없다.

"컥……."

아그니가 폐 속의 공기를 토해내었다.

"예의범절만 좀 갖추면 하인으로 써줄 생각도 있었다만 하인이 되기엔 너무 무능하고 무례하군."

헥토르는 그렇게 말하며 코웃음 쳤다.

무투파로 유명하던 진마 아그니도 헥토르와의 단일 결전에선 상대가 되지 않는 건가?

모두들 당혹해할 때 아그니가 입을 열었다.

"크… 내가 네놈 하인이 되면 네 숏다리가 너무 두드러질 거 아냐? 내가 너보단 다리가 길거든?"

아그니는 녹아버린 금목걸이, 아니, 정확하게는 도금 목걸이를 손으로 털어서 내다 버리고 담배를 꺼냈다.

"……."

헥토르의 얼굴이 구겨졌다.

'아, 화났다.'

'화났네.'

'어쩌지?'

테트라 아낙스의 병사들은 자신들의 몸이 자동으로 움직이는 것에 치를 떨었다.

그들은 그레네이드 런처 대신 이번엔 미니 건으로 무장을 바꾸어 담배에 불을 붙이는 아그니를 겨누었다.

아그니는 총구가 자신을 겨누든 말든 눈길 하나 주지 않고 손바닥 안에 불길을 일으켜 담배에 불을 붙이고 깊이 빨았다.
새하얀 담배 연기가 아그니의 코와 입으로 빠져나왔다.
"원래 난 강적과는 안 싸워. VT인자만 손해 보고 남는 게 쥐뿔도 없거든."
총을 겨누든 말든 신경 쓰지 않고 담배 연기를 즐긴다.
마치 사형수가 사형당하기 전, 마지막 담배를 즐기는 모습 같아서 헥토르가 멈춰 섰다.
"흠, 갑자기 꼬리를 마는 건가? 하지만 이제 와선 너무 늦었다. 넌 너무나 무례했었어. 내게 무례한 짓거리를 좀 덜 했다면 하인으로라도 써줬을 텐데 말이다."
"아니, 그런 내가 꼬리를 안 말고 너랑 싸우는 이유를 알겠냐고, 멍청아. 내 비유가 어렵냐? 너무 처자서 머리가 나쁜 거냐, 원래 나쁜 거냐?"
아그니가 빈정거리는 것과 동시에 쇠기둥이 날아왔다.
파군이 가로등을 날리고 그 위에 올라탄 채로 날아오고 있었다.
"이럴 줄 알고 있었지."
헥토르는 당연히 파군을 염두에 두고 있었다.
그리고 그건 테트라 아낙스의 병력들 역시 마찬가지였다. 아그니에게 신경 쓰면서도 그들은 파군의 동향을 염두에 두고 있었다.
"무슨 생각인지 모르지만 금속을 들고 덤벼들다니……."
헥토르는 코웃음 치며 전기를 방출했다.
강력한 전하 결계가 형성되었다.

그리고 테트라 아낙스의 병사들이 미니 건을 난사했다.

엑소 스켈레톤 아머의 로봇 팔에 붙어 있는 미니 건이 7.62밀리 탄들을 분무기처럼 뿌려댄다. 아무리 진마라도 무시할 수 없는 화력이다.

파군이 가로등을 들어서 총격을 막지만 미니 건이 뿌려내는 탄환은 순식간에 파군의 몸에 박혀 피를 뿌린다.

저걸 무시하고 헥토르에게 공격을 감행한다고 해도 헥토르의 전하 결계에 닿는 순간 모조리 증발할 터!

이 테트라 아낙스의 병사들과 헥토르는 서로서로 별로 마음은 안 맞고 있지만 손발만은 기가 막히게 잘 맞아 들어가고 있었다.

하지만…….

파군 역시 보통은 아니었다.

"흡!"

헥토르와 테트라 아낙스 병들의 반격이 시작된 그 순간 처음에 아그니와 함께 뿌려진 차량들이 움직이기 시작했다. 이 차량들에는 파군의 의념이 걸려 있었고 파군은 그걸 해제하지 않았던 것이다.

"흡!"

엑소 스켈레톤 아머를 입은 테트라 아낙스 병사들이 차량을 피해 움직이고 화망이 풀렸다. 그와 동시에 섬광이 번쩍였다. 자동차들이 헥토르를 향해 몰려들면서 헥토르의 전하 능력, 전하 결계와 충돌한 것이다.

바지지지지직!

섬광과 함께 마치 전기 용접기 수백 개가 한꺼번에 작렬하는 것 같은 전기 아크가 빛을 뿌렸다.

테트라 아낙스의 엑소 스켈레톤 아머에는 광량을 미리 파악해서 차단하는 자동 광량 차단 셔터글라스가 붙어 있었는데 그게 일제히 작동하면서 전기 아크에서 눈을 지켰지만… 헥토르는 자신이 발하는 빛에 정신을 못 차렸다.

"흡!"

그리고 그 순간 자동차의 보닛을 뜯어낸 아그니가 뛰어들어 엑소 스켈레톤 아머로 무장한 테트라 아낙스의 병사의 팔을 후려 갈겼다.

미니 건이 아낙스 병사의 팔에서 빠져나갔다.

아그니가 그 미니 건을 들고 다른 뱀파이어들을 겨눈다.

"이런!"

테트라 아낙스의 병사들은 즉시 미니 건을 아그니에게 겨누었지만 아그니의 미니 건이 먼저 불을 뿜었다.

테트라 아낙스의 병사들이 찢겨 나간다.

"안 돼!"

미니 건을 빼앗긴 병사가 놀라서 아그니에게 주먹을 휘둘렀지만 아그니는 빙글 몸을 돌려 그 공격을 피하고 옆차기로 엑소 스켈레톤 사이로 노출된 뱀파이어의 몸통을 가격했다.

그와 동시 발화 능력을 발출!

접촉식으로 발화 능력을 퍼붓자 방어 마법이고 뭐고 없었다.

순식간에 불길이 일어나며 뱀파이어의 몸통에 불이 붙었다. 아그니는 그 녀석을 번쩍 집어 들어서 다른 이들이 자신에게 갈기는 미니 건을 막아냈다.

엑소 스켈레톤 아머가 미니 건의 집중사격에 너덜너덜해진다.

아그니가 손에 들고 있는 뱀파이어 병사도 함께 너덜너덜해질 판이 되자… 놀랍게도 테트라 아낙스의 병사들이 사격을 멈추었다.

그들은 몸을 뒤로 빼서 우선 아그니의 사격으로 엉망이 된 몸에 접착형 드레싱을 붙이기 시작했다.

정작 움직이고 있던 병사들이 놀랐다.

'고든 때라면 그냥 계속 싸웠을 텐데…….'

'지금 아낙스는 또 묘하게 합리적인데?'

아낙스의 병사들은 동료를 오발사격으로 죽이지 않기 위해 멈추게 하고 병사들의 회복을 염려하는 아담카드몬 아낙스의 마음 씀씀이에 깜짝 놀랐다.

뭐, 아담카드몬 아낙스가 그들의 인격을 존중해 주고 목숨을 소중히 여긴다는 망상은 누구도 하지 않았다. 아마도 이것도 일종의 게임 룰에 가까운 거겠지. 지금 이 자리에서 굳이 아그니나 파군을 잡기 위해 동족 학살을 벌이는 것보다는 지금 이 순간 아그니와 파군의 기지를 평가해 주고 그에 따른 어드밴티지를 선물하는 것이리라.

섬광의 한복판에 있던 헥토르는 끓어오르는 쇳물들 사이에 압착되어 갇혀 있었다.

파군이 자신의 능력을 사용해 차량들을 헥토르에게 퍼부었고 헥토르가 전하 결계로 그것들을 녹였지만 다 증발시키는 데는 실패한 것이다.

마치 전기로에 들어간 쇳물 같은 상태가 되어도 파군은 그것을 조작할 수 있다. 녹은 쇠와 고철덩어리로 변한 차량을 움직여 헥토르를 사방팔방에서 공격해 고철들 사이에 샌드위치처럼, 아니, 건포도 식빵에 박혀 있는 건포도처럼 만들어 버렸다!

"이 자식들… 흡……."

헥토르는 분노해서 뭐라 외치려 했지만 호흡도 잘되지 않는다.

헥토르가 능력을 방출할 때마다 주위의 산소가 오존으로 변해서 호흡을 방해하고 역한 냄새를 발생시킨다. 뱀파이어처럼 터프한 존재가 고작 오존 때문에 호흡곤란을 일으키진 않겠지만 아예 산소가 없어지면 어떨까? 게다가 자유롭게 이동도 못 하는 상황이라면?

헥토르가 오존 때문에 호흡곤란을 일으키는 사이 아그니는 발화 능력을 사용해서 차량 일부를 녹였다.

능력이 빗나가든 말든 아랑곳하지 않고 고열과 함께 쇳물을 만들어낸다. 그러면 파군이 그것에 의념을 불어넣어 움직인다.

"쭉 들이켜시지요."

파군은 철선을 펼치고 쇳물에 의념을 불어넣었다.

그녀와 아그니가 만들어낸 쇳물이 마치 먹이를 덮치는 독사처럼 날아들어 헥토르의 입과 코를 태우며 쑤셔 박혔다.

폐부 안에 직접 쇳물을 들이붓는다!

그렇게 하면 재생력이 강하다 해도 회복이 힘들다. 아직도 자신의 생명을 지키기 위해 미라화되어서 잠든 뱀파이어들이 곳곳에서 발견되는데 그런 미라화는 바로 이런 경우 발생하는 것이다.

도저히 어쩔 수 없을 때!

하지만 헥토르는 눈을 감았다.

'웃기지 마라!'

살아 있는 전기로나 다름없는 헥토르를 이런 쇳덩이로 감금할 수 있을 거라 생각한다면 지나치게 낙관적인 것이다.

물론 아그니는 그런 헥토르를 잡기 위해 무차별적으로 발화능력을 발출하고 파군 역시 계속 차량과 건물의 철골 등을 던져 헥토르의 몸을 거대한 쇳덩이로 깔아뭉개고 있었다.

저들의 공격과 헥토르의 능력, 어느 쪽이 더 강렬하고 효과적인가! 소모적이지만 단순명쾌한 대결이 그들을 기다리고 있다.

'좋아! 이놈들에게 진짜 귀족의 저력을 보여주마!'

하지만 헥토르가 전기 능력을 쓰기도 전에… 그의 몸이 쇳덩이들 사이에서 빠져나왔다. 쇳덩이들만 남기고 그의 몸이 텔레포트해서 사라진 것이다.

그리고 그들 뒤에는 역시 엑소 스켈레톤 아머를 입고 있는 계승자, 조반니 반테로가 쓴웃음을 지으며 서 있었다.

"정말……."

조반니는 적을 앞에 두고도 적보다 우선 이게 먼저인지 품에서 시가를 꺼내 시가 커터 대신 이빨로 끝을 깨물어 잘라냈다.

그리고 코 밑에 시가를 가져다 대고 심호흡을 했다.

"기분이 더럽군."

조반니 반테로가 그걸 입에 물자 다른 테트라 아낙스의 부하 뱀파이어들이 담배에 불을 붙여준다.

텔레포터인 그가 헥토르를 텔레포트시켜 아그니와 파군의 집중 공격에서 구해낸 것이다.

"허."

아그니가 고급 시가를 입에 무는 조반니를 보고 투덜거리며 이미 꽁초나 다름없이 타들어가 필터까지 불이 다가오는 담배를 내뱉었다.

"젠장. 다 된 밥에 재를 뿌리다니. 네놈 포함해서 다 먹어치워주지. 네놈들은 아웃레이지에 감염되지 않았겠지?"

"과연 어떨까?"

조반니가 쓴웃음을 지으며 주먹을 들어 올렸다.

아그니가 쥐고 있던 테트라 아낙스의 병사도 텔레포트되어 조반니 곁에 선다.

그와 동시에 테트라 아낙스 부대의 미니 건이 일제히 불을 뿜었다.

2

테트라 아낙스에게 무투파의 이미지는 없지만 그 어떤 뱀파이어도 감히 테트라 아낙스에게 직접 싸움을 걸 수 없었다.

그가 작정하고 텔레파시를 무기로 휘두르면 마음 그 자체가 조작당하고 정신과 기억, 정보가 변경당한다. 원수를 가장 사랑하는 연인으로 바꿔 버릴 수도 있는 게 테트라 아낙스의 힘. 그것만 해도 위험천만하다. 조금만 더 심약한 자라면 테트라 아낙스의 존재를 아는 것만으로도 자신의 현실이 사실은 조작당한 게 아닐까 하는 극단적인 파라노이아에 빠질 수 있었다. 테트라 아낙스는 뱀파이어들에게 부와 안전이라는 당근을 제시했지만 그 이상으로 무시무시한 채찍을 가지고 있었다.

그렇기에 오만방자한 뱀파이어들이 테트라 아낙스가 밤의 제왕으로 군림하는 것을 인정할 수밖에 없었던 것이다.

그것만 해도 무시무시한 위업인데… 아담카드몬 아낙스는 테트라 아낙스보다도 한술 더 뜨는 능력을 가지고 있었다.

"상식적인 선에서 나는 온갖 방어 장치를 준비해 뒀다. 테트라 아낙스나 그 이상의 존재라 해도 나를 지키고 그를 제압할 수 있도록 말이지. 그러나 아무것도 쓸 수 없었다."

앙리 유이는 자신이 아담카드몬 아낙스를 강신시키면서 일어난 실패에 대해서 설명하고 있었다.

"그것에 대항할 수 있는 최소한의 힘은 남아 있겠지?"

실베스테르가 질문을 던졌다.

마태오의 후예라 자처하는 이단 심문관 에밀 카이히가 전기로 움직이는 작은 골프 카트 같은 차량을 몰고 있고 그 위에 앙리 유이와 실베스테르, 한세건이 타고 있다. 꽤 우스꽝스러운 모습이지만 움직여야 할 곳이 차도가 아니라 좁은 길목이라 보통 차가 들어가긴 힘들 것이다.

"그래, 아담카드몬 아낙스를 만들고 남은 영적 자원, 영적 에너지는 고스란히 남아 있다. 천만 명을 죽이고 착취한 힘을 다 쓰지는 않았어."

"이 새끼……."

한세건이 어이없어서 앙리 유이를 노려보았다.

"다만 나는 그 그릇이 아니기에 그 힘을 직접적으로 쓸 수는 없어. 비스트, 네놈은 다르지."

앙리 유이 역시 한세건을 바라보며 코웃음 쳤다.

쌍방 간의 노골적인 적개심이 피부를 태울 정도로 뜨겁다. 아마도 한세건이 그와 팬텀의 VT인자를 절반으로 삭감하라는 말도 안 되는 요구를 해왔기 때문인 것 같다.

물론 한세건 입장에서는 이 녀석이 자신을 흘겨보는 것 자체가 말도 안 되는 것이다. 자카르타와 동경에서 무고한 많은 사람을 살해한 오만방자한 흡혈귀가 역으로 자신을 원망하다니? 사람들의 목숨보다 그 알량한 VT인자가 더 중요하단 말인가?

뭐, 아예 인간 망종 악당이면 그럴 수도 있겠다. 그러나 이 녀석이 팬텀에게 보이는 신의는 악당들의 우정을 넘어서 있었다. 어째서 누군가에게는 신실한 이가 다른 이들에게 이렇게 무도하단 말인가?

"쳐다보지 마라, 짜증 나려고 그러니까. 그래서, 내게 그 엿 같은 망령들을 때려 박겠다 이건가?"

"그렇다. 널 아담카드몬과 유사한… 존재로 만든다. 힘에서 압도하진 못하더라도 그가 사용하는 무력의 저주를 중화시킬 수 있을 거다."

"…싫은데."

한세건은 고개를 절레절레 저었다.

뱀파이어를 사냥하는 데 있어서 가장 유능한 것은 사실 인간 헌터가 아니다. 같은 뱀파이어나 라이칸스로프지.

인간이 사이키델릭 문을 사용하면 뱀파이어나 라이칸스로프, 그 어떤 놈들보다 반사 신경, 동체 시력 등이 우수해진다. 전체적으로 정보처리 능력이 올라간다고 해야 할까?

그러나 그게 우수해 봤자… 뱀파이어나 라이칸스로프는 재생력과 괴력을 가지고 있다. 이미 반은 뱀파이어나 다름없게 변이된 한세건 역시 엄청난 괴력을 가지고 있었지만 그럼에도 불구하고 라이칸스로프, 아니, 뱀파이어와 비교해도 약간 처진다. 순수한 완력과 재생력이 동체 시력보다 훨씬 더 중요한 능력이다.

그럼에도 불구하고 한세건은 여전히 인간이다.

인간인 채로 뱀파이어를 죽이지 않으면 의미가 없다.

한세건이 뱀파이어가 아니기 때문에 뱀파이어들에게 회자되고 경종을 올릴 수 있는 것이다.

뱀파이어 간의 항쟁은 이미 흔한 일이다. 그에 반해 인간 헌터가 뱀파이어를 살해하고 사냥하는 것은 그 충격이 다르다.

그런데 이제 와서 아담카드몬 아낙스를 잡기 위해 인간을 버리라고?

"만약 네가 인간을 버리지 않겠다는 이유로 이 제안을 거절한다면 너는 날 동경과 자카르타의 죽음으로 비난해선 안 되지. 그렇지 않나? 너 자신은 보편적인 인간의 생존에 관심이 없으면서 어째서 날 비난하는가?"

"멍청한 소릴 하는군. 네놈이 사리사욕을 채우기 위해 살인을 저지른 것을 비난하기 위해서 나는 인류를 위해 십자가를 짊어져야 한다는 게 말이나 되나?"

한세건은 앙리 유이의 말에 발끈했다. 이 녀석은 역시 전혀 반성하고 있지 않다.

"게다가 이건 뱀파이어 놈들과 라이칸스로프, 너희들도 득 보는 일 아닌가? 왜 내가 혼자 총대를 메야 하지?"

한세건이 그렇게 말할 때였다.

"멍청한 놈이라고는 들었지만 소문 이상으로 멍청한 녀석이었군."

마른 맷돌을 돌리면 그런 소리가 날까? 돌끼리 갈아대는 것 같은 목소리가 울려 퍼졌다.

실베스테르와 앙리 유이가 타고 있는 골프 카트의 앞에 한 성직자가 모습을 드러내었다. 커다란 후드로 얼굴을 가리고 있는 이가 손에 묵주를 쥐고 있었다.

"……."

실베스테르는 말없이 데저트 이글을 그에게 겨누었다.

한세건 역시 글록을 에밀 카이히와 앙리 유이에게 겨누었다.

“뱀파이어 동료를 불러왔군그래?”

한세건이 그리 말하자 상대가 킥 하고 웃음을 터뜨렸다.

“내가 앙리 유이와 동료? 빈말로도 그런 소린 하지 말라고. 짜증 나니까.”

그렇게 말하고 얼굴을 드러낸 자의 이마에는 또 다른 눈이 있었다.

“…제마니. 예상보다 일찍 와 있었군.”

앙리 유이가 쓴웃음을 지으며 말했다.

“축하하네. 위대한 위업이야, 앙리 유이. 자기가 만든 것에 뒤통수 맞는 건 프랑켄슈타인 박사라는 소설 이전부터 마법사들에게 항상 경계되던 일인데 아주 거하게 해주셨어.”

칭찬이라기보다는 빈정거림에 가까운 말이지만 그 목소리에는 확실히 질투와 시기심이 배어 나오고 있었다.

진마 제마니, 그는 진심으로 앙리 유이를 시기하는 것처럼 보였다.

“가톨릭인가…….”

“아니, 저건 콥트다.”

실베스테르가 한세건에게 답했다.

이집트의 콥트 정교회 출신 성직자인가?

진마라는 놈들이 한 놈은 가톨릭 성직자에 한 놈은 콥트 정교회 성직자… 이쯤 되면 한세건 입장에서 화나는 건 뱀파이어가 아니라 그들에게 이렇게 쉽게 속는 인간이다.

물론 인간들이 뱀파이어에게 속았다고 해서 인간을 비난해선 안 될 것이다. 앙리 유이나 제마니나 다들 마법과 환술에 능한 놈들이라 일반인들 속이는 건 어린애 손목 비틀듯 쉽게 할 수 있으리라.

"그래서 무슨 일로 날 불렀지? 지금 이들과 싸우자고 날 부른 건 아닐 테고?"

제마니는 자신을 총으로 겨누든 말든 신경 쓰지 않고 있었다. 마치 너희들이 나를 쏘면 복보다 화가 더 많을 텐데 설마 쏘진 않겠지, 이런 마음을 먹고 있는 것 같다.

"성 카타리나의 성유물을 가지고 있지? 그 외에도 다수의 성유물이 너에게 있을 텐데?"

앙리 유이가 추궁하자 제마니가 어깨를 으쓱해 보였다.

"전에도 말하지 않았나. 없어."

"웃기지 마. 지금은 13사도회의 주교로 말하는 게 아니야. 아담카드몬 아낙스를 물리치기 위해서 네 조력이 필요하다. 안심해. 이 위업은 온전히 너의 것으로 밀어줄 테니까. 응? 나는 이미 실패했고 내 이름은 이제 실패자의 반열에 오를 것이다. 그러나 너는 여전히 과오 없는 마법사이자 성직자가 아닌가?"

"……."

앙리 유이가 스스로 실패자의 반열에 오를 것이라고 하는 말이 제마니의 마음에 동요를 불러일으켰다.

오만방자한 마법사이던 앙리 유이가 이런 식으로 자신의 실패를 인정하는 것은 놀라운 일이었다.

물론 보고 있던 한세건으로서는 이 녀석들의 허영심에 치가 떨릴 지경이었다. 그까짓 허영심들 때문에 온 세상에 재앙을 불러일으키고… 그러면서 하는 짓거리는 고작 실패했다고 인정만 하고 끝이다.

"너희들에게 살해당한 사람들은 너희들이 실패한 마법사인지 성공한 병신인지 알 바 없어, 응?"

"이런 놈에게 그런 짓을 해도 되는 건가? 성물까지 소모해 가면서 이 녀석을 아담카드몬 아낙스에 대적하는 열쇠로 만들면 그 열쇠가 우리 머리통을 따지 말라는 법도 없는데?"

제마니는 한세건이 뱀파이어에게 얼마나 강력한 적개심을 가지고 있는지 잘 알고 있었다. 아니, 월야를 걷는 자라면 누구라도 비스트가 뱀파이어에게 가지는 적개심을 모를 리 없다. 한세건은 이미 유명인이었으니까.

"비스트에게 혼팅 이상의 영적인 힘을 집중시키는 건 더더욱 어리석은 짓인 것 같은데. 아담카드몬 때보다 더 안 좋을걸?"

"아니, 서로서로 그림자 상으로 묶으면……."

그림자 상, 그것은 유사한 관계가 있는 두 개의 존재를 하나로 연결하는 일종의 저주다. 쌍둥이라든가 그와 흡사한 운명의 연결점이 있어야 걸 수 있는 마법이지만 한세건이 자카르타나 동경도에서 살해당한 사람들의 영적 에너지를 받아들인다면 아담카드몬과 유사한 운명의 연결점을 가지게 된다.

그렇게 그림자 상으로 묶게 되면 이들 둘은 같은 꿈을 꾸고, 서로서로를 엿보는 존재가 된다. 이게 양자가 너무 친하면 자아의 분간이 없어져 둘 다 광인이 되어버리고 양자가 별로 친하지 않으면 그것도 그것대로 끔찍한 스트레스를 준다.

결국 어느 쪽이든 간에 상호 간에 너무 강한 스트레스를 주기 때문에 사이가 좋으면 둘이 함께 미쳐 버리고 사이가 나쁘면 서로서로 최우선적으로 살해하게 되는 저주다.

"웃기고 있네. 내가 마법에 대해서 아예 문외한인 줄 아냐? 지금 너희들이 나에게 저주를 거는데 내가 손가락 빨고 있을 줄 아냐?"

한세건이 그림자 상이란 말을 듣고 발끈했다. 앙리 유이와 제마니가 그를 얼마나 바보로 보고 있기에 대놓고 저주를 걸겠다는 소리를 하는 걸까?

"물론 알고 있다. 실베스테르는 뭐, 나만큼은 아니지만 유능한 마법사니까."

"너보다 나을 거다."

앙리 유이가 자신을 폄하하자 실베스테르가 발끈했다.

"……."

그 모습을 본 한세건은 왠지 이 녀석들이 말하는 마법 실력이라는 게 한국인 청년들의 게임 실력과 비슷한 게 아닐까 하는 생각이 들었다.

'너 게임 못함'. 이렇게 대놓고 말해 버리면 자존심 싸움이 시작되는 것처럼 마법사들도 마법 실력을 놓고 그런 자부심을 가지고 있는 걸까?

"그림자 상이 저주긴 하지만 당연히 아담카드몬에게 걸 수 있는 저주라면 걸어야지. 아담카드몬 상대하는 게 뭐 장난인 줄

아나? 신에게 그냥 저주를 걸면 걸리겠냐고. 확정 저주를 걸 수 있다면 얼마나 좋은 건데?"

"이봐……."

"영 협조적인 태도가 아닌데? 아담카드몬에게 저주를 거는 걸 거부하다니 말이야."

제마니는 한세건이 앙리 유이나 자신을 대하는 태도를 보고 혀를 찼다.

"그래도 끌고 오면 오는 대로 오잖아. 그가 뱀파이어를 싫어하긴 하지만 아담카드몬 아낙스를 방치할 수는 없다는 건 본인 스스로도 알고 있기 때문에 오는 것이다."

앙리 유이가 한세건 앞에서 대놓고 그렇게 말했다.

듣고 있던 한세건이 순간 놀라서 멍해질 정도였다.

하지만 지금 그들은 거의 300년은 된 것 같은 발레타의 석조 건물 안으로 들어서고 있는 중이고 한세건이 그 문을 닫고 있는 중이었다.

전기식 골프 카트는 아무렇게나 주차해 두고 말이다.

'끌고 오면 오는 대로 온다.'

그 말대로다.

한세건은 입으로는 싫다고 말해도 아담카드몬을 퇴치할 방도를 마련하기 위해서 이들이 가는 대로 따라가고 있었다.

'웃기지 마. 나는 지금…….'

뭐라고 해야 할까? 진마들 두 놈의 목을 한 번에 딸 기회를 노리느라?

그러나 앙리 유이는 지금 본체가 아니라 분신일 뿐이다. 물론 이 분신이라도 제거하면 타격을 입겠지만…….

아니면 팬텀이 자기 목숨을 내놓기로 약조해서?

이대로 따르면 팬텀의 목숨을 받거나 그들의 VT가 듬뿍 담긴 혈액을 마음껏 착취할 수 있고 그건 분명히 뱀파이어들에게 크나큰 타격을 줄 기회일 것이다.

'아니, 그런 게 아니야! 뱀파이어랑 거래하는 것 자체가 말이 안 되잖아? 그러나 아담카드몬 아낙스는 분명히 지금 홍콩도 아작 내고 있는데… 무고한 사람들을 뱀파이어가 마구 해치게 방치할 수도 없고…….'

한세건은 혼란스러웠다.

선악을 초월해 모든 뱀파이어를 증오한다. 그것은 애초에 모순을 내포하고 있는 방침.

아담카드몬 아낙스라는 초월적인 악의 힘이 등장하면서 그 방침이 깨어지고 있다.

아니, 이걸 깬 것은 아담카드몬 아낙스가 아니다.

'서린인가?'

서린이 선한 자라는 것을 한세건은 부정하지 않는다. 그런 명백한 것을 부정할 정도로 어리석지는 않다

그리고 서린의 형제 서현도 있지. 그놈들과 관계를 맺은 뒤부터 뭔가 삐걱거리기 시작한다.

문득 그놈들의 웃는 얼굴이 떠오른다.

한세건으로서는 도저히 그렇게 웃을 수가 없다. 어째서 녀석

들이, 서린이야 그렇다 쳐도 서현조차 매 순간순간 살아 있는 사람처럼 웃는가?

녀석들에 대해서 문득 부럽다는 생각이 들었다.

하지만 웃기지 마라… 뱀파이어 헌터인 내가 어째서 뱀파이어나 라이칸스로프 같은 괴물들을 부러워하지?

어째서 그놈들을 인격적인 존재로 생각하는 거지? 놈들에게 인격이 있다면 그건 고통을 느끼기 위해서 존재하는 것이다.

아담카드몬이 세상을 파멸시켜? 그러니까 인간을 벗어난 존재가 되어서 모든 힘을 합쳐서 싸우자고?

웃기지 마라.

웃기지 마!

제마니는 종교적인 것을 매우 좋아하는 미치광이 뱀파이어다.

그는 인간의 정신이 정보를 생산하는 주체임을 알고 종교를 통해서 그들의 숭배를 모으려는 음모를 꾸몄다. 인간의 숭배를 받아 인간령이나 외령, 신적인 존재가 되어 영생불사의 너머로 가고 싶다는 욕망은 뱀파이어가 가질 법한 것이긴 하다.

그래서 그는 로마 가톨릭에 투신했고 무려 콘클라베에 참여하기까지 했다. 차기 교황을 결정하는 주교 회의에 뱀파이어가 올라온 것이다.

이 정도 영향력을 확보한 이상 이제 교황 자리는 사정권이다.

하지만 그런 제마니의 음모를 분쇄한 것이 바로 앙리 유이였다.

13사도회의 주교로 교황청의 음지에서 활약하고 있는 앙리 유이는 로마 가톨릭의 정점, 교황을 뽑는 위치에 뱀파이어가 올라온 것을 위협으로 여겼다.

물론 앙리 유이가 전 인류의 정신적 성지, 로마 가톨릭을 지키려 한 것은 아니다. 그보다는 '내가 먼저 선점한 자리에 뒤늦게 들어와서 한자리 해먹으려고 하지 마라'라는 마음이 더 컸다.

어찌 되었든 앙리 유이와 제마니의 암투에서 승리한 것은 앙리 유이였다.

그 결과 제마니는 앙리 유이를 피해 빠져나가서 현재 콥트 정교회와 그리스 정교회, 양쪽에 양다리를 걸치고 있다. 덤으로 인도에서는 따로 사이비 종교를 만들어 그 교주도 겸하고 있었다. 인간령을 끌어모아 뱀파이어의 한계를 초월하기 위해서 그는 지금도 눈물 나는 노력을 하고 있었다.

"그런데 내가 이걸 도와서 얻을 이득은 뭐지? 내가 보유하고 있는 성유물을 내놓으면서까지 말이야."

제마니는 반백 반흑의 머리칼을 꼬면서 물어보았다.

"로마 가톨릭에서 활약하는 걸 묵인해 주지. 교황 될 기회를 다시 열어주겠어."

앙리 유이가 그렇게 제안하자 듣고 있던 실베스테르가 흠칫했다.

"…잘도 이런 놈들이랑 손을 잡고 있군, 에밀 카이히."

차기 교황 자리를 뱀파이어 놈들이 마음대로 쥐락펴락하려 하다니.

뭐, 콘클라베 시스템은 일종의 선거기 때문에 결국 영향력 싸움이 된다.

"응? 나 영어 잘 못 하는데."

"……."

에밀 카이히는 유창한 영어로 대답했다.

농담은 아닌 것 같고 못 들은 체하는 건가?

그때 앙리 유이가 손을 튕겼다.

따다닥!

마치 누가 전기 장치라도 설치한 것처럼 저절로 촛불들에 불이 붙었다.

양초에 고래기름을 섞어 만든 듯 고소한 냄새가 퍼져 나간다. 낡은 샹들리에가 불을 밝히자 바닥에 그려진 마법진이 선명하게 떠오른다.

우둘투둘한 포석 위에 피로 그린 것 같은 마법진이 만들어져 있다.

"여기서 의식을 진행할 셈인가? 자카르타 때에 비해서 영적 밀도가 떨어질 텐데?"

실베스테르가 마법진을 보며 그런 의문을 품었다.

"아담카드몬을 만들 생각은 아니니까."

"그래도 용케 설득했군. 어떻게 설득했냐? 내가 들은 소문의 반만 사실이라고 해도 비스트는 뱀파이어의 말을 절대 안 들을 텐데?"

제마니는 한세건이 앙리 유이에게 설득되었다고 생각하는지 그렇게 물어보았다.

“상황이 엿 같으니까지. 아담카드몬 아낙스를 그대로 방치하면 우리 모두 보이저호의 골든 레코드처럼 압축당할 신세니까.”

보이저호의 골든 레코드, 인류 문명을 혹시 모를 외계 문명에 알리기 위해 황금 위에 새긴 데이터판이야말로 아담카드몬의 아인소프 오올과 같은 맥락이라 할 만한 도구다.

“누가 멋대로 설득당해?!”

한세건의 몸이 떨리고 있었다.

그가 격정으로 몸을 떨고 있었다. 아니, 혼란인가?

여기까지 왔지만 한세건은 인간이 아닌 존재가 될 생각은 털끝만큼도 없다.

“난 절대 네놈들의 뜻대로 응하지 않는다. 테트라 아낙스? 아담카드몬 아낙스? 다 좋아. 이 세상에서 네놈들에게 엿을 먹일 수 있다면 죽음조차 감미롭게 받아들이지.”

한세건의 눈이 증오로 번들거린다.

발레타까지, 어떻게 분위기 타서 따라오긴 했지마는 역시 그런가? 한세건을 설득할 수는 없는 건가?

앙리 유이는 쓴웃음을 지었다.

“결국… 무력에 호소해야 하나?”

“웃기지 마, 앙리 유이. 분신에 불과한 네가 날 이길 것 같으냐? 진마 제마니… 네놈들도 마찬가지야. 너희들 마법사들의 재주는 안됐지만 나랑 상성이 안 좋아. 내 안에 네놈들을 죽이고 싶어서 안달 난 악령들이 득시글거리니까!”

한세건의 그림자가 길게 늘어선다.

혼팅의 힘인가? 아니면 그림자 마법을 풀고 무기를 꺼낼 것인가?

어느 쪽이든 간에 한세건은 싸울 마음을 먹고 있었다. 앙리 유이와 제마니를 여기서 제거할 셈이다.

팬텀과의 약속?

그게 뭔 상관이람? 언제부터 뱀파이어와 약속을 주고받았나?

문득 서린의 말이 떠올랐다.

'앙리 유이를 도와 테트라 아낙스와 싸워야 한다.'

그것을 서린은 예언이라고 했다. 아마도 그게 아니라면 지금의 테트라 아낙스, 아담카드몬 아낙스를 이길 수 없다는 뜻이겠지.

하지만 그게 어떻다고? 뱀파이어 놈들이 인간을 슈퍼마켓의 고기 골라 먹듯 골라 죽이는 세상이다. 그런 세상이 망해서 아쉬울 쪽은 뱀파이어겠지!

한세건은 서린의 당부 따위도 머리에서 지워 버렸다.

그런데 그때… 싸늘한 목소리가 비수처럼 와닿았다.

"설득력이 없구나, 한세건."

실베스테르는 한세건이 혼란을 일으키는 걸 보고 쓴웃음을 지었다.

"한세건, 확실히 말하겠다. 지금 이 순간 네가 의식에 동의하지 않으면 모든 건 끝장이다."

"…하, 당신까지 그런 말을 하는 겁니까?"

"너도 이미 알고 있는 사실이다. 그러니까 여기까지 이러니저러니 해도 함께 왔겠지. 지금은 저 뱀파이어와 손을 잡아야 할 때라는 걸……."

그 순간 한세건이 폭발했다.

"웃기지 마! 당신 무슨 생각이야? 이제 와서 아담카드몬이 대단하니까 뱀파이어랑 손이라도 잡겠다는 거야?! 당신이 애초에 날 이 세상에 끌어들인 장본인이잖아! 뱀파이어와 손잡는다?! 그게 지금 당신 입에서 나온 말인가?!"

한세건이 분노해서 실베스테르에게 손을 뻗었다. 실베스테르 역시 손을 뻗어 한세건의 목덜미를 잡았다.

둘 다 멱살을 잡고 노려보고 있었다.

한세건의 눈에서 푸른 귀화가 타오른다. 저주받은 자의 증거, 혼팅이 그의 증오심을 반영해서 영혼을 연료로 불타오른다.

한세건의 손이 실베스테르의 목에 닿는다. 그것만으로도 실베스테르의 몸에 걸린 방어 마법들이 작동한다. 혼팅이 실베스테르를 불사르기 시작한다.

그 불길을 보며 실베스테르는 쓴웃음을 지었다.

"넌 뱀파이어와 왜 싸우지, 한세건? 저것들을 멸종시키기 위해서? 웃기지 마라!"

실베스테르의 손이 한세건의 목을 조른다. 마인 실베스테르의 악력은 고릴라와 맞잡아도 고릴라가 울며 바닥을 길 정도로 강력하다.

그러나 한세건의 목을 지탱하는 근육은 무시무시한 힘으로 가득 차서 실베스테르의 손길에 저항한다.

쌍방 모두… 서로의 목숨을 위협하고 있었다.

실베스테르가 말했다.

"나는 300년간 저것들과 싸워와서 잘 안다. 저것들은 인간이 있는 한 계속 태어나. 죽음의 기로에 선 인간에게 뱀파이어의 피를 흔들며 유혹하면 대부분의 사람은 뱀파이어가 되는 걸 택한다. 인간 놈들이 뱀파이어의 자양분이다. 곰팡이를 치우려면 그 자양분을 처리해야지? 난 그 한니발이라는 놈의 말에 일리가 있다고 생각한다."

"한니발……."

"내가 인간이 아니기 때문인지도 모르겠군."

실베스테르는 자조했다.

"설령 네가 모든 뱀파이어를 다 죽여 없앤다 하더라도 인간의 영적 유전자 안에 뱀파이어의 소질이 잠들어 있다. 진마 마리아라든가 정야 같은 건 인간 안에서 계속 나타날 거다."

실베스테르는 한세건을 보며 쓴웃음을 지었다.

지금 그가 한세건에게 하는 말은 그 자신에게 하는 것이나 다름없었다.

그렇기 때문에… 이 순간 누군가는 한세건에게 다시 말해주어야 했고 그것은 아마도 실베스테르의 사명이리라.

"그래서… 인간을 다 죽일 건가? 그 한니발이라는 아라한처럼? 그게 뱀파이어를 근절하는 길이라면?"

제마니는 흥분하는 뱀파이어 헌터들을 보고 혀를 찼다.

이들은 안 되겠다. 이렇게 격정적인 놈에게 영적 에너지를 집결시키면 지금 당장 의식에 참여한 그들이 살해당할 것이다.

역시 뱀파이어를 잡아 죽이는 진마사냥꾼, 마수 비스트는 그릇으로서 아무리 뛰어난 자질을 가지고 있다 해도 써서는 안 되었다.

그러나 제마니가 손을 쓰려 할 때 앙리 유이가 그를 막아섰다.

"뱀파이어를 근절하는 길이라면 그 길을 택할 것인가… 인가."

앙리 유이는 실베스테르가 한세건에게 던진 질문을 곱씹으며 혀를 찼다.

놀랍게도 이 실베스테르는 그를 돕고 있었다.

"자, 묻지. 뱀파이어를 근절하는 길이 있다면 설령 어떤 희생을 치르더라도 고르겠는가? 대답해야 할 때다, 한세건!"

실베스테르는 다시금 한세건에게 질문을 던졌다.

한세건은 자신의 몸이 이미 상당히 변화했다는 걸 안다. 실베스테르와 서로 맞잡아도 이제는 과거처럼 그렇게 질 것 같지는 않다.

말도 안 되는 일이다. 실베스테르는 저 검을 휘둘러 사람을 수직으로 토막 낼 수도 있는 괴력의 소유자! 아마 진마들과 완력을 비교해도 떨어지지 않을 것이다. 그런 자와 힘을 맞겨뤄서 뒤지지 않는다.

아니, 오히려 그의 혼팅이 맹수처럼 울부짖으며 그의 증오심 아래 굴복한다. 가장 강력한 마법사인 아담카드몬 아낙스에게도 이 혼팅은 먹혀들었지. 실베스테르에게도 이것은 치명적일 것이다.

그러나 한세건은 실베스테르를 향한 적개심의 끈을 놓지 않았다. 그 상태로 대답한다.

"테트라 아낙스가 만든 체계하에서 뱀파이어는 학살자고 인간은 먹이! 그런 현실을 받아들이기 싫기 때문이다! 난 내 가족이 슈퍼마켓에 정육된 고기처럼 뱀파이어에게 아무 피해도 주지 못하고 먹히는 걸 참을 수 없어! 그 일방적인 학살! 일방적인 착취! 압도적인 우세 속에서 어떤 존엄이 있겠어!"

한세건은 뱀파이어들, 앙리 유이와 제마니를 손가락질했다.

"나는 내 가족의 죽음이 존엄하길 원해! 인간이 존엄하길 원해! 인간이 가축이 되는 걸 용납할 수 없어! 설령 아무리 악인이라고 해도 악으로서 죽어 마땅한 존재라 해도 가축이어서는 안 돼!"

"왜지?"

"우리는 우리가 태어나면서 결정할 수 없는 것이 아닌, 우리의 선택으로 판단받아야 하니까! 선과 악으로 판단받는다면 그건 우리의 선택에 의한 판단이다! 그러나 인간이란 이유로, 인간의 피와 살을 가지고 태어났단 이유로 먹히는 것에 무슨 존엄이 있지?! 하지만 뱀파이어 놈들에게 필요한 것은 인간의 피와 살뿐이지! 그게 참을 수 없어!"

한세건은 그렇게 외치며 실베스테르를 밀쳤다.

실베스테르의 몸이 한 걸음 뒤로 물러난다.

완력에서 뒤처지는 건 아니나 혼팅의 힘이 너무 강력하다. 그

동안 뱀파이어를 향해 울부짖던 증오령이 실베스테르를 침해한다. 한세건의 적의가 당도하는 상대라면 이제 뱀파이어가 아니라도, 설령 인간이라도 해칠 준비가 되어 있으리라.

촛불들이 매달린 낡은 예배당 건물, 바닥은 울퉁불퉁한 포석이 깔려 있고 그 위로 피로 그린 마법진이 있는 이 예배당 건물 안에 혼팅의 적의와 살의가 울부짖는다.

그때마다 촛불이 흔들린다.

이 모습은 진마인 제마니조차 모골이 송연하게 했다.

"왜 그릇인가 했더니만 이 정도로군. 이거 밀리는군. 괜찮겠어? 힘을 보태야 하는 것 아닌가?"

제마니는 관여해야 하지 않는가 싶어서 재차 물어보았다.

그러나 앙리 유이는 고개를 가로저었다.

"이 정도는 되어야 아담카드몬에게 저항이라도 해볼 수 있을 거다. 내가 만들었지만 정말 잘 만들었거든."

"…뒤통수나 맞은 주제에 뭘 자랑은……."

제마니는 어이가 없어서 투덜거렸지만 그런 앙리 유이에게 쫓겨나서 로마 가톨릭을 떠나야 했던 그다. 앙리 유이를 욕해봤자 누워서 침 뱉기이기도 하고 지금은 그게 중요한 게 아니라서 일단 그는 입을 다물었다.

한세건은 앙리 유이와 제마니를 가리켰다.

"난 저 뱀파이어 놈들에게 인간이 존엄한 존재라는 것을 증명해 보이겠어! 제아무리 약자라 해도 함부로 짓밟아서는 안 돼! 이 영혼을 불태워서라도 네놈들이 처먹은 인간의 목숨에 대한 대가를 치르게 하겠다! 그게 내 소망이야! 그걸 거듭한 결과가 뱀파이어를 보는 족족 죽이는 일이라 해도! 설사 그게 선량한 뱀파이어라 해도, 뱀파이어를 상대로 인간의 존엄성을 각인시키기 위해서는 악이라도 한다! 아무리 선량한 뱀파이어라고 해도 천하의 쓰레기 같은 악인을 위해서 죽여 없앨 거야! 그런데 다른 사람도 아닌 당신이 지금 나보고 뱀파이어와 손을 잡고 인간을 벗어나라고 말하는 건가?!"

한세건이 실베스테르를 추궁한다.

그러자 실베스테르가 답했다.

"너무 오래 월야를 헤매고 다녀서 자신의 길을 잃었나 했더니 그건 아니군, 한세건."

"뭣?"

그 순간 이번엔 한세건의 목에서 우드득하는 소리가 들렸다.

실베스테르가 가하는 압력이 더욱더 증가했다.

한세건의 목뼈가 비명을 지르며 그의 몸이 뒤로 밀린다.

"네가 만약 사랑받는 가정의 평범한 아이였다면 너는 이곳에 없다. 틀림없이 가족을 잃은 상처를 극복하고 그들이 사랑했던 평범한 사람으로서 살아갈 수 있었을 것이다. 하지만 그렇지 않았지. 넌 불효자였고 네 가족 역시 아이를 키우는 데 사랑으로 키우진 않았더군? 하긴 인간은 마음 없는 차량을 몰 때는 면허를 따야 하지만 마음 있는 아이를 키우는 데는 면허를 따지 않지. 네 부모는 그리 좋은 부모가 아니었고 그 결과 너도 좋은 아들은 아니었다. 넌 사랑하는 법, 사랑받는 법을 몰라."

실베스테르는 한세건의 상처를 후벼 팠다.

그 때문일까, 아니면 실베스테르의 악력이 더더욱 올라갔기 때문일까?

한세건이 신음했다.

"크윽!"

"그렇기 때문에 넌 상처를 치유하지 못한다. 사랑받아 본 적이 없기 때문에, 인간으로서 부족하기 때문에 상처로써 자신을 증명할 수밖에 없었다. 넌 이 상처로부터 영원히 벗어날 수 없기에 존엄성을 지키지 못하고 고깃덩이로 사라져 간 사람들의 값을 저들에게 피와 죽음으로 물을 수밖에 없었지. 그래서 넌 훌륭한 헌터였다! 이 월야에 들어오는 파멸당한 인간 중 최고였다!"

실베스테르는 한세건의 목을 잡고 한 걸음, 또 한 걸음 앞으로 내디뎠다.

"네 파멸을 보면서 나도 취했었는지 모르겠군. 즐거웠다, 한세건. 그러나 이제 그건 끝이다! 네 고통을 보면서 너무나도 즐거워했던 모양이지만 그렇게 해서는 안 될 때가 왔다. 널 이 세계에 들여놓은 게 나라면 그 책임을 져야겠지."

"무슨 책임?"

"널 광인으로 이 땅에 방치한 책임. 차라리 흔한 헌터들처럼 자멸해서 죽어 없어질 기회를 박탈한 책임을 질 것이다, 한세건."

실베스테르는 다시금 한 걸음 앞으로 내디뎠다.

"넌 그저 네 가족의 죽음이 존엄하길 바랐을 뿐이었어. 그러나 이미 네 가족은 살해당했고 그걸 전 인류에게 전사한 것은 훌륭한 일이다. 분명히 인간의 존엄을 위해서 너는 저 미친 달의 밑을 달렸겠지. 하지만 넌 결국 허상의 마수고 아담카드몬은 태양과 같은 존재다. 태양이 떠오르면 괴담 속의 마수는 녹아 사라질 뿐이지. 그게 네가 존엄을 지키는 길인가? 존엄을 지키기 위해 싸우다 힘이 다해 죽는다면 너 자신은 만족할 수 있겠지. 그러나 다른 사람은?"

"……."

"네 스스로 말했지? 존재는 선택으로 심판받아야 한다고. 하지만 존재부터가 뱀파이어인 이들을 너는 가차 없이 살해해 왔을 것이다. 그 모순 속에서도 네 행동이 존중받은 건 네가 언더독이고 절대적인 강자에게, 약자로서 저항했기 때문이다. 그 와중에 발생한 무고한 희생의 청구서가 네게가 아닌 뱀파이어 사회 전체에 청구되었기에 넌 저항하고 싸워도 되었다. 하지만 이제는 다르다. 아담카드몬이라는 새로운 태양이 나타나고 이 세상의 법칙이 바뀌었다. 한세건, 넌 이제 다음 단계로 성장해야 한다."

실베스테르는 의도적으로 한세건의 결말을 방해했다.

그가 뱀파이어가 되어 죽어가는 순간을 내버려 두거나… 그의 심장에 말뚝을 박아서 이 삶의 고통으로부터 해방시킬 수 있을 것이었다.

하지만 실베스테르도 어쩌면 한세건의 분투에… 테트라 아낙스라는 거대한 폭군에게 저항하는 언더독의 싸움에 매료되었다. 끝내야 할 이야기를 끝내지 않고 계속 이었다.

이제 그 책임을 져야 할 때다.

"비스트, 네 이명은 네가 뱀파이어들에게, 강자들에게 대항해 이를 가는 언더독이었기에 붙은 이름이다. 하지만 지금 최고의 탑독이 나타났다. 아담카드몬, 태양과도 같은 존재, 탑독 중에서도 탑독이다. 그놈을 물어뜯어라. 그럼 네가 지금까지 싸워온 것보다 더한, 비할 데 없는 존엄을 얻을 것이다."

"난 나의 존엄이 아니라 인간의 존엄을 원합니다."

한세건은 흥분이 가라앉는 걸 느꼈다.

실베스테르의 말은 일리가 있다.

그가 뱀파이어와의 싸움에서 가지던 모순을, 증오심에 흐려진 눈을 뜨게 해주었다.

그렇구나.

나는 인간이 존엄한 존재가 되기를, 자신의 가족의 죽음이 존엄하기를 바랐던 거구나.

증오는 그 부산물이지 그 목적이 아니었다.

"인간의 존엄을 바라는 그 마음을 높이 사서 나는 이 의식에 입회한다. 그리고 널 인간령, 인간의 의지가 형상화한 검으로 빚어낼 것이다. 내 목숨을 다해 널 지키고 너의 의지를 투사시킬 것이다."

실베스테르는 심호흡을 했다. 아무리 그라고 해도 목이 탄다. 혼팅이 그를 태워서 더욱더 목이 타는지도 모르겠다.

그러나 말라비틀어진 목소리를 쥐어짜서 그는 말했다.

"아담카드몬이 태양이라면 너는 그 태양을 물어뜯는 탐랑(貪狼)이 될 것이다. 인간의 존엄을 위해 태양조차 물어뜯는 진짜 마수가 되어라."

탐랑. 그것은 북두칠성의 흉성.

그리고 태양을 추격해 집어삼키는 괴물이기도 하다.

인류의 여명기 시절, 개기일식은 언제나 끔찍한 재앙이었다. 사람들은 하늘을 질주하는 괴물이 태양을 집어삼킨다고 믿었다. 펜릴, 탐랑성, 아즈텍의 재규어의 신 테스카틀리포카 등등… 태양을 집어삼키는 괴물의 이미지는 인류의 의식 밑에 가라앉아 있다.

그 의식과 한세건을 동일시시킨다면 인간령의 마력도 더더욱 강해질 것이다. 인간의 의식, 신화나 설화에 합치시키면 그만큼 강력한 영적인 힘을 얻게 될 것이다.

언더독인 한세건에게 태양을 물어뜯는 존재가 된다는 건 확실히 매력적이다.

"그리고 내가 너의 명예, 너의 존엄, 네가 지키고자 했던 인간의 존엄을 위해 싸울 것이다. 그러니……."

실베스테르는 손을 놓았다. 한세건의 목에 선명한 손자국이 남았다. 보통 사람이라면 목이 으깨져서 죽었을 정도의 악력이지만 과하다는 생각은 들지 않는다.

실베스테르의 멱살에도, 목과 가슴에도 혼팅이 남긴 화상이 있었으니까.

"…태양을 물어뜯어라. 그게 어울려, 네놈은."

테트라 아낙스가 월야의 제왕이라면 그에게 도전하고…….

이제 아담카드몬 아낙스가 이 세계의 태양이라면 그에게 도전하라.

그리고 설령 그 과정에서 인간을 벗어난다 하더라도 그게 한세건이 지키고자 하는 인간의 존엄을 훼손하는 건 아니다.

그가 진정 인간의 존엄을 훼손한다면 실베스테르가 지닌 모든 것을 불살라서 막겠다.

실베스테르는 그것을 말하고 있는 것이었다.

또한 이것은… 아마도 한세건이 광기에 휩싸였을 때 그로 인해서 인류가 몰살당하는 걸 막을 최소한의 방제 장치는 될 것이다.

그가 지키려 하는 건 인류의 존엄, 먹히는 자의 존엄, 약자의 존엄.

언더독의 자부심이다.

한세건의 목표는 뱀파이어를 몰살시키고 인간을 몰살시키는 것이 아니라는 것을 잊어선 곤란하다.

이 순간 실베스테르는 한세건에게 새롭게 목표를, 의지를 각인해 넣었다.

"정말… 말을 잘하는군, 실베스테르. 진마사냥꾼이라고 해서 뭐 그냥 총칼이나 잘 쓰는 칼잡이인 줄 알았는데 말발에도 조예가 깊군. 마법이 달리 마법이 아니야. 저 정도면 뭐……."

앙리 유이는 실베스테르의 말솜씨에 감탄했다.

"우리 지금 후회할 짓을 저지르는 것 같은데."

제마니는 왠지 오한을 느끼고 있었다.

한세건이 저 힘을 손에 넣는다면 뱀파이어들에게는 재앙이 될 것이다. 아담카드몬과 그림자 상의 저주로 묶여서 서로 파멸하면 모를까 그러지 않으면 뱀파이어들에게 재앙이 되지 않을까?

그러나 아담카드몬의 위협이 그들을 위협하는 이때, 먼 장래의 화근을 걱정할 여유가 없다. 아담카드몬은 지금 아웃로 뱀파이어들을 죽여대고 있고 이것은 클랜에 속하는 뱀파이어들에게도 심각한 위협으로 다가오고 있었다.

장래에 한세건이 그들에게 위협이 되든 말든 일단 발등에 붙은 아담카드몬이라는 불을 꺼야 했다.

설령 태양조차 물어뜯을 괴물을 만들어서라도!

第30夜

목적성

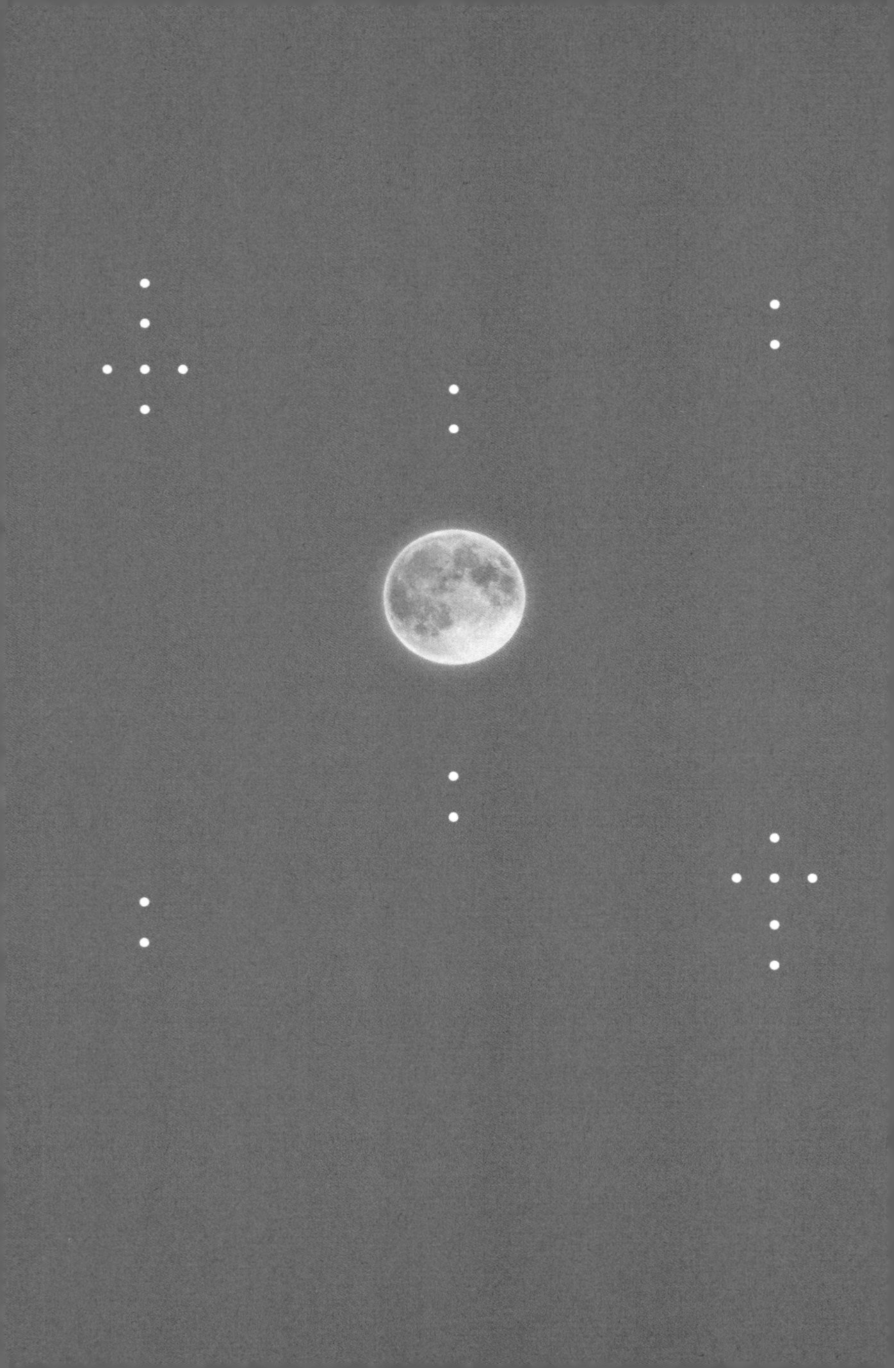

1

어둠 속에서 할로겐등 하나가 빛나고 있었다.

그 불빛 아래 낡은 체스판 하나가 유리 테이블 위에 놓여 있었다.

호박색 눈을 가진 붉은 금발의 청년이 그 테이블 앞에 앉아 있었는데 어둠 속에서 눈만이 요사스럽게 빛을 발하고 있었다.

아담카드몬 아낙스, 아낙스의 젊은 날의 모습을 빼닮은 그는 체스판을 바라보며 말했다.

"단언하건대 이 우주는 파멸로 수렴한다."

아담카드몬 아낙스는 단언했다.

열역학 제2법칙을 들먹일 것도 없이 우주는 모조리 파멸한다. 물론 그것은 인류가 신경 쓸 필요 없는 머나먼 훗날의 일일 것이다. 우주가 멸망하기도 전에 지구의 환경이 고갈되어 인류는 죽을 것이다.

"하지만 정보는 신성하지. 특히 영성 정보를 생성하는 존재는 신성하다. 생명이 윤회한다고 보는 인간의 종교들, 혹은 불멸한다고 생각하는 종교들은 나름 진실을 담고 있어."

"우리는 아예 불로불사인데."

마틴이 투덜거리며 체스판을 바라보았다.

"…이건 끝났군."

오라클 시스템이 작동 중인 현재 테트라 아낙스의 지성은 슈퍼컴퓨터나 다름없다. 이미 모든 수의 해석이 끝난, 단순 작업을 반복하는 체스 같은 게임은 말할 것도 없이 쉬운 것이다. 심지어 컴퓨터로는 도저히 그 수를 헤아리기 힘든 일본 장기나 바둑조차 빠르게 연산 가능하다. 컴퓨터와는 비교할 수 없이 깊은 파이프라인을 가진 인간의 뇌로 초정밀 병렬 연산을 할 수 있으니까 말이다. 수만 명의 기사(棋師)가 한 수 한 수 궁리한 것 중 최선의 수들만을 모아두는 것과 마찬가지다.

그러나 아담카드몬 아낙스는 이 체스판을 일종의 소품으로서 보고 있는 것이지 결코 게임을 즐기기 위해 두는 건 아니다.

"뱀파이어의 불로불사 따윈 하찮은 것이지. 이 불로불사를 대가로 너희들이 얼마나 많은 영성을 갉아먹어야 하는지 모르진 않을 텐데?"

"…그래서 마리아에게 그런 악행을 저질렀나?"

마틴 대신 레베카가 물어보았다.

"위대한 자에게는 더욱더 크나큰 시련을 주어야지."

청년은 체스판의 말을 움직였다. 자군의 퀸이 적진 한복판에 놓였다.

하지만 체크 상황이다. 킹이 피하지 않으면 게임이 끝나고 피하면 퀸은 한 턴 더 움직여서 적진을 유린할 것이다.

"정말 신이라도 된 기분인가 보군……."

베이런은 쓴웃음을 지으며 그 모습을 지켜보고 있었다.

하지만 현재 그는 꼼짝할 수가 없었다. 아니, 움직일 수는 있지만 움직이면 그가 하는 짓은 아담카드몬 아낙스의 뜻대로 된다. 테트라 아낙스의 클랜원들 전부가 오라클 시스템으로 묶여 버려서 아담카드몬 아낙스가 하고자 하는 대로 움직일 수밖에 없다. 지금 베이런이 아담카드몬 아낙스에게 가지는 반감은 일종의 자조나 자기비판에 불과하다.

물론 베이런은 스스로 자조하면서도 기꺼이 방아쇠를 당기는 전투 상황의 군인처럼 묵묵히 자신의 일을 수행하고 있었다. 테트라 아낙스 클랜의 모두가 회의를 느끼거나 고통을 받는다 해도 그보다 아담카드몬 아낙스의 의지가 더 강했다.

"어째서……."

레베카는 잔인한 아담카드몬 아낙스의 손속에 놀라서 말도 제대로 못 하고 있었다.

"어째서 이렇게까지……."

"인간을 시험하는 게 나의 의무니까. 영성을 창조하는 위대한 존재를 이해하기 위한 내 몸부림이라고 해두지."

아담카드몬 아낙스는 그렇게 대답하고 흥미 깊게 체스판을 바라보았다.

물론 그가 보고 있는 것은 체스판이 아니라 그 너머… 세계 각지에서 벌어지고 있는 그의 시험, 그가 내리는 시련의 현장들이었다.

2

진마 마리아의 능력은 마물 생성.

특히 가장 뛰어난 점은 환마(幻魔)를 만들 수 있다는 것이다.

엑토플라즘이나 육종 세포를 베이스로 이미지를 투영시키면 그 이미지대로 육종이나 엑토플라즘 의체가 성장하면서 변화한다.

게다가 그것을 보는 사람들 모두에게 이미지를 강요하게 되는데… 만약 천사를 만들겠다고 그녀가 마음먹고 엑토플라즘을 베이스로 마물을 만든다 치자.

비디오카메라로 찍으면 그냥 희뿌연 덩어리, 마치 해파리 같은 것으로 보이지만 보는 사람들에게는 아름다운 천사로 보이게 된다.

게다가 이런 이미지가 쌓이고 쌓일수록 해파리 같던 모습도 천사에 가까워진다. 엑토플라즘이나 육종 세포 그 자체가 이미지에 걸맞은 모습으로 성장하는 것이다.

환마는 인간의 심상에 영향받고 인간의 심상을 조종하는 마물. 인간령의 힘을 컨트롤할 수 있다는 점에서 그 잠재 능력은 어마어마하다.

다만 진마 마리아는 그 능력을 사용하는 데 능숙하지 않았다.

애초에 그녀는 전투를 좋아하지 않았다. 싸우는 일 자체가 그녀에게 스트레스를 주었다. 아니, 그걸 상상하는 것만으로도 몸서리가 쳐진다.

그런 그녀가 전투를 위해서 궁리하고 지혜를 짜내는 짓을 할 리가 없다.

자신이 가장 싫어하는 일에 어찌 모든 역량을 다 발휘할 수 있겠는가?

그러나 그렇다면 지금 눈앞의 저것은 무엇인가?

저것은 진마 마리아가 가진 역량을 총동원한 것, 즉 그녀의 자아가 더럽혀졌다는 산 증거였다.

“마리아…….”

서린은 몸서리를 쳤다.

길거리에 지옥의 군대가 질주하고 있었다.

날개 달린 악마와 그림리퍼가 하늘을 날고 있다.

지상에는 해골마가 끄는 전차가 있는데 그 위에 해골 사신이 낫과 투창을 들고 있다.

부정형의 가오리 같은 마물, 마리아가 평상시 교통수단으로 소환하던 괴물도 몸 여러 곳에 아가미 같은 숨구멍이 나 있는데 그로부터 불길을 뿜어내고 있었다.

그리고 지상에는 엑토플라즘에 파묻혀 용해되는 인간들의 벽… 젤리 속에 인골이 파묻혀 있는 듯한 끔찍한 모습이 펼쳐져 있다.

서린은 오른쪽 눈을 감고 왼쪽의 붉은 눈만으로 그것을 바라보았다.

환술을 간파하고 진실을 바라보는 눈… 그것으로 보기에도 저것들은 환영의 모습과 별반 다를 바 없다. 엑토플라즘으로 된 외형이 저 정도로 성장하다니? 저만큼 성장하기 위해서는 이미 상당히 많은 인간령, 인간의 정신, 소문, 괴담, 상상, 공포를 흡수했음에 틀림없다.

즉 저 지옥의 군대, 끔찍한 마물들로 사람들을 휩쓸고 이미 인명 피해를 냈다는 뜻이다.

마리아가 사람을 직접 죽였다?

'아니, 그럴 리 없다. 아마도 아담카드몬이 조작한 거겠지.'

서린은 그 사실을 깨닫고 몸서리를 쳤다.

아담카드몬이 그를 주시하고 있다. 그리고 그 사실은 놀랍게도 한니발이 꿰뚫어 보고 있었다.

"욥이 된 기분이겠군! 자, 어쩔 거지?"

한니발이 비웃듯 말했다.

"싸워야 하나?"

아르곤이 손을 풀면서 물어보았다.

진마 마리아가 만들어낸 환마들이 강력하다고는 하지만 이곳에는 현재 진마들이 우글거린다.

무력으로 뚫지 못할 리가 없다.

그러나 서린은 고개를 가로저었다.

"피하죠!"

"…어이가 없군."

한니발은 서린의 선택을 비웃었다.

"저 여자애 형상의 뱀파이어를 구하기 위해서 지금 일부러 피하는 건가? 웃기지 말고 맞서 싸워! 당장 저걸 뚫고 뉴욕으로 직진하자고! 물론 네 개인적인 마음은 아프겠지만, 서린 네놈이 테트라 아낙스의 자리를 되찾기 위해서라면 그 정도 희생은 감내해야겠지?"

한니발이 그렇게 말하자 서린은 고개를 가로저었다.

"그런 문제가 아니에요. 여기선 상대하면 지는 겁니다!"

"나도 동감이야."

서현은 그리 말하고 차량 안에서 그레네이드 런처를 꺼내 들었다.

"아담카드몬은 인류 종언자, 그리고 아낙스는 월야의 관리자다. 둘의 자아가 미묘하게 섞여서 사디스틱한 관측 놀이를 하는 모양인데 거기서 사디스트를 만족시켜 주는 짓을 하자니? 무슨 생각인지 모르겠군, 한니발."

"그럼 어떻게 피할 건데?"

한니발이 반문하자 팬텀이 손가락을 딱 튕겼다.

"빌헬름! 내가 운전하겠다!"

"네!"

빌헬름은 그리 답하고 안개로 변했다. 순식간에 팬텀과 빌헬름이, 운전 중인 차량 안에서 위치를 바꾸었다.

"자, 그럼!"

팬텀은 운전대를 잡고 눈을 빛냈다.

진마 팬텀의 취미가 모터스포츠라는 건 만인이 잘 알고 있는 사실이었다.

덕분에 팬텀은 위장 신분의 나이가 지긋할 때에도 운전기사가 몰아주는 쇼퍼드리븐 차량보다는 자신이 직접 모는 재미가 있는 오너드리븐 차량을 선호했다.

"다들 안전벨트 꽉 매시죠!"

빌헬름이 경고한 순간 팬텀이 캐딜락 에스컬레이드 리무진의 브레이크를 밟고 핸들을 틀었다.

"오토라서 반응성이 떨어지는군."

캐딜락 에스컬레이드의 6단 자동변속기 모델의 기어를 수동으로 바꾸면서 팬텀은 풋 사이드브레이크를 이용해 엔진브레이크는 걸지 않고 바퀴에만 제동을 걸었다.

브레이크 페달을 밟으면 엔진에의 연료 공급도 떨어지고 엔진브레이크가 걸려 RPM이 저하되니 엔진에는 연료를 공급하면서 제동력을 얻기 위해 정차용 브레이크를 밟는다.

"사이드브레이크가 있으면 좋겠지만 에스컬레이드엔 사이드브레이크가 없으니까!"

팬텀이 투덜거리며 자동 차체 제어장치를 끄고 정차 브레이크를 밟으며 컬럼식 기어봉을 잡고 아래로 내린다.

엔진 RPM이 폭증하며 굉음을 토하고… 차 안이 롤러코스터로 변한다.

육중한 리무진 차량이 도로 위에 스키드 마크를 남기며 스핀하나 싶더니만 공간을 거의 안 쓰고 U턴했다.

"흡!"

빌헬름이 손을 쓰자 중앙분리대의 콘크리트 덩어리에 안개가 날아가 콘크리트 덩어리를 위로 날린다. 그 틈으로 리무진 차량이 돌진해 U턴을 완성시켰다.

앞에서 이빨을 갈며 기다리던 마리아의 마수들이 자신들 코앞에서 차를 되돌리는 팬텀의 곡예에 분개해 추격해 온다.

마수 중 투창을 든 사신이 질주하며 창을 던지지만… 팬텀은 지그재그로 슬라럼을 펼치며 간단히 공격들을 피해낸다. 차가 좌우로 움직이자 서스펜션이 출렁거리며 그때마다 관성이 무자비하게 승객들을 휘둘러 댄다.

하지만 이 안에 탄 이들 중 이 정도 슬라럼을 못 견딜 이는 아무도 없다.

외려 슬라럼을 펼치는 동안 한니발이 창문을 열고 서현에게 손을 벌렸다.

"그거 이쪽으로!"

"그래!"

서현이 그레네이드 런처를 건네주자 한니발은 창밖으로 그레네이드 런처를 정확하게 쏘아 날렸다. 출렁거리며 요란하게 질주하고 있는 차량 안에서 밖을 향해 탄속이 약간 느린 그레네이드를 제대로 쏘는 건 보통 어려운 일이 아니다. 하지만 그걸 해낼 수 있으니까 한니발이 라이칸스로프 용병들 사이에서 대장 노릇을 할 수 있는 것이리라.

퉁!

긴장되는 상황과 어울리지 않는 웃기는 소리와 함께 날아간 그레네이드가 악귀들 사이에서 폭발했다.

불길이 길게 번진다. 40밀리 그레네이드에 네이팜이 들어봤자 얼마나 들었겠냐마는 차량이 가속할 동안 추격을 늦추는 데는 충분했다.

팬텀이 능숙한 솜씨로 적들의 추격을 따돌린다.

"저건 진마 마리아의 능력이지요? 저 정도로 마수가 진화할 정도면 대체 어떻게 된 겁니까? 그리고 아무리 봐도 저건… 사람을 실제로 죽인 것 같은데."

창영이 물어보자 서린이 혀를 찼다.

"아담카드몬 아낙스가 그녀를 장악한 것 같아요. 아마도 실제로 사람을 죽였겠지요. 저 젤리질 형태 안의 인골은 실제 인골입니다."

"비셔스 바이러스 핑계를 대면서 미국 본토에서도 사람을 대량 학살 할 셈이로군요……."

정야는 혀를 찼다.

뭐, 그녀가 일하던 곳에서 도망쳐 나올 때도 이미 비셔스 바이러스를 핑계로 공격해 온 아담카드몬 아낙스다. 비셔스 바이러스라는 좋은 핑곗거리가 있으니까 사람들을 죽이는 건 일도 아니리라.

"사디스틱한 작자로군요. 이번의 아낙스는… 어째서 이렇게 된 거지요?"

정야는 정말 극심한 혐오를 담아서 그렇게 말했다.

고든이 폭군이라고 하지만 사디스틱한 성격은 아니었다. 고든은 그냥 다른 뱀파이어들에게 관심이 없었다. 사디스틱하려면 그만큼 최소한의 관심을 가져야 하니까.

다만 당하는 쪽 입장에선 무관심한 게 차라리 낫다. 사디스틱한 변태가 관심을 가져주는 걸 좋아하는 놈은 없을 테니까 말이다.

"아마도… 아낙스에 대해서 앙리 유이가 가진 열망이 작용한 것 같아요. 앙리 유이는 엘리트 의식이 강해서 자신 외에 다른 이들에겐 아낙스가 잔혹해지기를 원했지요. 현재의 아담카드몬 아낙스는 앙리 유이의 통제를 벗어났지만 그럼에도 불구하고 그 영향을 받고 있습니다."

"그렇다면 승산은 있는 건가요? 괜한 싸움에 말려들고 싶지는 않은데요."

정야의 표정은 차갑다.

그녀는 다른 진마들과 달리 전사가 아니다. 가급적 평범하게, 사람답게 살고 싶을 뿐이었다. 흡혈은 항상 최소한으로, 그녀의 VT인자를 노리는 불한당들에게서 몸만 지킬 정도면 누구와도 다투고 싶지 않다는 게 솔직한 심정이었다.

물론 아담카드몬 아낙스는 그런 그녀를 내버려 둘 리가 없는 악적이지만, 현재 서린과 그 파벌의 말만 듣고 판단을 내리는 건 성급하지 않은가?

"괜한 싸움이 아니야. 아담카드몬 아낙스는 틀림없이 이 세상을 멸망시킬 거다. 지금도 그렇잖아?"

"그건 당신들의 이야기니까 모르는 거지요. 아담카드몬 아낙스 쪽에서 뭔가 자신들을 위한 변명이 있을지도 모르잖아요? 당신들만의 말을 듣고 움직이고 싶진 않습니다."

"아니, 그렇지만 정말 나 그렇게 신뢰가 없구나."

아르곤이 그렇게 말하자 모두들 아르곤을 바라보았다.

"당연하지."

팬텀조차 한마디 했다.

"그럼 설마 믿어주길 바랐나?"

같은 에스프리의 일원인 창영도 어이없어했다.

"어느 문화권이든 간에 자기 밥벌이도 못 하는 사람을 믿어주는 곳은 적어도 지구상에는 없습니다."

서린의 경우는 신랄하다 할 정도였다.

"어쨌거나 그럼 지금 당장 차에서 내려서 아담카드몬 아낙스에게 투항하지그래? 당장 자기 코앞에 있는 놈이 거짓말을 하고 있는 걸지도 모르니까 명백하게 적대하는 자들과 사랑과 평화를 논하겠다는 저능아라면 아군에 있는 것보다 적 쪽에 있는 게 이득이니까."

듣고 있던 한니발이 정야에게 짜증을 냈다.

그러자 창영이 발끈했다.

"넌 또 뭐냐? 너희 부모가 여자에게 그렇게 막 대하라고 가르치던? 불안하니까 의심해 볼 수도 있는 거지!"

"아주, 기사님 나셨군. 피 빠는 괴물이 되고도 여자 앞에서 허세 부리지 못하면 죽는 병이라도 걸렸나? 그러다가 가랑이 찢어진다? 이 경우는 내가 찢겠지만."

한니발이 창영에게도 막말을 퍼붓자 창영에게서 싸늘한 한기가 뿜어져 나왔다.

"…월마트 노동자로 건실히 살고 있더니만 별놈이 다 만만하게 보는군."

창영과 한니발 사이의 공기가 험악해지기 시작했다.

"싸우고 싶다면 내려서 싸우지그래? 이 좁은 차 안에서 아무것도 부수지 않고 싸울 수 있겠어?"

서현이 그들 둘에게 물어보자 창영은 어깨를 으쓱해 보였다.

"차를 부수지 않는 선에서 승부하는 게 어때?"

"부수는 쪽이 지는 걸로? 지면 어쩌려고?"

"네가 지면 그녀에게 사과해라."

"네놈이 지면?"

"그때는 군말 없이 네놈에게 사죄하고 서린의 편에서 싸우지."

그 순간 한니발이 킥 하고 웃음을 터뜨렸다.

싸울 의욕으로 가득 찬 것 같다. 그걸 본 서현이 기가 막혀서 말했다.

"이봐, 나는 싸우지 말라는 뜻에서 한 말이거든? 정말……."

그러나 서현의 말이 끝나기도 전에 창영의 발차기가 날아들었다.

캐딜락 에스컬레이드의 중간 시트, 리무진으로 개량되어 한 열 늘어난 시트 공간은 넓고 천장도 높다. 그 시트를 붙잡고 창영의 발차기가 전광처럼 쏘아져 나가 한니발의 머리를 노린다.

하지만 한니발은 머리를 옆으로 돌려 창영의 발차기를 살짝 피해냈다. 완전히 피할 수는 없어서 볼이 찢어지고 선혈이 튀었지만 그다음 순간 이번에는 한니발의 래리엇에 가까운 스윙이 창영을 노린다.

창영은 머리가 직격당하는 걸 피해냈지만 한니발의 팔이 그의 다리에 감겨서 몸을 들어 올린다.

쿵!

차 유리창에 창영의 어깨가 부딪히면서 유리가 금갔다.

그 순간 보다 못한 서현이 그들 사이에 다리를 뻗어서 둘 다 멈춰 세웠다.

"그만! 차 흔들리잖아. 여기까지 해라!"

"네놈이 차 유리를 깼지? 내 승리다."

한니발은 간단히 승리 선언을 하고 물러났다.

"네 어설픈 공격이 빗나갔을 뿐이야! 피를 본 건 네놈 아니냐!"

창영이 반박한다.

그 모습을 보던 서현이 혀를 찼다.

"완전 애들이네. 좋겠다, 즐거운 분위기로 살 수 있어서."

어쨌거나 창영과 한니발이 투닥거린 덕분에 정야는 이제 꼼짝없이 서린과 함께해야 할 판이다.

"그래서 앞으로 어쩔 거지요, 서린?"

정야가 물어보자 서린은 어깨를 으쓱해 보였다.

"피합니다."

"아르곤만큼이나 신뢰가 가지 않는 계획이로군요."

"아… 그건 좀 너무한 비유 아닌가요?"

여유가 넘치던 서린의 태도가 급변했다. 하필이면 비교를 해도 아르곤과 비교하다니.

정작 당사자인 아르곤이 이곳에 있지만 말이다.

"내가 마치 불근신의 상징처럼 여겨지고 있는 것 같은 건 내 착각일까? 나름대로는 열심히 살았는데?"

아르곤이 그렇게 물어보았지만 모두들 아르곤의 질문을 무시했다.

서린은 정야에게 성심성의껏 답했다.

"우선은 정말 성심성의를 다해서 피할 겁니다. 아담카드몬 아낙스는 사디스트는 아니지만 사디스트의 전략을 취하고 있어요. 그의 전략에 제가 호응하면 할수록 피해가 커질 겁니다. 마리아가 저렇게 된 것이… 제게는 매우 가슴이 아프지만 그렇다고 그녀에 대한 성의를 보이기 위해 함께 파멸로 굴러들어 갈 수는 없어요. 제가 살아남아야 마리아를 구하지요."

"그건 잘 알겠어요. 그래서 피하기만 하면 승산은 있는 건가요?"

"피하기만 한다고 하면 악의적인 시선이고 때를 기다리는 거지요. 앙리 유이가 아담카드몬 아낙스에게 대항하는 데 있어 가장 큰 열쇠라는 예지를 느꼈습니다. 승산이 없으면 그런 예지는 나오지 않아요."

"그 승산은 어느 정도인가요?"

"적어도 아담카드몬 대신 저를 택했다고 역사에 길이 남을 조롱거리는 안 될 정도?"

서린이 그렇게 답하자 정야가 관자놀이를 손가락 관절로 눌렀다.

"끙… 그렇게 말씀하시는 걸 보니 별로 안 높나 보군요."

"대신이라고 하긴 뭐하지만 제가 승리하면 당신들에게 아주 약간의 경제적 혜택을 드리지요."

"…그, 그런 걸로 저나 창영이 호응할 거라고 생각하시는 건 너무 저희를 쉽게 보시는 것 같은데요."

"그런데 그게 어느 정도인가요?"

한니발과 투닥거리던 창영이 호기심을 느꼈다.

"연간 백만 달러 정도?"

그래도 명색이 진마인데 너무 적게 불렀나? 서린은 그런 불안을 느끼며 반문했지만 창영과 정야의 표정이 급격하게 변하는 걸 모두가 느낄 수 있었다.

"뭐, 어쩔 수 없지요. 협력하겠습니다."

정야가 정말 마지못해서 협력한다는 듯 말했다.

"푸하하핫. 피해 버리잖아?! 이래서야 마음에 타격을 주려고 해도 안 되겠는데?"

마틴이 신나서 웃음을 터뜨렸다.

"서린은 허술해 보여도 사실 우리 중 가장 강력했지. 고든조차 마음의 힘에서 능가했었다. 그렇기 때문에 그가 테트라 아낙스가 된 것이다. 그러니 그를 상대로 이런 신파적인 수법은 안 먹힐 것 같은데?"

베이런도 서린을 높이 평가했다.

"그래, 서린은 절대로 만만한 상대가 아니야. 아담카드몬 아낙스, 서린을 상대하기 위해서 여자애를 고문하는 짓거리를 해봐야 아무런 이득도 얻지 못하고 다만 비웃음거리가 될 뿐이다."

레베카는 행여나 아담카드몬 아낙스가 이상한 짓을 하지 못하도록 쐐기를 박았다.

비록 세간의 뱀파이어들은 고든보다 서린을 더 만만하게 보는 경향이 있다. 철혈의 폭군의 압제에 고통받던 민중들이 정작 자신들에게 잘해주는 자에게는 기어오른다는 건 인간이나 뱀파이어나 다를 바 없다.

하지만 서린이 그냥 실실 웃는 청소년이었다면 절대로 고든 아낙스에게 승리할 수 없었을 것이다. 마음의 힘에서 서린은 그야말로 철벽의 성이나 다름없다. 그걸 테트라 아낙스의 삼인방은 누구보다도 더 절실하게 느끼고 있었다.

"뭔가 착각하는 것 같은데. 난 지금 이 상황이 재미있군."

아담카드몬 아낙스는 그렇게 말했다.

마리아로 서린의 동요를 불러일으키겠다는 작전은 보기 좋게 실패해 버렸다.

팬텀은 능숙한 운전 솜씨로 마리아를 따돌렸고 그런 선택을 한 것은 서린이었다. 결과적으로 보면 아담카드몬 아낙스가 우스운 꼴이 된 것 같지만 그건 일반적인 사람들의 감성이다. 아담카드몬 아낙스는 서린의 반응을 보기 위해서 이런 짓을 벌인 것이고 서린은 그에 반응했다.

"싸우지 않고 피해 버린다… 그런 반응을 하는군."

일견 합리적인 생각이지만 자신의 친우가 적에게 조종당하는 상황에서 그렇게 빠른 판단을 내리는 건 비정상적일 정도로 뛰어난 판단이다.

그리고 그런 비정상이야말로 아담카드몬 아낙스의 흥미를 자극했다.

"무슨……."

"설마 더 할 생각인가?"

"이익……."

마틴이 분노했지만 잠시 후 분노조차 녹아 사라져 버린다.

끔찍한 일이다. 아담카드몬을 상대로는 화도 낼 수 없다. 그저 슬프고 씁쓸한 감정이 떠오를 뿐이다.

'아니잖아! 이런 게!'

지금이라도 주먹을 들고 일어나 맞서 싸워야 한다.

그런데… 할 수 없다. 더 웃긴 건 이게 바로 테트라 아낙스가 그동안 해온 일이라는 것이다. 그들의 죄로 그들을 벌한다. 수

미상관(首尾相關)의 미학을 안다고 할까?

정말 멋진 신이다.

"너희들은 마음 때문에 누군가에게 분노할 자격이 없다. 너희들이 이미 무수히 많은 마음을 짓밟았기 때문이지."

"그렇게 하지 않으면 뱀파이어들을 지킬 수 없었어!"

마틴이 항변했다.

"피를 빠는 존재를 굳이 지켜야 할 이유가 있었나?"

아담카드몬 아낙스는 코웃음 쳤다.

그건 확실히 인간이라면 가질 수 있는 의문이다.

하지만 뱀파이어들의 정점에 선 자가 물어서는 안 될 말이기도 했다.

"무슨 소릴 하는 거지? 그건 당신이 모를 리 없을 텐데? 종의 다양성이라는 건 단지 우성과 열성으로 나뉘는 게 아니야. 문명이라는 것도 마찬가지지! 뱀파이어가 인간을 포식한다고 해도 뱀파이어의 존재가 이 문명을 다양하게 하는 거야! 인간을 잉태한 존재! 릴리쓰나 다른 외령들은 뱀파이어처럼 인간의 영성을 빨아먹는 괴물들을 만들었어도 그것 역시 영적 다양성을 위해서 선택한 일이었어!"

만약 이 세상에서 사기꾼을 없앤다면 어떻게 될까?

그렇다면 당장은 분명히 살기 좋아지겠지만 그만큼 사람들의 능력이 퇴보할 것이다. 남의 진의를 파악하고 분석하는 능력이 그로 인해서 쇠퇴할 것은 자명한 일. 인간의 영적인 발달이 정체되는 것이다.

이와 마찬가지로 뱀파이어 그 자체는 인간을 죽이는 흡혈귀라 하더라도 그들의 존재가 곧 인류의 영적 다양성을 증대시킨다. 별 쓸모 없는 것, 사실상 해악만 끼치는 것으로 여겨지는 것이 면역성을 증대시키고 다양성을 확보하는 데는 도움이 되는 것처럼…….

다만 그것은 어디까지나 선과 악을 초월해 모든 것을 포용해야 하는 신의 관점이다.

"이미 뱀파이어들은 자신들이 피를 빠는 괴물이라는 사실에 고통받고 있다. 아낙스는 그러한 이들의 고통을 후벼 파지는 않았다."

생각 없이 뱀파이어의 힘과 흡혈의 쾌락에 취한 놈들이 없지는 않다.

그러나 그렇지 않은 이들도 분명히 있으며 테트라 아낙스는 그 모든 것을 포용해서 지켜야 하는 입장이었다.

"당신도 그에 해당된다고. 설령 아무리 입에 발린 소리를 해도 지금 당신이 결국 무수히 많은 뱀파이어와 사람들을 죽이고 있잖아?"

"그래서 나는 누군가에게 분노하지 않지. 너희가 보기에 지금 내가 분노를 퍼붓는다고 보이나?"

아담카드몬 아낙스는 그렇게 대답하며 손을 가볍게 딱 튕겼다.

"홍콩에서 더 많은 사람이 죽어나가고 있는데 너희는 단지 서린의 지인들에게만 신경 쓰는군."

"……."

"신에 가까운 힘을 가지고도 너희는 그 힘을 사역할 자격이 없다. 서린이란 자의 인격이 너희에게 얼마나 큰 독인지 이제 좀 알 것 같군."

"아니, 누가 홍콩에서 사람 죽이는 걸 잘하는 짓이라고 했……."

그러나 다른 테트라 아낙스 삼인방의 목소리는 아담카드몬 아낙스에게 아무런 영향을 주지 못했다.

"그만 됐다. 너희를 관찰하는 건 무의미해. 서린… 릴리쓰는 과연 무슨 생각으로 이런 것을 만들었는지 흥미가 생기는군."

"이런 것?"

마틴이 아담카드몬 아낙스의 말에 발끈했다. 서린을 무슨 물건 대하듯 말하는 게 거슬려서였다.

하지만 아담카드몬 아낙스는 단언했다.

"몰랐나? 이 녀석은 정상이 아냐."

전 세계, 동서고금을 통틀어 가장 정상이 아닐 것 같은 놈이 그렇게 단언한다.

3

지중해 한복판, 발레타에 위치한 석조 교회당은 차량이 진입하기 힘들 정도로 빽빽이 세워진 건물들의 숲 안에 감춰져 있어서 관광객도 찾아오기 힘들었다.

포석으로 이뤄진 바닥에는 마법진이 그려져 있고 그 위로 양초 기름을 듬뿍 먹은 나무 샹들리에가 건물의 연한을 짐작하기 힘들게 했다.

그 샹들리에에 놓여 있는 양초들이 흔들리고 있었다.

“시작이다.”

사법사 앙리 유이, 13사도회의 주교인 그가 세 현자 발타자르의 위치를 차지하고 말했다.

캐스퍼의 위치를 차지한 은발의 신부, 실베스테르가 묵주와 검을 교차하며 마법진에 의념을 불어넣어 호신의 힘을 강화했다.

멜키세덱의 위치를 점하고 있는 제마니는 성호를 그었다.

마법진 곳곳에 위치한 성유물, 각 성자들의 뼈와 유품들이 인간령의 힘을 강화한다.

성자를 믿고 그들에게 가호를 바란 사람들의 영적인 힘이 이 일대를 영적 에너지로부터 수호하는 강력한 보호막을 만들어내었다.

사법사 앙리 유이가 만들어낸 영적 질병, 아웃레이지에 의해 살해당한 이들의 영적인 에너지가 지구 대기를 맴돌다 이정표를 따라 질주한다.

그 마법진 안, 꼿꼿하게 서 있던 한세건은 갑자기 자신의 정수리를 관통하는 영적 에너지의 격류를 느끼며 눈을 감았다.

“크…….”

신음이 절로 나온다.

마치 전기의자에 앉아서 사형당하는 사형수가 된 기분이다. 정수리를 통해서 들어오는 영적인 에너지는 뜨겁기도 하고 차갑기도 하며 아프기도 하고 시원하기도 하다. 그야말로 온갖 신경을 다 자극하는 자극의 정점이다.

그 자극 속에서 사령들이 다가온다. 사령들은 웅성거리면서 다가와 한세건에게 손을 뻗어온다. 죽은 자들, 저주에 사로잡혀서 안식을 취하지 못한 자들은 이미 혼팅부터 충분히 겪어왔다.

한세건은 그들을 대하는 법을 아주 잘 알고 있었다. 그의 의지를 투영한다. 강력한 의지, 강력한 갈망이 사령들과 원령들 사이에서 퍼져 나가면 그들의 마음도 자극할 것이다.

한 사람의 의지로 만인을 전염시키는 것… 그것이 바로 강력한 의지의 힘이다.

그런데…….

이 사령들은 좀 달랐다.

"오래간만이군."

사령들 사이에서… 거구의 남자가 트렌치코트 차림으로 성큼성큼 걸어 나와 한세건의 앞에 섰다.

한세건은 그를 알아보고 나지막이 혀를 찼다.

"사혁?!"

뱀파이어 헌터 사혁. 속칭 연금술사.

그는 뱀파이어를 산 채로 납치하고 그에게 강제로 피를 먹여서 생존케 한 뒤 필요한 만큼 피를 짜내어 마약을 만드는 데 사용했다. 안정적으로 마약을 만들어내고, 뱀파이어를 영원토록 고통의 늪에 던져 넣는다. 인격을 모독하고 오로지 돈을 벌기 위한 가축으로 만드는 그 행동은 뱀파이어의 존엄성을 시궁창에 처박는 것이나 다름없다.

하지만 한세건은 그의 행동에 격렬하게 반발했다.

뱀파이어를 증오해서 헌터가 된 게 아니었나? 그런데 어째서 사혁의 행동을 참아줄 수가 없었나?

뱀파이어를 먹이기 위해 인간을 죽여서? 아니면 뱀파이어를 증오한다는 행위보다 수익 창출적인 면이 더 앞섰기 때문에?

그랬다면 좋으련만 한세건은 그가 뱀파이어를 생포하고 고문하는 그 순간 이미 격노를 느꼈다. 뱀파이어를 위해 뱀파이어 헌터에게 적개심을 품은 시점에서부터 한세건의 변화는 시작되었을 것이다.

"왜 네가 나오지?"

한세건은 사혁에게 이미 답을 알고 있는 질문을 던졌다.

"너에게 뱀파이어 헌터로서 가장 큰 영향을 준 건 다름 아닌 나니까. 지금 이 순간, 저들을 대표해서 너와 이야기를 나눌 수 있는 게 나 정도라는 이야기지. 참 너도 병신 같은 교우관계를 가지고 있군, 한세건."

사혁은 그렇게 말하고 담뱃갑을 툭툭 팔뚝에 쳤다.

"한 대 피워도 되지? 지옥은 온통 금연석이라서 말이야."

"지옥이 실존하고 있나?"

한세건이 물었을 때 사혁은 이미 담배를 한 대 물고 불을 붙이고 있었다.

스으읍 하고 깊이 담배를 빨아들인 사혁이 키득키득 웃으며 연기를 내뱉었다.

"뭐, 명분상의 이야기지. 애초에 내가 나온 것부터 이상한 일 아닌가? 어쩌면 나는 이미 환생해서 다른 존재가 되어 있을 수도 있고 지옥에서 영겁의 고통을 받을 수도 있고 죽어서 이미 없어진 그림자일 수도 있지. 지금 내가 나온 것 자체가 이상한 일인데 그런 질문은 무의미하지 않나? 그러니까 그냥 지옥 이야기는 농담이라고 해두자고."

"…그래? 그럼 무의미한가?"

"그렇지는 않지, 한세건."

사혁은 키득키득 웃었다.

"너의 운명은 이미 정해져 있다, 비스트. 혼팅에 사로잡혔을 때부터 넌 죽으면 이 혼팅의 일부가 될 것이었어. 물론 네 의지가 혼팅을 굴복시키고 변화시켰으니 네가 죽으면 아마도 이 혼팅은… 외령 비스트라는 이름이 되어서 세계를 떠돌겠지. 즉 넌 죽어도 네 일부는 여전히 이 세계를 배회하며 네 망집을 퍼뜨릴 거다."

사혁은 한세건의 운명에 대해서 예언했다.

그것은 파멸의 예언. 영원히 구원받지 못하고 사바세계를 떠돌며 뱀파이어에 대한 증오를 발산하는 마수의 영으로 살아갈 것이라는 저주였다.

"그것만으로도 이미 너의 파멸은 예정되어 있다. 그런데 그에 더해서 이 많은 사령을 들이붓다니 무슨 생각인지 모르겠군."

사령들의 존재가 강처럼 흐른다.

한세건과 사혁은 그 강 한복판에 있는 작은 모래섬 위에 앉아 있는 것이나 다름없다.

그 모래섬의 위태로움 속에서 사혁은 말했다.

"여기 이 친구들은 뱀파이어에게 살해당했어. 앙리 유이와 그 패거리가 벌인 시답잖은 계획에 말려 들어가서 죽었다고. 아… 젠장. 내가 이런 병신들 변호해 주고 싶은 생각은 없는데 하여튼 뱀파이어들의 희생자란 말이다. 이들에겐 뜬구름 잡는 소리를 하는 아담카드몬보다 그들을 직접 살해한 앙리 유이가 더 증오스러울걸? 그런데 왜 네게 협력해서 아담카드몬을 제거하는 데 힘을 빌려주어야 하지? 죽은 자들 입장에서 아담카드몬의 방식은 환영이야. 어차피 죽은 거 다 죽어버리라지."

사혁은 그리 말하며 담뱃재를 탁 털었다.

처음에 빨아들일 때 담배가 이미 절반 이상 타들어가서 긴 재가 부서져 흩날린다.

"뱀파이어를 증오한다던 네가 하는 짓은 결국 반편이 짓거리야. 나처럼 화끈하게 뱀파이어의 존재 자체를 모욕해 봤어? 그러지도 않으면서 결국 휩쓸려 뱀파이어들을 위해 이들의 영적 착취에 앞장설 생각이라니… 참 훌륭한 뱀파이어 헌터로군. 그 정도 할 거면 그냥 내 뒤를 이어서 연금술사가 되지그래? 아니면 뱀파이어가 되어서 이 사령의 일부가 되는 네 운명을 피해보든가?"

"……."

"뱀파이어를 모욕하고 이 월야를 모욕하고 더럽히는 데 내 방식 이상의 방법이 있었나? 네가 이제 와서 앙리 유이와 타협해서 뭘 어쩔 셈이지? 결국 이 희생자들의 죽음은 그냥 죽음일 뿐인가?"

사혁의 말은 신랄했다.

한세건 자신도 확신을 가지지 못하는 부분을 예리하게 찔러온다. 그럴 수밖에 없는 게 사혁은 한세건이 받아들일 수 없는 악으로서 다가온 최초의 뱀파이어 헌터였다. 한세건 자신이 인정하든 인정하지 않든 간에 이후 한세건의 방침에 대해서 지대한 그림자를 드리운, 헌터로서의 안티테제가 이 순간, 다시금 한세건에게 질문을 던진다.

"넌 뭐가 되려는 거지, 한세건?"

"우선……."

한세건은 고개를 가로저었다.

"나는 뱀파이어를 증오하는 게 아니다."

그 말을 내뱉는 것은 마치 자기부정 같아서… 한세건 자신도 얼굴이 뜨거워졌다. 낯 뜨거운 이야기다. 그동안 자신이 얼마나 큰 착각을 하고 있었는지 고백하는 것이나 다름없으니까.

그러나 지금 이때 하지 않으면 그도 강아담처럼 저 영적 에너지의 격류에 자아를 잃고 표류하게 된다.

사혁은 한세건의 답을 듣고 박수를 쳤다.

"그렇지. 결국 네가 증오하는 건 뱀파이어가 아니야. 너 자신이지. 아, 한 대 더 피워도 되겠지? 간만에 말을 많이 했더니 말이야."

사혁은 다시 담배를 꺼내 물고 불을 붙였다. 아직 끄지도 않은 꽁초를 새 담배에 연결하고 빨아들이는 것만으로 불을 옮겨 붙였다.

"…부인은 하지 않겠다만 자신을 증오한다니 정말 남의 입으로 들으면 낯 뜨거운 이야기로군."

한세건은 사혁의 말에 대해서 감상을 표했다.

"더 낯 뜨거운 짓거리도 얼마든지 하지 않았나?"

"뭐, 좋아. 그렇다고 해두지. 내가 증오하는 건 뱀파이어라는 존재가 너무나도 쉽게 인간을 무가치하게 만들어 버린다는 점이었고… 사혁 너처럼 뱀파이어들을 돈으로 바꿔 버리는 것, 그들의 존엄성을 뭉개 버리는 행위도 나는 참을 수가 없었어. 뱀파이어들이 내 가족에게 한 행동을 당신이 뱀파이어들에게 하고 있었으니까."

"존엄성이라? 가해자들에게 존엄성을 찾을 수 있다니 대단하군. 지금 여기 죽어 있는 자들에게 물어봐. 앙리 유이의 존엄성을 지켜주고 싶으냐고. 응? 내게 당한 놈들에게 물어보지그래? 나 사혁의 존엄성을 지켜주고 싶나?"

사혁은 빈정거리곤 허공에 앉아서 다리를 꼬았다.

"넌 변했군, 한세건. 뱀파이어에 대한 증오가 풍화될까 봐 두려워하던 놈이 이제 와서 존엄성을 찾고 있나? 지금 그렇게 변해 버린 네가 이후 더욱더 풍화되지 않는다고 어떻게 자신할 수가 있지?"

"너에게서 살아남았기 때문이지, 사혁."

한세건은 그리 말하고 손을 움켜쥐었다.

한세건의 손아귀 안에서 힘이 맴돈다. 환상인지 의식 속인지 모르겠지만 여전히 한세건과 함께하는 혼팅은 이제 그의 영혼과 의지에 종속되어 있다.

"내 힘이 다해서 차라리 모순을 끌어안은 채로 죽을 수 있다면 나는 순수하게 남아 있을 수 있었겠지. 하지만 난 널 죽이고 살아남았다. 그 대가로 계속 모순을 직면하면서 살 수밖에 없었어."

처음 월야에 들어섰을 때 한세건이 원한 것은 결국 철저한 자기 파괴였다. 가장 혐오하는 자신을 죽이기 위해서 뱀파이어를 증오했고 싸워 나갔다.

하지만 사혁과 만나게 되면서 한세건은 다른 것을 증오하게 되었다.

차라리 사혁의 손에 죽었으면 모르겠지만 그는 외려 살아남았다.

그래서 지금 이 자리에 서 있다. 살아야 하니까 책임져야 할 무수한 모순을 그 어깨에 짊어지고.

"그럼에도 불구하고 난 절대 너처럼 되지 않을 거야."

한세건은 사혁을 노려보았다.

"……."

사혁은 담배를 입에 물고 허공의 벤치에 앉아서 몸을 뒤로 젖혔다. 자연스럽게 한세건을 깔보는 듯 눈이 내리깔린다.

"확실히 네가 걸어온 길은 모순되어 있다. 넌 자신을 누구보다도 증오하면서 그 증오를 뱀파이어에게 전사시켰어. 하지만 뱀파이어를 착취하는 나보고 너 자신의 모순을 깨닫게 된 거지. 네 미래의 종착점에 이미 서 있는 날 발견한 거야. 그렇지?"

"……."

"넌 내 옛날과 닮아 있어, 한세건. 내가 하는 말은 십중팔구 망령의 허언이지만 그럼에도 불구하고 이 말은 진실이라는 걸… 너 자신이 무엇보다도 더 잘 알고 있겠지? 너와 나는 과거와 미래, 뱀파이어에 대한 증오라는 거울에 비쳐진 두 개의 상이었다."

사혁은 그리 말하며 웃었다.

"즐겁군. 그래서 나와의 만남에서 넌 그 길을 이미 거부했단 말인가? 그럼 이제 어느 쪽 방향으로 갈 거지? 나와 달리 증오하지 않고 마모되지 않고, 어떤 길을 걷겠다는 건가, 한세건?"

"……."

"이제 와서 착한 뱀파이어, 나쁜 뱀파이어 가려가며 잡겠다고? 웃기지 마, 한세건. 모순에서 벗어났다고 해서 네가 이제부터 합리의 길을 걸을 수 있는 건 아니야. 삶은 모순의 연속이고 네가 한 가지 모순을 피해냈다고 해도 결국 너는 너 자신을 배신하게 될 것이다. 빠르든 늦든 네가 바라는 게 크고 네 의지가 강할수록 그 반작용도 크지."

"그렇지만 나는 지금 여기에 인간이 월야에 대항해 긁은 가장 커다란 상처로 남아 있지."

한세건은 흔들림 없이 사혁의 말을 받아쳤다.

"확실히 월야의 마수 비스트가 바로 너지. 그러니까 뭔가? 이미 큰 실적을 이루었으니 닥치고 믿으라는 건가? 웃기지 마. 선한 뱀파이어, 악한 뱀파이어 가려가면서 죽인다 해도 선한 뱀파이어가 영원히 선할 수 있을 거라 믿나? 뇌물 받아 처먹는 정치인들도 집에서 가족들에게는 좋은 부모, 좋은 사람일 거다."

사혁은 단언했다.

"충동은 언제나 선과 악을 넘는다. 그리고 뱀파이어의 충동은 언제나 인간의 그것보다 훨씬 더 극심하지. 선과 악이 무슨 확고하게 그어져 있는 선이라고 생각하면 큰 오산이야. 선의 영역에 서 있는 놈들이 얼마나 쉽게 그 선을 넘을 수 있는지 생각하면 말이야."

"그래서 나는 여전히 선과 악을 막론하고 뱀파이어를 죽일 거다."

"뭐?"

그 순간 사혁의 입에서 담배가 툭 떨어졌다. 어차피 다 피운 것이라 사혁은 그것을 주워 드는 대신 새 담배를 뽑았다.

"뱀파이어의 존엄을 훼손하는 날 보면서 짜증 내던 꼬마가 이제 자기가 뭔 소리를 하는지도 잊어버렸나 본데……."

사혁은 쓴웃음을 지었다.

"아니, 명확해. 난 뱀파이어를 사냥하고 죽일 거다. 나의 존재는 뱀파이어들에게 여전히 재앙이 될 것이고 그들이 사람을 해치는 것에 대한 위험 비용을 치르게 할 거야."

"그래선 바뀌는 게 없잖아?"

여전히 선한 뱀파이어를 죽인다.

그래서는 뭐가 되지?

사혁과 별반 다를 바 없지 않은가?

하지만 한세건은 고개를 저었다.

"아니. 나는 증오에 지배당하지 않고 증오를 지배할 것이다. 그건 무차별적인 죽임과는 달라. 사혁 너처럼 상대의 존엄성을 파괴하는 것과도 다르지."

한세건의 손에서 혼팅이 날뛰어 검의 형상을 이룬다.

녹티스 코어…….

마검 녹티스의 핵심인 저것은 릴리쓰를 봉인한 성구 안에 있던 일종의 외령이다.

릴리쓰의 일부나 다름없는 그 영체는 한세건의 혼팅과 결합해 뱀파이어를 파괴하도록 잘 벼려진 검이 되었다.

"난 아무리 인간이나 무력한 존재라고 해도 짓밟으면 저항하는 존재라는 사실을 남기고 싶었다! 저항하지 않는 자는 존엄하지 않아! 뱀파이어 놈들에게 저항해야 하고 지금 이 세상을 마음대로 하려고 하는 아담카드몬에게도 저항해야 해! 설령 그 저항이 다른 이의 존엄을 해칠 수 있다 하더라도, 그 결과 선한 뱀파이어의 목숨을 빼앗는다 하더라도 그 모순을 각오하고 이 저항을 포기해서는 안 된다!"

한세건의 검에 영적인 격류가 진동하기 시작했다.

그 모습을 본 사혁은 쓴웃음을 지었다.

"정말 넌 변했군."

"내가 좀 많이 크긴 했지."

"여전히 금연하나? 딱 한 대 남은 걸 주고 싶은데 말이야."

사혁은 그리 말하고 자신의 담뱃갑을 세건에게 던져 주었다.

"담배를 피운 적은 없지만……."

한세건이 그걸 받아 들자 한세건의 검을 향해 사방의 어둠이 폭포처럼 쏟아져 들어왔다.

"인간은 저항해야 해. 그것이 자신을 살해하는 뱀파이어든, 항거 불가능한 천재지변이든, 다른 어떤 신이 내리는 운명이라고 해도 인간은 매 순간순간 저항하고 자신의 존엄을 위해서 싸워야 한다. 그 투쟁심이 지나쳐서 단순히 증오에 지배당해 나같이 타락해 버려선 안 된다. 중요한 것은 저항 의지, 그 자체이며 그를 위해서 모순마저도 씹어 먹고 일어서야 한다!"

사혁은 그리 말하고 한세건에게 작별 인사를 했다.

"정말 넌 좀 많이 자랐군, 한세건."

그리고 탐랑이 강림했다.

"성공한 건가?"

제마니가 궁금해하며 물어보았다.

"자아가 날아가진 않은 것 같군."

"삼두육비(三頭六臂: 머리 셋, 팔 여섯. 힌두교, 불교에서 신성의 상징)가 되거나 하진 않네. 삼두육비면 아시아에서는 먹어주는데 말이야."

온갖 종교를 통해서 인간들의 숭배를 끌어모으려 하는 제마니로서는 못내 아쉬운 모양이다.

자신이 삼두육비가 되는 것도 아닌데 왜 아쉬워하는지는 모르겠다만… 삼두육비를 실물로 보고 싶은 모양이다.

'일 끝나면 이 자식은 바로 사냥해 버려야겠군. 팬텀과 앙리유이는 어쨌든 절반씩 VT인자를 덜어내기로 약조했었지만 이 녀석은 정작 아무것도 희생할 게 없잖아? 아담카드몬 아낙스와의 결전이 끝나면 사냥해도 되겠지.'

한세건은 그렇게 다짐하며 눈을 떴다.

"한세건?"

실베스테르가 반신반의하면서 물어보았다.

"네, 한세건 맞습니다. 자아가 날아간 것도 아니고 성공했으니까 염려하지 마세요. 자, 그럼… 빨리 뉴욕으로 가도록 하지요."

"괜찮나?"

실베스테르는 반신반의했다.

하지만 세건은 쓴웃음을 지으며 손을 휙 휘둘렀다.

검은 그림자가 한세건의 발밑으로 퍼져 나가며 주위의 모습을 그리기 시작했다.

그들이 위치한 교회당 인근으로 헬기와 무장 병력이 다가오는 모습이 그려졌다.

한세건이 마법에 대해서 배웠다고는 하지만 어디까지나 가지고 있는 마법 도구들을 유용하게 사용하는 정도에 불과했다. 별

다른 도구 없이 이렇게 완벽한 환영을 만들어내는 것은 한세건이 이전과는 별격의 존재가 되었음을 입증시켜 주었다. 게다가 지금 보이는 환영은 바로 이 일대 주위의 모습이 아닌가?

"테트라 아낙스의 사병들이 접근하고 있습니다. 접전을 벌이는 건 좋겠지만 그들과 싸우게 되면 비행기를 타기 힘들게 되고 몰타에서 고립당하게 될 테니 그건 피해야겠지요."

접전을 벌인다 해도 질 것 같지는 않다.

그러나 도심 한복판에서 무기를 들고 싸우게 되면 당연히 출국이 힘들어진다.

"흠, 그럼 이제 아담카드몬 아낙스에게 좀 승산이 생긴 건가? 이것만으로는 좀……. 이 정도는 나도 할 수 있는 마법인데."

제마니가 불만이 많은 듯 투덜거렸다. 그도 그럴 것이 그가 가져온 성물 중 일부가 영적 오염을 받아서 깨졌다. 알렉산드리아의 성녀 카트리나의 유골이라든가 성스러운 향유 그릇 등 모두가 다 다시 복구할 길이 없는 귀한 보물들이다.

그런 보물들이 마법진에 쓰인 반동으로 영적 침해를 받아 녹슬거나 바스러졌는데 그렇게 자신이 재산 손해를 입으면서 얻어낸 게 화끈한 외관의 삼두육비도 아니라니 불안해하는 것이다.

물론 한세건은 저 뱀파이어 놈을 만족시켜 주기 위해 삼두육비가 되고 싶은 생각은 추호도 없었다.

"어차피 이 의식은 아담카드몬 때와 달리 불안정한 상태에서, 시간이 많이 지나서 벌인 일이니까 기대할 게 없을 거다. 아담카드몬을 만들고 남은 찌꺼기를 어떻게 모아 모아서 구겨 만든 거니까."

앙리 유이가 그렇게 말하자 제마니가 혀를 찼다.

"그런 식으로 알렉산드리아의 성 카트리나 유골을 날리고 싶진 않았다고! 처음에 날 끌어들일 때는 아담카드몬 아낙스를 상대할 열쇠라고 하지 않았나? 왜 결과물이 삼두육비가 아닌 거야?"

제마니가 콥트교 외에도 인도 등에서 종교 단체를 만드는 것에 취미가 있다는 건 알고 있지만 삼두육비에 너무 과하게 집착하는 게 거슬린다.

"최소한 같은 차원에 올라섰다 정도이지 이긴다는 보장은 없어. 우리 인생에 확실한 보장이 뭐가 있겠나?"

"젠장, 처음이랑 이야기가 다르잖아?"

"그렇게 말하지 않았으면 그놈의 성유물 닳아 없어질 때까지 네놈이 혼자 쥐고 있었겠지. 어차피 네놈이 관심을 가지는 건 신을 만드는 방법일 텐데?"

앙리 유이가 제마니를 비난하는데 말만 들어보면 자카르타나 동경도에서 대학살을 벌인 게 누구인지 모를 지경이다.

한세건은 그런 앙리 유이에게 거부감을 느꼈지만 서린이 한 말을 떠올렸다.

앙리 유이를 도와서 테트라 아낙스에 대항하라.

즉 아직도 앙리 유이에게는 아담카드몬 아낙스에 대항하기 위한 역할이 남아 있을 것이다.

"일단 피하는 것부터 하지. 이쪽은 내가 잘 알고 있으니… 안내해라, 에밀 카이히!"

"예!"

에밀 카이히는 즉시 다른 기사단원들과 함께 길을 열기 시작했다.

4

계승자, 석세서 계획은 본래 VT인자의 보관을 위한 일종의 박물관이었다. 전투와 항쟁에 스스로를 소모해 버리는 뱀파이어들의 어리석음을 막고 그들의 영적 유전자를 보전한다. 그런 목적을 위해서 만들어진 게 바로 계승자였다.

하지만 테트라 아낙스가 절대적인 지배력을 행사할 수 있게 된 후, 계승자들의 의미는 변질되었다. 그들은 테트라 아낙스의 자객이 되었다. 테트라 아낙스가 자신의 욕망을 통제하지 못할 때 그들 역시 욕망의 노예가 되어 폭력의 전달자가 되어야 했다.

자신의 욕망도 아닌 남의 욕망의 노예가 되어야 한다는 것은 정녕 비참한 일이었다.

게다가 지금 이것은 과연 욕망인가?

아담카드몬 아낙스에게 사적인 욕망이 존재하긴 하는가 의심스럽다.

어느 쪽이 되었든 조반니 반테로는 현재 자신의 존재에 회의를 느꼈다.

"역시 위대한 제왕은 진정한 귀족을 알아보는 법이지. 나를 보좌하러 왔는가? 훌륭한 하인이로다."

헥토르는 위기의 순간 자신을 구출한 조반니 반테로를 보며 말했다. 치하인지 욕인지……. 인종차별주의자인 헥토르에게 메스티조계인 조반니 반테로는 설령 목숨을 구해주어도 하인에 불과한 모양이다.

"하하… 조용히 해주지그래. 적이 있으니."

"무슨 소릴 하는 건가? 난 진정한 귀족이다. 저런 하급한 인종들이 잠깐 간교한 수를 써서 둘이 협공을 가해 나에게 낭패를 주었다 하나 그건 어디까지나 잔재주일 뿐이다! 저 녀석들의 운은 내가 풀려난 시점에서 끝난 셈이지. 내가 진심으로 싸우면……."

"……."

조반니는 지금 이 순간만큼 자신의 처지를 증오했던 적이 없었다. 원래 그는 남미의 마약 농장을 지배하는 마약왕이었다. 한창 전성기 때는 정계에 진출했으면 총리 자리쯤은 차지했을 거다. 물론 마약왕이 총리 자리에 오르게 되면 미국이 손가락 빨고 가만히 보고 있지는 않았겠지.

그러던 차에 테트라 아낙스가 그를 징발하면서 마약 조직은 그대로 와해되었다. 그 자신의 잘못이 아니라 어디까지나 주인의 부름에 의해서 접었을 뿐, 조반니 반테로는 마약 카르텔의 정점을 찍었던 이였다.

자력으로 성취한 막대한 부와 권력을 누리고 있던 이였는데 그를 하인 취급 하면서 자신이 귀족이라고 자부하고 있는 건가?

'뭐, 말해도 모를 놈이니 말해봤자.'

쇠귀에 경을 읽고 말지, 조반니는 대신 아그니에게 울분을 풀기로 했다.

파군이나 헤카테는 아무래도 체제에 잘 순응하지만 아그니는 평상시에도 눈엣가시였다. 이 기회에 처단해 버리고 분도 풀고 일석이조, 아그니만 제거하면 파군과 헤카테는 설득할 수 있을 것이다.

"그럼 갑니다."

그 순간 조반니의 모습이 사라졌다.

"윽!"

아그니는 자신의 옆으로 나타난 조반니를 향해 발화 능력 대신 주먹을 날렸다. 원격 발화가 빗나간다면 접촉 발화로 조반니를 태워 버리겠다는 의도에서였다.

그러나 조반니는 살짝 대는 수준의 로우킥으로 아그니를 건드렸다. 아그니보다 조반니가 더 체중이 많이 나가지만 이런 술렁술렁 차는 킥으로 아그니를 상하게 할 수는 없을 것이다.

그런데… 아그니의 몸이 하늘로 붕 떠올랐다. 접촉과 동시에 발현하는 강제 텔레포트였다!

"윽!"

아그니가 공중에 떠 있는 그 순간 헥토르의 코일 건이 아그니를 겨누었다.

"잘했다, 하인!"

헥토르는 출력을 조절한 코일 건을 발사했다. 공중에 떠 있는 아그니로서는 피할 방법이 없다!

'안 돼! 여기서 그를 잃을 수는! 아그니의 능력이 아마도 마법으로 인해서 빛나가고 있지만 그마저 없으면 밸런스가 무너진다!'

파군이 인근 차량들에 염을 불어넣어서 위로 날려 코일 건을 도중에 막았지만…….

펑!

폭발과 함께 아그니, 조반니가 폭풍에 휩쓸렸다. 아그니가 직격당하는 건 피했지만 이 위력이면 역시 위험하다.

"원 참……."

조반니는 다시 텔레포트로 헥토르의 곁으로 돌아왔다.

"위력 좀 제대로 조절하시죠. 저도 폭풍에 맞습니다만?"

"하하, 말이 잘 통하는 하인을 아끼는 마음에 그나마 조절한 거다만?"

"오, 맙소사. 망할 내 팔자야."

조반니는 한탄했다.

조반니는 어쨌든 아그니만 처치할 셈이었지만 헥토르는 파군까지 함께 쓸어버리고 싶은 모양인지 연거푸 코일 건을 난사했다.

쾅!

아그니와 파군이 피신하려 하지만 헥토르의 코일 건은 무지막지한 위력을 자랑한다. 순식간에 침사추이의 쇼핑센터가 충격으로 쓰러진다.

헥토르가 말은 우스꽝스럽게 했지만 확실히 이 녀석은 강력한 뱀파이어다. 텔레포트로 위기 상황을 벗어나게 해준 것만으로도 승부는 이쪽으로 기울었다.

그러나 그렇게 생각한 바로 그 순간…….

투확!

헥토르와 조반니의 머리가 동시에 날아갔다. 어디선가 날아온 탄환이 그들의 머리를 동시에 명중시킨 것이었다.

"크!"

"저격수?"

조반니와 헥토르는 동시에 상처를 재생시키며 주위를 둘러보았다.

하지만 저격수는 보이지 않는다.

투확!

다시 총탄이 날아온다.

조반니는 머리를 감싸고 팔로 총탄을 받아내었다.

"저쪽인가!"

총탄이 날아온 방향으로 저격수의 위치를 대략적으로 산출한 조반니는 혀를 찼다.

텅 빈 바다만이 그쪽에 있을 뿐이었다.

이 저격수는 모습을 바꾸든가 총알을 휘든가 하는 특수 능력이 있음에 분명했다.

'까다로운 상대긴 하지만 위험하진 않아.'

저격 자체는 매우 아프지만 연속으로 공격을 해오지 않으면 재생력으로 상처를 회복하면 그뿐…….

그러나 짜증 나는 상대임엔 틀림없다.

무엇보다도 진마들을 상대하고 있는 와중에 난입한 저격수라니…….

'시간 끌려는 속셈이로군. 하지만 나로서는 놀아주는 게 이득인가?'

조반니는 아담카드몬 아낙스가 하는 일에 찬성하고 있지는 않다. 계승자인 이상 명백한 반기를 들 수는 없지만 시간을 끄는 정도는 괜찮지 않을까?

5

루스킨과 빼또쥬는 서현의 명에 따라 홍콩에서 격전을 벌이고 있는 뱀파이어 중 아담카드몬 아낙스에 반하는 뱀파이어들을 회수해서 미국으로 향하기로 결심했다.

하지만 그들이 출발할 때 이미 홍콩은 정규 항공편이 끊긴 상태. 그래서 그들은 일단 마카오에 들러서 뷔르제예프와 합류하고 그곳에서 보트를 이용해 홍콩으로 잠입했다.

"가관이군."

홍콩에 내려선 루스킨은 그를 보자마자 이빨을 들이밀고 덤벼드는 구울을 보며 쓴웃음을 지었다. 그는 주먹을 치켜들어서… 접근해 오는 구울의 머리통을 내려쳐 그 머리를 몸통 안에 파묻히게 만든 뒤 구울의 다리를 잡고 들어 올렸다.

우지직!

단번에 구울을 찢고 다리를 뽑아버린 루스킨은 그 구울의 신체를 곤봉처럼 휘둘러 다가오는 다른 구울들을 쓸어버렸다. 구울 따위는 애초에 루스킨의 적수가 되지 못한다.

게다가 루스킨은 서현에 비하면 그리 굶주려 있는 것도 아니다. 한국에서 지낼 때 루스킨은 필요하면 악당들을 마음껏 살해해서 잡아먹어 왔던 것이다. 이런 건 루스킨만이 아니라 빼또쥬도 마찬가지라서 그들은 힘이 넘쳐흐르고 있었다.

"자, 그럼 뱀파이어들을 찾아볼까? 너희들은 이 배 근처에서 대기하고 있어라. 배를 지켜야 해."

뷔르제예프는 루스킨과 빼또쥬에게 그리 말하고 수트케이스에서 라이플을 빼 든 뒤 인근 철제 크레인에 올라갔다.

"찾기는 쉽군."

뷔르제예프는 화끈하게 능력을 발휘하면서 싸우고 있는 진마들을 이내 찾아내었다.

전기 폭풍이 난무하고 코일 건이 폭풍을 일으키고 있는 걸 보니 함부로 자신의 위치를 드러내고 사격했다가는 반격당할 수 있었다.

'배를 잃으면 곤란하지.'

그리 생각한 뷔르제예프는 무전기를 장착했다.

—루스킨! 이제부터 무전으로 대화하지! 내가 유인할 테니까 뱀파이어 놈들을 유도해서 홍콩을 탈출해라!

"뷔르제예프는요?"

—저 진마 놈들을 약 올리려면 누군가는 남아야 할 것 같아.

"뱀파이어 몇 놈 더하느라 당신을 놓고 가면 그게 손해일 것 같은데요?"

—아니… 우리 라이칸스로프들이 원래 좀 뱀파이어를 무시하는 경향이 있지만 저 진마들은 쓸 만할 거야. 나를 놓고 가는 게 진마 하나둘 얻는 것보다 손해라고 생각해 준다면 물론 나도 고맙긴 하지만 현실적으로 그렇지는 않아. 이 상황에서 저 뱀파이어들을 상대로 시간 끌기를 할 때 가장 좋은 패는 나다.

"그렇다면야."

루스킨은 뷔르제예프의 뜻을 따랐다. 뷔르제예프는 크레인에서 다시 몸을 날려 인근 건물 위에 올라타고 이내 자취를 감췄다.

"정말 이해할 수가 없어. 우리는 라이칸스로프라고. 세상을 파괴하고 살육의 잔치를 벌이고 뱀파이어 놈들을 엿 먹이는 게 우리의 목표 아니었어? 그런데 어째서……."

빼또쥬는 그리 말하며 바닥에 굴러다니던 잡지를 하나 들어 보였다.

"어째서 짜증이 날까?"

중국어로 되어 있어서 알아보기 힘들지만 애니메이션이나

게임에 대한 삽화, 사진, 스크린 샷이 들어 있는 서브 컬처계 잡지다.

"내가 내 방을 어지럽히는 거랑 남이 내 방을 어지럽히는 것의 차이라고 할까?"

루스킨은 쓴웃음을 지었다.

빼또쥬가 사람들의 삶을 지키고 싶어 한다면 그건 아마도 인간들 사이에서 사는 기쁨을 알았기 때문이겠지.

물론 빼또쥬나 루스킨에게 살해당한 자의 가족들이 본다면 용서하지 못할 것이다. 그들의 가족을 살해한 주제에 이제 와서 삶의 기쁨을 알았다고 인류의 수호자인 양하는 것은 참아줄 수 없는 일이겠지. 이런 싸구려 속죄, 어설픈 개심에 분노하지 않는다면 그게 더 이상하리라.

하지만 루스킨은 그들에게 보여주려고 마음먹은 게 아니니… 상관없겠지.

"그럼… 시작해 볼까?"

루스킨은 이를 드러냈다.

부우웅…….

허공에서 공기가 떨면서 접촉하는 파편들을 산산조각 내 사방팔방으로 튕겨내고 있었다.

헤카테가 충격파를 이용해서 파형 진동 필드를 만들어내어 주위의 파편들로부터 몸을 지키고 있는 것이다. 어지간한 것들, 특히 콘크리트 파편들은 이 진동 필드에 들어오기만 하면 미세하게 깨져서 튕겨 나간다. 깨지는 성질이 있는 물질들은 진동형 충격파에 특히 약하기 때문이다.

그러나 만약 헥토르의 저 코일 건이 직격한다면 이렇게 안전하게 방어할 수는 없겠지.

"으음."

헤카테는 헥토르가 쏘아대는 코일 건이 홍콩 거리를 파괴하는 걸 보며 신음했다. 아그니와 파군이 뛰어들었을 때는 그들의 승리를 의심치 않았던 그녀였다.

하지만 헥토르는 정말 무지막지하게 강력했다. 수면형 뱀파이어라서 평소 자주 보진 못했지만 이렇게 엄청난 능력을 가지고 있을 줄이야.

아그니와 파군의 협격은 분명히 무시무시한 것이었지만 조반니 반테로가 등장해 그를 구원하는 것도 보았다. 석세서, 계승자는 뱀파이어 사회에서 경원시되는 존재지만 그들이 강력한 뱀파이어라는 걸 의심하는 이는 없었다.

그녀도 가세해야 하지 않을까?

"아그니 놈이 쓰러지는 걸 싫어해야 할 처지라니… 괜찮은가 모르겠군."

아그니와 파군이 이리저리 포격을 피해 다니는 걸 보았지만 저 코일 건 난사가 워낙 화려해 눈에서 자취를 감춰 버렸다.

아그니의 무사를 빌어야 하다니. 바로 어제까지만 해도 헤카테는 자신이 이런 상황에 처할 줄은 상상도 못 했다.

"어째 다들 아저씨를 별로 안 좋아하는 것 같아."

그때 아그니가 데려온 소녀가 중얼거렸다.
“아? 그거야 당연하지. 네가 보기엔 어떤데? 만인에게 사랑받을 만한 작자던?”
혹시 그 구역질나는 아그니가 이 여자애에겐 잘해줬나?
헤카테는 고개를 가로저었다.
그녀가 알던 아그니는 여자애든 뭐든 가차 없이 죽이던 놈이었다. 인간들을 먹어치워서 어서 빨리 다른 뱀파이어들, 다른 진마들에 밀리지 않는 힘을 추구한다. 그 목적을 위해서 아그니는 일점관통, 하나만 보고 질주해 온 미치광이였다.
그런 놈이 이제 와서 여자애를… 잘 대해줄 리가?
“사람은…….”
“응?”
“설령 아무리 미치광이라 해도 진지하게 뭔가를 추구하는 데는 그 이유가 있는 법이래.”
“누가 그러던?”
“엄마가.”
“…흠.”
아마도 아웃레이지에 휩쓸려 살해당한 이 아이의 부모 이야기겠지?
헤카테는 쓴웃음을 지었다.
“아저씨는 아마도 뭔가 갈망하는 게 있는 걸 거야. 그것 때문에 남들에게 폐를 끼쳤는지는 몰라도 그렇게 나쁜 사람 같진 않아.”

"그럴 리가 있냐? 그래, 갈망이 있긴 하겠지. 문제는 갈망 때문에 나쁜 짓을 많이 했다는 거야. 핑계 없는 무덤 없다고 이 핑계 저 핑계 다 들어주면 이 세상에 나쁜 놈이 어딨냐? 나도 말이야, 뱀파이어라서 솔직히 남부끄럽지 않게 산 건 아냐. 그렇지만 저 녀석처럼 무도한 짓은 하지 않았어."

"아줌마는 아저씨를 싫어하는 모양이네?"

"…이 언니는 말이다, 덜되어먹은 악당이야. 아무리 악당이라고 해도 지켜야 할 선은 있다고 믿는 쪽이지."

"지켜야 할 선을 지킨다고?"

"그래. 뱀파이어라는 건 결국 불법을 저지르게 되어 있어. 밤은 기나길고 인내심은 점점 소모되게 마련이거든. 그래도 최소한의 선은 정해두고 있어. 그렇기 때문에 그 선을 마구 넘어버리는 저 녀석을 보면 동족 혐오가 일어나서 참을 수가 없어."

"저 아저씨도 지켜야 할 선은 있을걸? 언니보다 더 그 선이 낮아서 문제겠지만."

"아, 그래. 바로 그 자세야. 앞으로 나는 반드시 언니라고 불러라. 알겠지? 아그니 있을 때 아그니에겐 아저씨라고 부르고 나는 언니라고 부르면 금상첨화지."

헤카테가 그리 말하며 여자아이를 안아 들고 뒤로 몸을 날렸다.

커다란 철근이 그녀가 있던 곳으로 날아와 지면을 꿰뚫고 박혔다. 차량들이 폭발하며 불붙은 승용차가 날아든다.

헤카테는 간단히 그 차량과 파편들 사이로 몸을 날려 피하고 차마 피할 수 없는 것은 충격파로 방향을 틀어 날려 버렸다.

"크억……."

그런 헤카테의 옆으로 부상을 입은 아그니와 파군이 나타났다.

"인종차별주의자에게 한 방 못 먹여서 안됐군."

헤카테는 빈정거리는 게 아니라 진심으로 그렇게 말했다. 아그니야 빈정거림의 대상이 될 수 있지만 파군은 그렇게 막 대할 인물이 아니었으니 지금 아그니를 비웃으면 파군의 실패 역시 조소하는 게 된다. 그리고 그게 아니더라도 헤카테는 아그니보다 헥토르를 더 싫어했다.

"누가 우리를 돕고 있군요."

파군은 저격수의 존재를 눈치채고 말했다.

"응? 누가?"

헤카테가 그렇게 중얼거릴 때였다.

"어이, 거기 뱀파이어들!"

머리를 반삭한 근육질의 남자가 손을 흔들며 그녀들에게 접근하고 있었다.

단번에 느낄 수 있는 짐승의 냄새가 난다.

라이칸스로프다.

"여기로 오시지!"

그는 진마들을 무슨 자기 집 개 부르듯 손짓으로 부르고 있었다.

"젠장, 이사카 놈의 부하로군."

아그니는 상대가 루스킨이라는 걸 알아보고 투덜거렸지만… 지금 헥토르와 조반니를 엿 먹이고 있는 저격수가 저들의 도움이라는 걸 알아채고 군말 없이 이동했다.

"긴말하지 않겠어. 보트를 타고 탈출하자고. 그동안 시간은 뷔르제예프가 벌어줄 테니까."

"뭐, 저 녀석들이 얼마나 센데… 괜찮은 거야?"

"뷔르제예프를 무시하지 마. 음… 아니, 뭐, 딱히 뭐 자신 있게 내세울 건 없지만 당신들이 상대하니까 홍콩이 개차반 되잖아."

"우리 잘못이냐?"

아그니는 그렇게 말했지만 말하는 것과 별개로 주섬주섬 주위의 관광객 판매용 옷가지, 이소룡이나 성룡이 프린트된 옷가지들을 뒤져서 옷을 몇 벌 챙기고 있었다. 아그니가 입고 있던 옷은 거의 엉망이 되었기 때문이었다.

"당신들 잘못이라기보다는 피하라는 거야."

"피하라고?"

"뱀파이어의 알량한 자존심 같은 거 내세우지 말라고. 손뼉이 마주쳐야 소리가 나듯 저놈들을 상대하니까 아낙스가 더더욱 이쪽 방면에 신경을 쓰잖아."

루스킨이 그렇게 말하자 빼또쥬가 투덜거렸다.

"뭐, 당신들이 싫다고 해도 우리 보스가 당신들을 무슨 일이 있어도 뉴욕에 꽂아달라고 했거든. 우리 보스의 마음 씀씀이를 생각해서라도 협력해 주지 않으면… 화낼 거야."

"뭐, 이 알량한 꼬마가. 화내봐. 어쩔 건데?"

아그니가 짜증 나서 그렇게 말했지만 빼또쥬가 투덜거렸다.

"나랑 같은 수준으로 떨어져서 즐겁겠다? 수백 년이나 산 뱀파이어라면서 정신연령이 나랑 같네. 나 아이큐 89밖에 안 되는데."

"……."

"어, 그건 좀 충격이군그래. 하하하."

아그니는 화내기도 애매한 기묘한 모욕에 입을 다물었고 그 모습을 본 헤카테가 비웃었다.

물론 이 말을 곧이곧대로 들어서는 안 된다. 89라면 발달 지체 장애에 가까운 낮은 지능이나 빼또쥬는 멀쩡히 일상 회화도 하고 사고도 정상적으로 기능하기 때문이다. 아마도 언어중추와 기타 사유 능력의 상당수를 라이칸스로프 갱이나 팩의 특수 능력으로 보강하기 때문일 것이다. 무리의 우두머리가 사용하는 언어나 자신의 무리에 주입하는 개념은 쉽게 전달된다.

즉 빼또쥬가 그런 무리의식을 제거하고 단독으로 측정하면 89가 맞겠지만 실제로 생활할 때는 당연히 그보다 지능이 높아질 것이다.

그렇지만 89라는 낮은 수치를 내는 자와 비슷한 수준이라고 매도당하는 것만으로도 충분했다. 아그니가 늘 막장 악당처럼 보이지만 사실 대지주이자 귀족의 아들이며 프랑스 유학파인 엘리트인데 어린 빼또쥬랑 비교당하는 것만으로도 큰 수모인 것이다.

'이걸로 토론하거나 따지면 더욱더 수렁에 빠져들게 되지.'

아그니는 화제를 전환했다.

"뉴욕에 가면 만사 해결이란 거냐? 무엇보다 어떻게 여기서 뉴욕으로 갈 거지?"

"부두에 우리가 타고 온 제트 보트가 있어. 그걸 이용해서 마카오로 이동하고 그곳에서 베오울프들의 지원을 받아서 위장 신분을 받고 미국행 비행기를 탈 거야."

루스킨이 그렇게 말하는 동안 뷔르제예프가 아주 효과적으로 헥토르와 조반니의 발을 묶고 있는 게 보였다. 헥토르가 저격을 막기 위해 전하 결계를 펼쳤는데 거기에 뷔르제예프가 총격을 가하면 섬광이 번쩍여 눈이 부신 조반니의 움직임이 묶이는 것이다.

섬광이 계속 연속으로 번쩍이는 걸 보니 뷔르제예프는 무슨 기관총으로 저격을 하는 걸까 싶다. 저렇게 총격을 연사하면 저격수의 위치가 파악될 텐데, 그는 총알을 이동시키는 재주가 있는지 위치를 파악당하지 않고 있었다.

"좋아요. 저는 따르겠습니다."

파군은 뱀파이어 헌터와 뱀파이어, 모두가 사용하는 대형 밀수 조직의 대반. 그녀가 결정하면 나머지 뱀파이어들은 따를 수밖에 없다.

"이 이상 홍콩을 파괴하게 내버려 둘 수는 없지요. 헥토르는 바보지만 우리가 없어진 데 대한 화풀이로 홍콩에 코일 건을 난사하진 않을 겁니다."

"좋았어. 뉴욕이다."

빼또쥬는 그리 말하고 주섬주섬 손수건을 꺼냈다. 'I♥NY' 라고 적힌 흔히 파는 손수건이었다.

"평소부터 가보고 싶었어."
"…이 애 아이큐가 89입니다, 89!"
루스킨이 다시금 강조했다.

6

볼코프와 그의 라이칸스로프 여단은 아담카드몬 아낙스의 편에 선 덕분에 막대한 부를 손에 넣었다.

은행용 콘크리트 금고실 안에 황금이 가득 들어차 있다. 이 황금의 대부분은 그냥 아담카드몬 아낙스가 연금으로 만든 것이다.

'금을 만드는 건 즐거운 일이지. 이 세상은 철과 니켈로 수렴하다 양성자 붕괴를 일으켜 사라지게 되어 있거든. 철이나 니켈로 금을 만들어내는 작업은 열역학 제2법칙에 대한 저항으로서의 의미로도 매력적이야.'

아담카드몬 아낙스는 그리 말하고 라이칸스로프 여단에 보수로서 막대한 양의 황금을 지불했다. 갑자기 대량의 금이 생겨나서 시세가 떨어질 걸 감안하더라도 현재 이 금고 안에는 50억 달러에 달하는 황금이 들어 있다.

하지만 아낙스가 황금을 만들어내는 모습을 본 라이칸스로프들은 이제 더 이상 부귀공명이 아무런 의미가 없다는 걸 깨달았다.

"괜찮겠습니까, 장군님?"

볼코프의 비서 라토바는 그렇게 물어보았다.

팬텀 확보 작전을 실패하고 돌아온 그녀는 볼코프를 깨웠다.

"뭐가?"

금괴들 위에 드러누워서 낮잠을 자던 볼코프가 일어났다.

"굳이 화해의 제스처를 취하는 가족들을 배신하고 패도를 걸으실 필요가… 게다가 이건 좀……."

라토바는 심호흡을 하고 말했다.

"아담카드몬 아낙스를 통제할 수 있을까요?"

라토바는 회의를 느꼈다.

부귀공명을 손에 넣은 건 좋다. 이 정도 황금이면 아무리 인간보다 긴 수명을 가진 라이칸스로프라고 해도 평생 써도 다 못 쓸 금액이다. 부족하면 얼마든지 더 얻을 수도 있다.

"아담카드몬 아낙스는 무한대로 소원을 빌 수 있는 램프의 마신이나 다름없지. 그 마법의 램프가 눈앞에서 흔들거리는데 라토바 너는 손에 넣지 않을 셈인가?"

"아니, 그야 물론… 저도 찬성했습니다만."

바로 눈앞에 마법의 램프가 있다면 그것을 얻기 위해 전쟁이라도 불사할 것이다.

하지만 아담카드몬 아낙스는 동화 속의 램프의 마신처럼 얕은꾀로 속여 넘길 수 있는 존재가 아니다. 손에 넣긴 넣어야 해서 쟁탈전에 참전했지만 손에 넣고 나서야 자신들이 얼마나 위험한 도박을 한 것인지 깨닫게 된 것이다.

물론 다시 시간을 되돌려 그 선택의 순간으로 돌아간다면… 라토바는 당연히 볼코프를 지지할 것이다. 이건 그들의 손에 있어야 한다. 남들의 손에 넘겨주어서는 안 되는 램프라는 건 지금도 동의한다.

그러나 그렇다고 해서 그들 손안에 있으면 안전한가?

“아담카드몬 아낙스는 너무 위험합니다. 이 정도 황금이면 대충 만족하고… 손을 터는 게 어떨까요?”

라토바는 주제넘게 그렇게 주장했다.

황금의 산은 그 자체만으로도 탐욕을 충족시켜 준다. 본능적으로 인간은, 그리고 인간과 유사한 라이칸스로프도 금에게 탐욕을 느끼게 되어 있는지 라토바조차 황금을 보면 정신을 차리기 힘들었지만……. 황금에 눈이 멀어 아낙스의 위험을 눈감을 수는 없다.

“난 히로익 라이칸스로프다. 뭔 뜻인지 알고 있나?”

볼코프는 금괴를 들어서 움켜쥐었다. 금덩이가 밀가루 반죽처럼 볼코프의 손가락 사이로 흘러내린다.

히로익 라이칸스로프, 그것은 인류가 번성하고 뱀파이어가 번성할 때 자연히 등장하는 라이칸스로프의 특수 개체다. 1세대 라이칸스로프는 이미 막강한 존재지만 그 이상의 강력한 힘을 지니고 뱀파이어와 인간들에게 파란을 불러일으키는 존재. 어떤 의미로는 홍역이나 환절기 감기 같은 존재다. 면역 체계를 시험하고 다양성을 강화시키고 지구라는 좁은 화분 안에서 자라나는 분재의 가지치기를 한다. 세상을 물어뜯는 숙명을 가지고 태어난 존재가 바로 히로익 라이칸스로프.

볼코프는 바로 그런 존재였다.

"말씀하시는 바는 알고 있습니다만 주어진 본질에 마냥 충성하는 것도 바보짓이 아닐까요?"

"많이 화가 난 모양이군. 레온 때문인가?"

"아니요, 제가 지금 화가 난 것은 장군님 때문입니다. 저는 만약 장군님이 아담카드몬 아낙스에게 말해서 자신의 수명을 늘리셨다면 쌍수 들고 환영했을 겁니다. 그 괴물만이 해줄 수 있는 일이니까요. 하지만 고작 이런 돈… 아, 물론 이런 돈이라고 하기엔 액수가 좀 크지만 그렇다고 해도 돈이야 다르게도 얼마든지 벌 수 있는데 제어도 못 할 괴물의 편을 들어서 고작 돈을 얻는다는 건 정말 이해가 안 가는 짓이군요. 장군님이야 호쾌하게 패도를 걷다 숨이 끊어지면 후회 없이 가실 수 있을지 몰라도 저희들 입장도 생각해 주시지요."

"너희들의 입장?"

"후계자는 어쩌실 겁니까?"

볼코프의 수명이 얼마 남지 않았다는 건 모두가 알고 있는 사실이었다.

그런데 볼코프는 후계도 확정 짓지 못했다. 그의 딸은 릴리쓰가 강림해 목숨을 잃었고 그렇게 해서 태어난 이들은 볼코프의 영향을 받지 않은 리림들이었다.

볼코프가 사라진다면 이들은 제각각 찢어져 폭도로 변할 것이다. 전 세계를 위해서도 누군가가 이 라이칸스로프 여단을 맡아주지 않으면 안 된다.

그러나 이 오만방자한 라이칸스로프들을 과연 누가 통제할 수 있을 것인가?

서현?

한때 서현이 볼코프의 뒤를 이어주지 않을까, 라토바는 그런 기대를 했었지만 그것도 이제는 헛된 꿈이 되어버렸다. 볼코프는 서현과 척을 지어버렸던 것이다. 서현이 먼저 화해의 제스처를 취해왔는데 그걸 뻥 걷어차 버리다니 이놈의 노인네는…….

히로익 라이칸스로프니 어쩔 수 없다고는 하지만 그런 건 본능 때문에 어쩔 수 없다고 하는 강간범들의 변명이나 다를 바 없다.

"설마 뒷일을 아무것도 생각지 않고 그러신 건 아니지요? 만약 이대로 아담카드몬 아낙스가 완전히 승리를 굳혀 버리면 그때는 당연히 저희들 차례일 겁니다."

"…그럴 리가 있나. 안심해라. 서린이나 서현은 그렇게 어수룩한 녀석들이 아니니까. 오히려 내가 아담카드몬 아낙스의 편에 서는 게 밸런스가 맞을 정도다. 그 아르곤이라는 자도 그렇지. 내가 패하지 않았나?"

볼코프는 쓴웃음을 지으며 턱을 어루만졌다.

그때 마침 전화기가 금괴 더미 사이에서 몸을 떨었다. 아담카드몬 아낙스의 호출이었다.

"서린이 추격을 따돌렸다고? 그래서 나보고 처리하라 이건가?"

볼코프는 전화를 받아 들고 쓴웃음을 지었다.

아담카드몬 아낙스에 대항해서 서린이 샌프란시스코 공항에 도착했다.

그 서린을 요격하기 위해 아낙스는 진마 마리아를 필두로 하는 일단의 병력을 진군시켰는데 서린 일당은 그 병력을 회피해 우회기동 하고 있다고 한다.

그래서 아담카드몬 아낙스는 볼코프를 투입해 다시금 서린을 붙잡으려 하는 것 같았다.

"……."

라토바는 손을 내저었다. 아담카드몬 아낙스의 요청을 거절하라는 뜻이었지만 볼코프는 흔쾌히 받아들였다.

"하지. 어디에 있지?"

메일로 정보가 날아왔다.

"자, 그럼. 얼마 남지 않은 시간 동안 손주들과 즐거운 시간을 가져볼까."

"절대로 좋은 외조부는 아니시군요."

라토바는 한숨을 내쉬었다.

히로익 라이칸스로프, 볼코프는 평화를 깨겠다는 목적성을 가지고 태어난 괴물이다. 그런 그가 안정적인 테트라 아낙스인 서린보다 지금의 아담카드몬 아낙스를 지지하는 건 당연한 일이라고 할 수 있으나…….

과연 주어진 목적만이 삶의 전부인가?

목적성이 인간을 규정하는가에 대해서 라토바는 회의를 느끼고 있었다.

이 회의감이 볼코프에게도 전달이 되면 좋을 텐데…….

"새로운 정보생명체가 태어났군."
아담카드몬 아낙스는 플라자 호텔 인근, 맨해튼 섬 일대에 손님맞이 준비를 하면서 중얼거렸다. 뛰어난 정보 능력을 가진 테트라 아낙스라면 앙리 유이가 벌인 일쯤은 지구 반대편에서도 알아챌 수 있었다.
"으음… 새로운 정보생명체라. 외령이 새롭게 태어났단 말이지?"
레베카는 병력을 배치하고 탄약을 투입하면서 볼펜으로 머리를 긁적였다.
그녀의 제어에 의해서 뉴욕 시장은 주 방위군의 시내 진주를 허용하고 플렉스 재단의 사병이 된 질병통제센터, 재난통제센터에 무제한의 권한을 부여했다.
그 결과 세계 금융의 허브인 뉴욕 한복판에 무장 병력들이 깔리기 시작했다.
뱀파이어들의 손바닥 위에서 놀아나는 첨단 무기들로 무장한 현대 병사들…….
사실상 세계 정복의 끝이다.
그러나 테트라 아낙스들에겐 이런 것보다 새로운 정보생명체의 탄생이 더 놀라운 일이었다.
"정보생명체… 그러고 보면 우리도 그런 거 만들어보고 싶었었는데."

레베카는 그리 말하며 아담카드몬 아낙스를 바라보았다.

언어를 사용하고 문명을 만들어내는 존재, 정보를 만들어내는 자, 인간은 신성한 존재다. 인간들이 악마나 유령, 귀신에 대해서 믿으면 그것은 실존하는 존재가 되며… 부적이나 마법, 미신도 인간들의 믿음이 겹쳐지면 실효성 있는 처방이 된다. 악마나 천사, 소환술과 초환술은 모두 이런 인간의 믿음을 기반으로 만들어진 것이다.

하지만 외령(外靈)은 그것과 별개의, 인간의 영향을 받지 않고 독자적으로 존재하는 정보생명체다.

릴리쓰를 비롯한 몇몇 정보생명체가 있기에 인류는 고도 지능을 가진 문명생명체로 진화했던 것이다.

즉 외령이야말로 인류를 잉태한 인류의 부모다.

그런 정보생명체, 외령들이 새롭게 태어난다는 것은 진실로 드문 일이다.

"비스트로군. 한세건, 그가 언젠가 그렇게 될 줄 알았지."

베이런은 쓴웃음을 지었다.

한세건이 가진 혼팅이 정보생명체화된다는 건 이미 예의 주시하고 있던 사항이다. VT인자를 구성하는 건 인간의 영성, 뱀파이어에 의해 살해되고 영적 흡수, 흡혈을 당한 이들과 혹은 그 저주를 이기지 못하고 파멸한 뱀파이어 그 자신들의 영적 에너지와 정보다.

그 VT인자를 이성질체로 만들어 복용하는 행위에서 한세건은 진마 유다와 접촉했고 진마 유다가 가지고 있는 릴리쓰의 잔

영, 녹티스 코어를 손에 넣었다.

이 녹티스의 코어와 한세건의 의지가 혼팅을 굴복시키면서 변이가 시작되었다. 새로운 외령이 태어난다면 한세건과 릴리쓰의 잔영에 의해서일 것이다.

앙리 유이가 아담카드몬 아낙스를 만들면서 가장 좋은 그릇은 한세건이라고 말한 것은 결코 허언이 아니었다. 외령의 그릇으로 그 이상 좋은 게 없으니까.

하지만 설마 그 한세건이 외령에 씌었단 말인가?

"아이러니하군. 그가 가치 있는 건 인간이기 때문이 아니었나? 혼팅만 해도 이미 지옥의 낙인이 찍힌 것이나 다름없는데 그 위에 파괴의 외령을 강림시키다니."

마틴은 그리 말하면서 혀를 찼다.

혼팅에 사로잡혔을 때부터 한세건은 저 혼팅의 일부가 될 수밖에 없는 낙인을 받았다. 지옥의 낙인, 혼팅과 같은 망령의 일부가 된 채로 영원히 뱀파이어와 늑대 인간, 마법의 세계를 배회해야 한다. 그것은 그야말로 끔찍한 운명이다.

만약 한세건이 아닌 다른 사람이 자신이 사후 그런 결말을 맞이하게 될 거라는 사실을 안다면?

보통 사람들은 그럼 죽음을 피하기 위해 뱀파이어가 되어버린다. 지금까지 많은 뱀파이어 헌터가 그렇게 자신을 배신하고 뱀파이어가 되었다.

그런데 한세건은 아예 한술 더 떠서 외령이 된다니? 인간에서 불멸의 영적 존재가 된다는 건 얼핏 보면 좋은 이야기 같지만 전혀 그렇지 않다. 불멸의 영적 존재가 되어 이 우주의 끝까지 존속해야 한다.

그것에 비하면 유황불이 타오르는 지옥 같은 건 애들 장난에 불과하다. 고대 인간들이 얼마나 상상력이 빈약했는지 그로써 알 수 있을 것이다. 이 우주가 소멸할 때까지 영원히 몇 가지 개념에 얽매여 살아가야 한다. 이 우주가 완전히 식고 모든 입자가 양성자 붕괴를 일으켜 소멸할 때까지 개념이나 정보유기체로 존재해야 한다니, 그 얼마나 끔찍한 저주인가?

'하지만 그런 짓을 하지 않고서는 아담카드몬 아낙스를 막을 방법이 없었겠지.'

'문제는 그런 짓을 하고도 이득이 있냐는 건데…….'

애써서 외령으로 변화하면서까지 힘을 추구했다고 해서 끝이 아니다. 아담카드몬 아낙스를 이길 수 있어야 의미 있는 짓 아닌가?

하지만 지금 테트라 아낙스 삼인방이 보기에 아담카드몬 아낙스는 거의 신에 가깝다. 외령 릴리쓰, 모든 마물을 잉태한 밤의 마녀, 마귀들의 어머니조차 아담카드몬에 비하면 태양 앞의 반딧불이나 다를 바 없다. 아담카드몬이 담당하는 개념이 곧 인류 문명 모든 것의 시작과 끝이기 때문이다. 생명의 나무의 뿌리이며 모든 것을 거두어들여 새로운 세대, 새로운 문명을 전파시키는 존재의 부모다. 카발라나 생명의 나무 등 고전적인 신비주의 학파에서도 아담카드몬의 위계는 최상급. 이보다 강력한 개념, 강력한 권위는 없다고 해도 과언이 아니다.

단순히 뱀파이어에 대한 증오나 적개심만으로는 설사 정보생명체가 된다고 한들 자멸할 뿐이다.

'불쌍한 놈이로군. 앙리 유이의 꼬임에 넘어갔나.'

'서린이 그 한세건이라는 작자에게 은혜를 입었다고 했었지? 그런데 그 작자가 망가져 버리면 서린이 고통받지 않을까?'

테트라 아낙스 삼인방은 한세건의 운명을 걱정했다.

7

일본의 동경도를 시작으로 인도네시아 자카르타 주에 발병한 비셔스 바이러스는 전 세계적인 통합 질병관리체계를 비웃기라도 하듯 마침내 미국 서부 해안 지역에 상륙했다.

태평양을 건너서 마침내 전염된 것인가?

아니면 일본계 미국인들 커뮤니티에 의한 발병인가?

TV는 연일 그 사건을 보도하고 있었으며 연방 정부는 국가비상사태를 선포했다.

각 주의 메인 도로들은 국가재난대책위원회와 질병통제센터의 위탁을 받은 플렉스 재단의 방역팀이 점거했다.

주 방위군과 카운티 보안관, 연방수사국도 플렉스 재단의 방역 작업에 적극 협력했다.

"아주 멋대로 해주고 있군."

유타 주 솔트레이크시티의 공항에 내려선 한세건은 공항

LCD TV의 뉴스를 보면서 혀를 찼다.

"여기서 서린과 합류한다고? 그게 가능키나 한 일인가?"

한세건은 자신과 함께 비행기를 타고 날아온 앙리 유이를 돌아보았다.

앙리 유이는 바티칸 교국의 명의로 빌린 전세기를 이용해 한세건과 실베스테르를 무사히 몰타에서 빼내는 데 성공했다.

그러나 하필 온 곳이 유타 주라는 게 마음에 걸렸다. 유타 주와 네바다 주에는 테트라 아낙스의 사업체, 플렉스 재단이 만든 거대한 의학 연구 단지가 있기 때문이었다.

즉 이곳은 테트라 아낙스의 심장부이다.

지금도 공항에서는 플렉스 메디칼 그룹의 의료보험 광고가 울려 퍼지고 있었다.

—요람에서 무덤까지, 완벽한 의료 케어 시스템. 플렉스 의료보험 보장 플랜에 가입하세요.

본래 몰몬교의 본고장인 유타 주의 주도 솔트레이크시티는 한때 애틀랜타, 라스베이거스와 마찬가지로 카지노 자본을 끌어들여 도시를 부흥시키기 위해 무모한 도박에 뛰어들었다 휘청거리고 있었다.

하지만 플렉스 재단이 들어와 시와 주의 재정 적자를 메워주면서 이곳은 공항부터가 이미 플렉스 재단의 거대한 홍보 센터나 다름없이 변해 있었다.

"원래 등잔 밑이 어두운 법이지."

공항의 로비에는 앙리 유이가 와 있었다.

분명히 함께 비행기를 타고 왔는데 공항에서 마중 나와 있다니?

아마도 몰타의 수도, 발레타에서부터 한세건과 함께 행동해 온 분신이 아닌 본체이리라.

즉 앙리 유이는 아담카드몬 아낙스 사건이 터지고 나서 테트라 아낙스의 턱밑에 숨어 있었다는 뜻이 된다.

"어때. 나의 등장으로 이제 믿음이 가나? 이곳만큼 집결지로 적당한 곳이 없다."

"그런 것 같군. 그보다 그 제마니라는 뱀파이어에게 신을 만드는 마법이라는 걸 준 건 괜찮은 건가?"

실베스테르가 물어보았다.

진마 제마니는 몰타에서 갈라지면서 앙리 유이에게 자신의 성유물과 조력에 대한 대가로 신을 만드는 마법을 요구했다.

대부분 편집광인 마법사가 자신의 연구 결과를 남과 공유하는 건 거의 있을 수 없는 일이지만 테트라 아낙스의 손길이 시시각각 조여오고 있는 상황에서 요구하니 앙리 유이로서도 그 요구를 들어주지 않을 수 없었다.

"제마니는 콥트 정교회와 인도의 사이비 종교 단체 양쪽 모두에 다리를 걸치고 있지. 그런 녀석에게 내 마법을 넘겨주었으니 나중에 반드시 사고를 치겠지만… 지금 중요한 건 아담카드몬 아낙스지."

앙리 유이는 그렇게 답했다.

“그런데 이 공항이 원래 이렇게 한적한가?”

실베스테르가 그렇게 물어보았다.

이곳 솔트레이크시티 국제공항은 델타 항공의 허브 공항이다. 미국 전역으로 델타 항공의 국내선 노선이 깔려 있으니 공항 유동 인구가 엄청나야 할 텐데 한적함이 느껴지다니?

“비셔스 바이러스 때문이지.”

앙리 유이가 마치 남의 잘못처럼 말한다.

“네놈이 만들어낸 것 아닌가? 지금 자랑할 땐가?”

“아니, 내가 만든 건 아웃레이지지. 지금의 비셔스 바이러스는 확실히 내 통제를 벗어나 있다. 아담카드몬 아낙스의 소행이지.”

“…….”

자신이 한 거랑 남이 한 걸 확실하게 구분한다. 좋게 말하면 공과 사를 확실히 구분한다고 할 수 있겠지만 나쁘게 말하면 여전히 정신 못 차렸다. 아니, 이 녀석이 정신 차릴 그날은 우주가 끝날 때까지 오지 않겠지.

한세건이 주위를 휘휘 둘러보았다. 공항 보안 요원이 많이 있어 보여서 차마 때리진 못하겠다.

“아, 쳐버릴 수도 없고.”

“이걸 가져왔는데 어떨까?”

실베스테르는 어디서 구했는지 벌레잡이용 살충제 스프레이를 꺼내 보였다.

“…어?”

앙리 유이가 당황하는 사이 실베스테르가 정말 그 살충제를 앙리 유이에게 뿌려 버렸다.

"켁! 콜록… 무슨 짓이냐?"

얼굴이 아니라 몸통에 대고 뿌렸기 때문에 공항 보안 요원들도 별일 아닌 장난이라고 생각하는 것 같았다. 하지만 몸 여기저기에 벌레를 잔뜩 기르고 있는 앙리 유이로서는 짜증 나는 짓일 것이다.

"흠, 타격이 있나 보군."

"나중에 적이 되면 거대한 살충제 연막을 터뜨리고 잡으면 되겠는데요?"

실베스테르와 한세건은 앙리 유이의 반응을 보며 뭔가 깨달았다는 듯 고개를 끄덕였다.

앙리 유이는 정말 이들 둘이 마음에 들지 않았지만 지금 고삐를 잡아 끌고 가는 것은 그가 아니라 이들이다.

"쓸데없는 장난질을 하는 걸 보니 정신 건강은 걱정 안 해줘도 되겠군. 자, 그럼… 천랑성의 성자 아낙스에게 너의 탐랑이 얼마나 잘 먹히는지 보자고. 플렉스 재단 연구 시설을 직접 강습해 보자."

앙리 유이는 그리 말하며 손가락을 딱 튕겼다.

8

볼코프는 라토바와 함께 금고를 나와 헬리포트로 이동하면서 부하들에게 출동 명령을 내렸다.

볼코프가 금괴를 잔뜩 처넣은 금고는 임페리얼 팔라스 호텔의 컨벤션 센터 지하에 위치한 금고로 그 밖에 나오니 맞은편의 벨라지오 호텔 앞에서는 분수 쇼가 한창이었다.

시간은 저녁 9시, 이 불야성의 도시는 비셔스 바이러스 사태에도 불구하고 관광객이 가득 모여 있었다.

볼코프는 그 광경을 보며 멈춰 섰다.

"장관이군."

"이런 걸 좋아하셨나요?"

"자네는 별로 좋아하지 않았나? 사실 장군 체면에 이런 말 하긴 그렇지만… 난 소련 시절에도 VHS 테이프로 미국 영화를 좀 즐겨 봤었지."

"뭐, 그땐 다 그랬지요."

소련 붕괴 후 모스크바에 처음으로 맥도날드가 들어섰을 때 많은 청년이 줄지어서 서구 문화를 즐기려 했던 날을 기억하며 라토바는 한숨을 내쉬었다.

비록 그때의 흥분은 시장경제에게 뺨을 얻어맞고 싹 가셨지만 그럼에도 불구하고 이 향락의 도시는 볼코프에게 큰 감흥을 주는 모양이었다.

"어차피 다들 이 근처에서 놀고먹고 술, 도박, 매춘, 마약을 즐기고 있을 테니까 천천히 갈까요? 아담카드몬 아낙스의 명령이 뭐 그리 금과옥조라고 장군님이 솔선수범해서 열심히 지킬 필요가……."

"아니, 가도록 하지."

볼코프는 라토바의 말을 듣고 차에 올라탔다.

그들이 탄 차는 관광객들의 차로 가득한 도시를 지나 시 외곽의 헬리포트로 향했다. 부자들이 헬기를 타고 바로 호텔로 오갈 수 있도록 각 건물마다 헬리포트가 만들어져 있지만 헬기를 정비하고 연료를 공급하기 위한 시설은 시 외곽에 위치하고 있었다.

이 시 외곽, 네바다 사막을 마주 보고 있는 헬리포트에는 아구스타나 시콜스키 등 각종 헬기 제작사들의 민항기들이 즐비하게 늘어서 있었다. 아무래도 미국 내에서 군용기를 운용할 수 없는 라이칸스로프 여단은 작전을 위해 이런 민간 헬기들을 모아서 기동부대를 편성하고 있었다. 그 기동부대들이 출동 준비 중이었다.

라토바는 볼코프에게 불만을 표시했지만 다른 라이칸스로프들은 지금 신나 있었다.

술과 마약, 도박과 매춘을 즐기던 이 불한당들이 그 쾌락들을 다 집어 던지고 그 어떤 쾌락보다 투쟁을 우선하여 모여든 것이다.

"이번에도 출동입니까?"

"또 어떤 병신들을 죽이러 가는 건가요?"

그 모습을 보며 라토바는 장탄식을 하며 손으로 얼굴을 덮었다.

라이칸스로프 여단의 라이칸스로프들의 나이는 평균 5~60대. 냉전 시대를 살거나 좀 더 오래 산 이들은 적백내전을 경험했다. 이들이 살아온 시대는 그 이전의 시대보다 훨씬 많은 게 변화한 시대였다. 산업혁명, 기술혁명, 인권혁명이 일어나고 공산주의가 일어났다 몰락했으며 온갖 정치, 사회, 문화, 경제적 이론들이 들불처럼 일어났다가 썰물처럼 빠져나갔다.

그 변화가 너무 격심해서였을까?

대부분의 라이칸스로프 여단의 병사는 시대정신을 쫓아가는 걸 포기했다. 인터넷을 쓰고 스마트폰을 쓰면서 낄낄대고 있지만 이들은 시대정신을 이해하지 못한다. 자유나 인권, 인간성의 개념이 없다. 그저 자신들의 탐욕을 충족시키면 그뿐일 뿐.

그런 이들에게 볼코프의 행동은 매우 합리적으로 보일 것이다. 아담카드몬 아낙스에 호응한 덕분에 엄청난 부를 얻고, 범죄자로 낙인찍혀서 문명국가를 피해 오지에서만 살아야 하던 이들이 고급 호텔에서 거주하면서 먹고 싶은 걸 마음껏 먹고 범하고 싶은 이들을 마음껏 범한다.

그것만으로도 모두 만족하고 있었다.

이 모습을 보니 라토바가 볼코프에게 뭔가 요구한 게 도리어 잘못한 것처럼 여겨졌다. 바이킹 무리 사이에 떨어진 현대인이 된 기분이다.

“내 손주들과 진마 팬텀, 그리고 진마 아르곤을 잡을 것이다. 아울러 베오울프의 새 두목도 잡아 족쳐야겠지.”

볼코프도 부하들에게 호응하며 헬기에 시동을 걸게 했다.

‘이런 저능아들이 헬기를 몰 수 있다는 게 정말 군대식 주입교육의 위대함이지.’

라토바는 그리 생각하며 헬기 로터가 회전을 시작하는 걸 지켜보았다.

그런데 그때였다. 아담카드몬 아낙스로부터 다시 연락이 오는 게 아닌가?

"…뭐지?"

볼코프가 전화기를 받더니 안색이 어두워졌다.

"무슨 일입니까?"

라이칸스로프 군인들이 불안한 표정으로 볼코프의 모습을 지켜보았다.

이제 막 새로운 적에게 폭력을 휘두를 기회가 다가와서 소풍을 앞둔 애들처럼 신나 있었는데 거기에 찬물을 끼얹을까 봐 걱정이다.

"시동 꺼라. 12시간 동안 자유 시간을 가지고 이후 재집결한다. 아무래도 서린보다 더 재미있는 목표가 나타난 것 같군."

"아… 그렇군요."

"젠장."

헬기 조종사들은 즉시 헬기의 시동을 껐다. 다행히 이 라스베이거스에는 놀 거리가 많아서 출동이 취소되어도 다들 불만은 없어 보였다. 라이칸스로프 병사들이 삼삼오오 모여서 차량을 잡아타고 다시 호텔과 시내로 달려간다.

그 모습을 보면서 볼코프는 쓴웃음을 지었다.

"나나 이 라이칸스로프 여단에 실망하고 있겠지, 하사?"

"저 말입니까? 아니, 뭐… 애초에 전 장군님이 살려주신 목숨인지라……."

"솔직하게 말해도 된다."

"…그럼 뭐, 길게 말 안 하겠습니다. 아무 생각도 없는 게 참 보기 좋군요."

라토바가 신랄하게 말했다.

"그럼 여기서 내가 뭔가 생각을 하면 바뀔 것 같나?"

"……."

확실히… 볼코프가 억지로 끌고 가면 저들은 따라갈 것이다. 설령 그게 저들의 본성에 반하는 짓이라 해도 볼코프가 강요하면 기꺼이 따를 것이다.

그러나 볼코프는 맹수들을 길들여 이 세상을 좋게 만드는 데는 관심이 없었다.

"저들을 고쳐서 사람 만들기는 포기하신 거군요. 아니, 이렇게 말하니까 이상한데……."

"우리가 언제는 사람이 되려고 했었나? 하사, 라이칸스로프 여단의 모두는 너무 격변한 세계를 살았네. 내가 어릴 적만 해도 전쟁은 전 세계에서 누구도 피할 수 없는 것이었지, 황제조차 목이 잘렸으니까 말이야. 하지만 이제 바뀐 이 세상에서 전쟁은 하는 이들만 하는 것으로 변해 버렸어."

선진국들은 재앙의 대상이 되지 않는다. 가난한 나라들, 제3세계들, 소위 말하는 문명국가들의 변두리에서만 불길이 일어났다 꺼진다.

대부분의 문명국가는 그런 이들의 죽음, 고통을 모른다. 2차 세계대전 이후, 문명의 중심 국가들은 언제나 안전했다.

"나는 전쟁과 투쟁에 굶주려 있지. 나뿐만 아니라 라이칸스로프 여단의 모두 다, 흉포한 짐승이네. 그리고 나는 그들의 본성을 내 힘으로 꺾고 싶지 않아. 다만 살짝 방향을 튼다면, 내가 원하는 곳에 불을 지피고 싶지."

"이 문명 세계 말이군요."

라토바 하사는 주위를 둘러보았다.

라스베이거스 공항은 라스베이거스로 유흥을 즐기러 오는 세계 각지의 부자들을 맞이하기 위한 편의 시설이 잘 갖춰진 공항이다. 제3세계의 전쟁에 책임이 없다고 할 수 없는 이들이 안전하게 향락을 즐기는 곳. 볼코프는 바로 이곳에 불을 지피기 위해 아담카드몬 아낙스와 손을 잡는 선택을 했다는 뜻일까?

"내 존재가 어차피 이 세상에 재앙이라면 죽음조차 공평하지 못한 이 세상에 약간의 공평함이 되고 싶군."

"그건 너무… 죽기 위해 사는 것 같군요. 좀 더 살아보실 의향은 없으신가요?"

"내 본성을 바꾸지 않고 마냥 수명만 늘리면 나 자신도 나를 통제할 수 없을까 봐 걱정이네. 안심하게. 자네는 살려서 보낼 테니."

"감사합니다만… 적어도 장군님의 평생을 곁에서 함께하겠습니다."

라토바가 그리 말하자 볼코프가 너털웃음을 터뜨렸다.

"마치 프러포즈 같군. 아, 내가 이렇게 말하면 성희롱이 되나?"

"수명을 늘리신다면야 장군님이 주시는 결혼반지를 끼는 것도 나쁘지 않을 것 같군요. 바로 과부가 되고 싶진 않거든요."

"……."

볼코프는 자신의 손녀보다도 더 어릴 여자의 당돌한 말에 머쓱해져서 턱수염을 매만졌다. 이런 상황에선 정말 뭐라고 말해야 할지 입이 떨어지지 않는다.

"제 말로 장군님이 좀 더 삶에 의욕을 가져주시면 좋겠습니다만 역시 안 될까요?"

아무래도 라토바는 진지하다. 농담이 아닌 것 같다.

"하하하. 고려해 보도록 하지."

볼코프는 그렇게 말했지만 라토바도 볼코프도 그들이 결혼하고 평화롭게 사는 미래는 감히 상상할 수가 없었다.

• ☾ • See You Next Moon •